VESPASIÁN
ŘÍMSKÝ POPRAVČÍ

VESPASIÁN
ŘÍMSKÝ POPRAVČÍ

ROBERT FABBRI

Přeložil Jaroslav Žerávek

Vydalo nakladatelství BB/art s.r.o. v roce 2014
Bořivojova 75, Praha 3

Z anglického originálu *Vespasian. Rome's Executioner*
(Published by Corvus, Great Britain, 2012)
přeložil © 2014 Jaroslav Žerávek
Redakce textu: Robert Kubánek
Jazyková korektura: Jan Řehoř

Tisk: CENTA, spol. s r. o., Vídeňská 113, Brno

První vydání v českém jazyce

ISBN 978-80-7507-008-1

Mé tetě Elisabeth Woodthorpové,
na kterou jsem se vždy mohl spolehnout.

PROLOG

ŘÍM, LISTOPAD ROKU 29 PO KR.

STACCATO KLAPOTU – ocvočkované sandály na mokrých kamenech – se odráželo od ušmudlaných cihlových zdí v neosvětlené uličce na kopci Viminalu, po kterém svižně kráčely dvě postavy v pláštích s kápěmi. Tísnivý pocit v temnotě bezměsíčné noci ještě zvyšovala první zimní mlha, která toho večera zahalila město; vodní pára se spojila s kouřem, jenž stoupal z nesčetných ohnišť hustě osídlené čtvrti Subura, ulpívala na vlhkých vlněných pláštích mužů a vířila za nimi. Mihotavý svit smolných pochodní, které spěchající drželi v rukou, jen slabě ozařoval jinak neproniknutelné přítmí.

Muži věděli, že je někdo sleduje, ale ani jeden z nich se neohlédl. Jen by je to zpomalovalo, a kromě toho jim žádné bezprostřední nebezpečí nehrozilo. Z kradmých a odměřených kroků bylo zřejmé, že jejich pronásledovateli jsou špehové, ne zloději.

Pokračovali dál, jak nejrychleji to šlo, a za chůze se vyhýbali kopám odpadků, mrtvému psu, hromádkám výkalů a také jedné nešťastné oběti pouličních zlodějů, která slabě sténala v kaluži vlastní krve. Protože netoužili sdílet osud umírajícího muže, minuli ho bez jediného pohledu a pokračovali k vrcholu Viminalu. Zde už v širších ulicích obytné čtvrti občas hlídkovali vigilové, příslušníci noční hlídky, s obávanými palicemi. Jenže ti dva nijak po setkání s touto odnoží římských strážců pořádku netoužili. Nebylo žádoucí, aby je zastavili a vyslýchali, proto si schválně zvolili přímou cestu z Palatinu, odkud vyšli, přes uličky Subury plné zločinu na Viminal, aby se co nejdéle vyhýbali širším a hlídanějším městským tepnám. Takhle pozdě a očividně bez ozbrojeného doprovodu by okamžitě vzbudili podezření – a pro úspěch svého úkolu potřebovali dorazit do cíle bez problémů a bez pronásledovatelů.

Ve snaze setřást muže, kteří se jim drželi v patách, se dali do běhu, jenže navzdory rychlým odbočením vlevo a vpravo je ozvěna kroků opět dostihla. Tentokrát už se jasně rozléhaly přes výkřiky zdušené mlhou a neustávající noční rachocení povozů a koňských podkov, jež stoupalo z kotle lidského zoufalství a bídy, který vřel dole v Subuře.

Když zahnuli za další roh, jeden z mužů pohlédl na svého společníka. „Myslím, že bychom se jich měli zbavit, než budeme pokračovat," sykl a vtáhl ho do nedalekých dveří.

„Jak myslíš, pane," odpověděl klidným hlasem druhý muž. Byl starší než jeho druh, s černým plnovousem, který se dal pod kápí ve světle pochodně sotva rozpoznat. „A jak doporučuješ, abychom to provedli? Podle těch kroků bych řekl, že jsou čtyři."

Mladšímu muži přelétl po viditelné části tváře podrážděný výraz, ale protože svého společníka už znal čtyři roky, zvykl si na jeho bezvadné způsoby a úctu. Koneckonců to byl pořád otrok.

„Nemám žádný zvláštní plán. Prostě na ně skočíme, až nás budou míjet," odvětil a tiše vytáhl z pochvy *gladius*. Privilegia nosit ve městě meč mohli požívat pouze příslušníci pretoriánské gardy a městské kohorty. Právě to byl hlavní důvod, proč ti dva nepotřebovali, aby je hlídky zastavily.

Starší muž se usmál nad vznětlivostí svého mladého přítele a současně i on tasil gladius. „Jednoduché plány jsou často nejlepší, pane, ale smím přece jen navrhnout jedno drobné vylepšení?"

„Jaké?"

„Já zůstanu s pochodněmi tady. Ty se schováš na druhé straně uličky a vezmeš je zezadu, když půjdou po mně. To nám dá šanci trochu tu jejich přesilu srovnat."

Mladík se zatvářil naštvaně, že na tak jednoduchou lest nepřišel sám, ale poslechl svého druha. Vytáhl zpoza opasku krátkou dýku a čekal se zbraní v každé ruce, neviditelný v té kluzké tmě. Jen uvažoval, jak se jeho společníkovi podařilo skrýt obě pochodně tak, že ve tmě nezáří.

O několik okamžiků později už na konci uličky zaslechl hlasy. „Zahnuli tamhle, jsem si tím jistý," zavrčel muž vpředu na dalšího, když odbočili za roh. „Vědí, že jsme jim v patách, zrychlili... Co to...?"

Než mohl dokončit nadávku, vzduchem prolétla hořící pochodeň a zasáhla ho ze strany do krku. Hořící smůla potřísnila muži mastnou vlnu pláště i vlasy, takže se obojí okamžitě vzňalo. Zaječel a klesl na kolena, když mu hlavu obklopila ohnivá koule a těžký vzduch naplnil ostrý nakyslý puch hořících vlasů a látky. Jeho společník měl čas sotva na to, aby rychlý běh událostí zaznamenal. Vzápětí ucítil, jak mu bradou projel ostrý hrot gladia, vyšel levým uchem a napůl mu oddělil čelist. Smysly mu naplnila nepředstavitelná bolest a dýchací trubici zalila horká krev. Klesl na zem, rukama si svíral ránu, a když ze sebe vyrazil dlouhý klokotavý výkřik, z úst mu vytryskla hustá tmavá sprška.

Mladší muž vyskočil ze svého úkrytu přímo na dva následující špehy a odřízl jim cestu. Nová hrozba, která se vynořila ze stínů za nimi, byla pro muže zvyklé na práci ve skrytu a přepadávání obětí v temných uličkách příliš mnoho; odhodili dýky a ozařováni plameny z hořícího pláště a tuniky dosud se zmítajícího vůdce klesli na jedno koleno na znamení, že se vzdávají.

„Vy zbabělí červi," ušklíbl se mladší z mužů, „plížíte se za námi. Kdo vás poslal?"

„Prosím, pane, neublížíme ti," zažadonil bližší z těch dvou.

„Že neublížíte?" Mladíka se zmocnil vztek. „Tak to já vám taky ne." Nacvičeným vojenským pohybem vbodl gladius špehovi do krku a protťal mu míchu. Muž se zhroutil bez hlesu mrtvý na zem. Jeho jediný zbývající druh upřel ohromený pohled na čerstvou mrtvolu a očima žadonil o milost. Přestal ovládat svůj močový měchýř a rozvzlykal se.

„Můžeš vyváznout živý," prohlásil mladík. „Pověz, kdo tě poslal?"

„Livilla."

Mladý muž přikývl. Jeho podezření se očividně potvrdilo.

„Děkujeme," pronesl jeho vousatý společník a přistoupil za klečícího muže. „Ale bohužel tě nemůžeme nechat běžet." Popadl muže za vlasy, zaklonil mu hlavu a rychle mu podřízl hrdlo. Pak ho svíjejícího se odhodil na zem. „Teď ještě doraz tam toho, pane," ukázal na doutnajícího vůdce, který ležel na zemi a tiše naříkal, „a pak odsud zmizíme."

*

Po dalších čtyřech stovkách metrů došli bez nehody do cíle: k dřevěným dveřím obitým železem v ulici lampářů blízko viminalské brány. Vousatý muž třikrát zabušil, chvíli počkal a pak signál opakoval. Po několika okamžicích se odsunula špehýrka a příchozí si prohlédl ježatý vousáč.

„Co chcete?“

Muži shodili kápě a pozvedli pochodně, aby jim ozařovaly obličeje.

„Jsem Titus Flavius Sabinus a toto je Pallas, správce paní Antonie,“ odpověděl mladší. „Přišli jsme na dohodnutou schůzku s tribunem Quintem Naeviem Cordem Sutoriem Macronem z pretoriánské gardy v záležitosti, která se týká pouze dámy a tribuna.“

Špehýrka se zabouchla, dveře zavrzaly a otevřely se. Sabinus a Pallas nechali pochodně v držácích na venkovní zdi a vešli do malé, slabě osvětlené místnosti, která ve srovnání s tísnivým šerem, jímž putovali, působila teple a útulně. Na podlaze z ohoblovaných prken bylo rozmístěno několik skládacích stoliček a dva stoly, na kterých blikaly olejové lampy. Naproti, před vstupem krytým závěsem, stál prostý dřevěný stůl. Až na další dvě lampy na každém jeho konci už místnost nic neozařovalo.

„Tribun vás za chvíli přijme,“ pronesl úsečně strážný u dveří. Na sobě měl služební uniformu pretoriánské gardy: opásanou černou tuniku s bílým lemem a bílou tógu, pod kterou visel na bandalíru přehozeném přes rameno gladius. „Vaše zbraně prosím.“

Váhavě odevzdali meče a dýky strážnému a ten je odložil na stůl tak, aby na ně nedosáhli. Protože je nevyzval, aby se posadili, čekali Sabinus s Pallem mlčky ve stoje. Pretorián přešel k závěsu a zůstal tam stát s rukou na jílci gladia. Hleděl na ně jasně modrýma očima pod srostlým obočím.

Zpoza závěsu k nim doléhal nezaměnitelný zvuk ukájené ženy. Strážný nehnul brvou, když tiché sténání postupně sílilo, prohlubovalo se a vyvrcholilo dlouhým výkřikem extáze, který náhle přerušilo několik ostrých prudkých ran. Žena se rozvzlykala, ale silný úder, po němž evidentně omdlela, ji umlčel. V nastalém tichu pohlédl Sabinus nervózně na Palla, který se tvářil stejně netečně jako strážný. Jako otrok byl zvyklý, že s ním zacházejí jako s kusem nábytku, a dokázal dobře skrývat emoce.

Závěs se prudce odhrnul; strážný se postavil do pozoru. Ze dveří vyšel Naevius Sutorius Macro, mohutný rozložitý muž po čtyřicítce, s výškou přes metr osmdesát, oblečený v přepásané pretoriánské tunice. Silné svalnaté paže a nohy mu pokrývaly krátké tvrdé černé chlupy a chumáče mu jich lezly také zpod límce tuniky. Obličej měl hranatý, úzké rty, vypočítavé oči a krátce po vojensku zastřižené vlasy. Byl to muž, z něhož čišela autorita a touha po moci.

Pallas zachoval navenek nevyzpytatelný výraz, ale v duchu se usmál; viděl, že jeho paní si k tomu, co měla v úmyslu, vybrala správného muže. Sabinus sám se bezděčně napřímil, ačkoli k vojákům už nepatřil. Po Macronově obličeji přelétl pobavený úsměšek. Byl zvyklý, že tak na lidi působí, a vychutnával si nadřazenost, kterou jim dával pociťovat.

„Pohov, občane," zavrčel a bavil se znepokojením mladíka, který ze sebe udělal hlupáka. „Víš, kdo jsem, jinak bys tady nebyl. Představ se a pak mi pověz, proč paní Antonia považovala za vhodné poslat mi se vzkazem bezvýznamného mladíka a otroka."

Sabinus polkl vztek vyvolaný urážkou, kterou Macro pronesl s cílem vyprovokovat ho. Pohlédl Macronovi do očí. „Jsem Titus Flavius Sabinus a tohle je..."

„Vím, co je ten otrok zač," přerušil ho úsečně Macro a sedl si na židli za stolem, „to ty mě zajímáš. Odkud pochází tvoje rodina?"

„Jsme z Reate; můj otec byl pilus prior centurio druhé kohorty dvacáté legie Valeria Victrix a bojoval pod naším milovaným císařem v Germánii, než jej propustili ze zdravotních důvodů. Bratr mé matky, Gaius Vespasius Pollo, má hodnost senátora a před sedmi roky byl prétorem." Sabinus se zarazil a dobře si uvědomoval, z jak tuctového rodu pochází.

„Ano, senátora Polla znám. Býval jsem jeho klientem, ale byl příliš slabý a bezmocný, než aby mi mohl pomoci dosáhnout toho, co jsem chtěl od Říma, proto jsem ho ponížil tím, že jsem se jej zřekl. Třeba budeš chtít jednoho dne tuhle rodinnou urážku pomstít."

Sabinus zavrtěl hlavou. „Jsem zde čistě kvůli paní Antonii."

„No, synovče bývalého prétora, co máš společného s Antonií?"

„Můj strýc se těší její přízni," odpověděl mladík prostě.

„Takže rybka – bývalý prétor – hledá ochranu u velryby a na oplátku za ni dělá špinavou práci. A jeho synovce povýšili do hrdé hodnosti poslíčka. No, poslíčku, tak se posaď a sděl, co mi přinášíš."

Sabinus přijal nabídku. Byl rád, že už nemusí snášet pocit, že je nezbedný žáček, který se musí hájit před svým *gramatikem*. „Já zprávu nepřináším, tribune. Jsem zde jen proto, abych dodal vážnosti hlasu otroka. Zprávu má Pallas."

„Vážnosti?" Macro se zamračil. „Takže velká paní si nejspíš myslí, že bych otroka nevyslechl, že? No, má pravdu, s ‚vážností' nebo bez ní, proč bych měl poslouchat otroka?"

„Protože jinak ti unikne zajímavá příležitost," poznamenal tiše Pallas a pohlédl přímo na tribuna.

Macro na něj nevěřícně zíral a tělem mu zalomcoval vztek. „Jak se opovažuješ na mě mluvit, otroku?" pronesl tichým výhružným hlasem. Obrátil se k Sabinovi. „Zajímavá příležitost, říkáš? Pokračuj."

„Bohužel ti to nemůžu povědět já, tribune, to Pallovi byla ta zpráva svěřena. Budeš buď muset vyslechnout jeho, nebo odejdeme." Sabinovi prudce bušilo srdce, protože si uvědomoval, že překračuje meze, když tlačí Macrona do kouta.

Macro mlčel. Zmítal se mezi touhou zjistit, co od něj chce nejmocnější žena v Římě, a neochotou znemožnit se tím, že si vyslechne vzkaz od někoho v tak nízkém postavení. Nakonec zvítězila zvědavost. „Tak mluv, otroku," řekl nakonec, „ale stručně."

Pallas pohlédl na Macrona a pak očima zatěkal ke strážnému za ním.

„Satrius Secundus zůstane, otroku," podotkl Macro, který jeho náznak pochopil. „Nezradí ničí důvěru. Je mi zcela oddán, že, Secunde?"

„Naprosto, pane!" vyštěkl pretorián.

„Jak si přeješ, pane," souhlasil Pallas a v duchu si zopakoval mužovo jméno, aby je mohl po návratu sdělit své paní. „Paní Antonia posílá pozdravy a omluvu, že tě nepozvala do svého domu a neprokázala ti tu laskavost, aby s tebou promluvila osobně. Domnívá se však, že jistě pochopíš, že by v zájmu bezpečnosti vás obou neměl existovat žádný důkaz, který by vás spojoval."

„Ano, ano, k věci," přerušil ho Macro, kterému ten uhlazený Řek očividně lezl na nervy.

„Spor mé paní se Seianem pro tebe jistě není žádným tajemstvím, pane. Teď ale dospěla k přesvědčení, že může tento spor ukončit a odhalit Seiana imperátorovi jako zrádce, který se chce zmocnit trůnu."

Macro pozvedl obočí. „To je ale odvážné tvrzení. Jakým důkazem by chtěla imperátora o téhle domnělé zradě přesvědčit?"

„Ačkoli už nějakou dobu shromažďuje důkazy o Seianově zradě, nevystačí na proces proti němu. Má několik dokumentů potvrzených na základě doslechu a spekulací, ale nic solidního, žádné svědky... až teprve teď."

„Svědek?" podivil se Macro. „Co za svědectví bude moci předložit?"

„Do téhle záležitosti mě moje paní samozřejmě nezasvětila."

Macro přikývl.

„Ale," pokračoval Pallas, „není to římský občan. Nebude svědčit pod přísahou, jeho svědectví z něj bude vynuceno mučením přímo před Tiberiem."

„Jak si tvá paní představuje, že toho muže dostane k imperátorovi, když přístup k němu hlídají pretoriáni?"

„Právě v tomhle potřebuje paní Antonia tvoji pomoc a má pro tebe následující návrh: pomoz jí zničit Seiana a na oplátku se ona postará o to, aby ses stal příštím prefektem pretoriánské gardy."

Macronovi zasvítilo v očích, ale rychle se ovládl a pousmál se. „Jak mi to může zaručit?"

„Pokud ti nestačí slovo imperátorovy švagrové, tak uvaž tohle: až Seianus padne, a on padne, bude se okamžitě muset ujmout úřadu nový prefekt gardy, aby zvládl chaos a vyslechl a popravil důstojníky, kteří zůstanou věrní starému řádu. Tohle se bude muset zařídit předem a bude to stát spoustu peněz, které ty nemáš. Paní Antonia ti poskytne vše, co budeš potřebovat k tomu, aby sis koupil loajalitu důležitých důstojníků, až nastane ten pravý čas. Mezitím si promysli, koho budeš potřebovat podplatit, a začni na tom pracovat."

Macro pomalu kývl. „Ale co s tím problémem, jak dostat vašeho svědka před imperátora?"

„Ve vší úctě, pane, moje paní to považuje za tvůj problém. Navrhuje, aby sis nějak zařídil, že tě přeloží na Capri."

„Ale, opravdu?" ušklíbl se jízlivě Macro. „Jako by to bylo jen tak, zažádat si o přeložení.“ Upřel na Palla ledový pohled a několik okamžiků si jej prohlížel. Řek zachoval, jako ostatně vždy, kamenný výraz. „Co mi zabrání,“ pokračoval pomalu Macro, „abych teď nešel za Seianem a nezopakoval mu všechno, co jsem právě vyslechl? Co mi záleží na tvém životě nebo na životě tohohle synovce bývalého prétora a jeho rodiny?“

„Máš pravdu, pane, ale na tvém životě by pak nejspíš už taky moc nezáleželo.“

„Jak to myslíš?“

„Myslím to tak, že samotný fakt, že ses rozhodl nás vyslechnout, může být důvodem k pochybám o tvé věrnosti. Seianus se bude domnívat, že tentokrát ti prostě jen nenabídli dost, ale příště už to může být jinak. Myslím, že jestli za ním půjdeš, budeme mrtví všichni.“

Macro vstal a praštil dlaní do stolu. „Secunde, meč!“ zařval a popadl svoji zbraň. Strážný okamžitě tasil gladius a vrhl se na Sabina a Palla.

„Ennia!“ vykřikl Pallas.

Macro zvedl ruku. „Zadrž,“ poručil. Secundus poslechl. „Co má moje žena s tímhle vším společného?“ zavrčel.

„V tuto chvíli nic, pane,“ odpověděl lhostejně Pallas. „Je ve velmi dobré společnosti a nepochybně si jí užívá.“

„Co tím chceš říct, otroku?“ Macrona se očividně zmocňovala nervozita.

„Záhy poté, cos opustil dnes večer svůj dům, poslala paní Antonia nosítka pro tvou ženu Enniu s pozváním, aby povečeřela s ní a jejím synovcem Gaiem. Takovou poctu samozřejmě nemohla paní Ennia odmítnout. Odešli jsme, když tvoje žena dorazila, a zůstane u paní Antonie až do našeho bezpečného návratu, takže by nejspíš bylo lepší, kdybys nám dal Secunda jako doprovod.“

Macro se napjal, jako by se chtěl sám vrhnout na Palla, a pak se sesul na židli. „Zdá se, že mi moc na vybranou nezbývá,“ podotkl tiše. Vzhlédl k Pallovi a v tmavých očích mu žhnula nenávist. „Ale věř mi, otroku, za tuhle drzost ti dám uříznout koule.“

Pallas se raději k tomuto tématu nevyjadřoval.

„No dobrá,“ dal se Macro dohromady. „Secundus vás doprovodí zpátky. Vyřiď své paní, že udělám, oč mě žádá, ale udělám to pro sebe, ne kvůli ní.“

„Nic jiného od tebe ani nečeká, pane. Velmi dobře si uvědomuje, že tohle spojenectví uzavíráte kvůli výhodnosti pro obě strany. A teď s tvým svolením odejdeme."

„Ano, jděte, vypadněte!" vyštěkl Macro. „Jo, a ještě jedna otázka: kdy chce Antonia toho svědka předvést před imperátora?"

„Nejdříve tak za šest měsíců."

„Nejdříve za šest měsíců? To chceš říct, že není v Římě?"

„Ne, pane, není dokonce ani v Itálii. Vlastně jsme ho ještě ani nezajali."

„Kde tedy je?"

„V Moesii."

„V Moesii? A kdo ho tam najde a dopraví do Říma?"

„S tím si nelam hlavu, pane," odpověděl Pallas a obrátil se k odchodu. „To už je zařízeno."

ČÁST I

FILIPPOPOLE, THRÁKIE

BŘEZEN ROKU 30 PO KR.

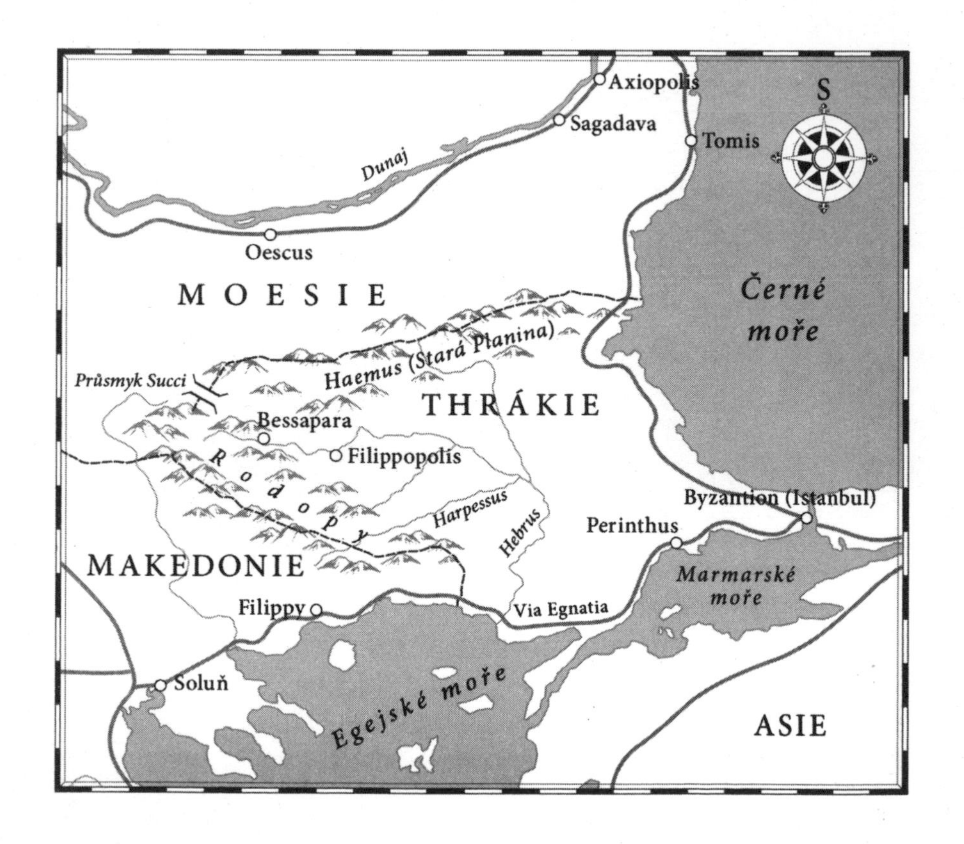

KAPITOLA I

VESPASIÁN OPATRNĚ PŘENESL VÁHU na levou nohu. Našlapoval tiše a vyhýbal se spadanému listí a suchým větvičkám, které posévaly les pokrytý sněhovým popraškem. Téměř neslyšně překonal posledních pár desítek metrů. Od úst mu stoupala pára, jak se po dlouhém pronásledování pokoušel zklidnit bušící srdce. Byl sám. Své společníky, dva lovecké otroky, které si vypůjčil z královských stájí, opustil před pár kilometry, aby ho následovali na koních, a sám se vydal za zraněným zvířetem pěšky. Jeho kořist, mladý jelen, už byla nedaleko. Krvavá stopa po zásahu šípem do krku teď vypadala čerstvější – znamení, že zvíře, které oslabila ztráta krve, dohání. Napjal tětivu loveckého luku a přitiskl si opeřený konec šípu k tváři. Skoro nedýchal. Udělal pár dalších kroků a rozhlédl se. Pátral v okrových a červenohnědých odstínech hustého zimního lesa po známkách šedohnědé srsti.

Koutkem oka zachytil lehký pohyb napravo a ztuhl. Zatajil dech a pomalu se obrátil k jeho původci. Asi dvacet kroků od něj, napůl skrytý ve šlahounech keřů, stál jelen. Nehýbal se a pokorně se na něj díval. Srst v kohoutku měl potřísněnou krví. Právě když se Vespasián chystal vystřelit, jelen se svalil na zem. Vespasián tiše zaklel. Zuřil, že mu bylo po tak dlouhém pronásledování upřeno vzrušení ze zabití. Připadalo mu to jako metafora těch tří a půl let, která strávil po rozdrcení povstání strážní službou v Thrákii. Jakýkoli příslib akce vždy vyšuměl a on se vracel do tábora zklamaný, s neposkvrněným mečem a bolavýma nohama po pronásledování pár lotrů po kraji. Nedalo se nic dělat, ve spřáteleném království vládl mír a on se užíral nudou.

Ale nebylo tomu tak vždycky. První rok ještě docela ušel. Po vyhlazení zbytků thráckých rebelů odvedl Pomponius Labeo Pátou makedonskou, většinu Čtvrté skytské, aly jezdectva a pomocné kohorty zpátky na základny na Dunaji v Moesii a v opevnění zanechal jako velitele Publia Junia Caesennia Paeta, prefekta jediné zbývající aly pomocné ilyrské jízdy. Vespasiánovi bylo svěřeno zcela zanedbatelné velení nad dvěma zbylými kohortami legií, druhou a pátou ze Čtvrté skytské. Ve skutečnosti mu ale velel vyšší centurio Lucius Caelus v hodnosti táborového prefekta, který ho sice toleroval, ale dal mu jasně najevo, co si myslí o arogantních mladících, kteří získali velitelskou hodnost jen zásluhou svého společenského postavení.

Vespasián se však od Caela a jeho druhů centurionů hodně naučil. Snažili se zaměstnat muže polními manévry, budováním silnic a mostů a udržováním vybavení a tábora. Jenže všechno to byly mírové povinnosti a po nějaké době se mu začínaly zajídat. Toužil po válečném vzrušení, které zažíval předtím, i když jen krátce, během prvních pár měsíců v Thrákii. Jenže válka nikde, jen její slabý odvar v podobě nekonečných přehlídek a cvičení.

Pro pobavení absolvoval v paláci s královnou Tryfenou a spoustou místních i přespolních hodnostářů řadu večeří, díky kterým nakynul v pase. Jeho snaha zjistit, co je nového v Římě, ať už od královny nebo od jejích hostů, přinesla jen vágní a nepodložené informace – dokonce i tak daleko od Říma lidé jen váhavě vyjadřovali, co si doopravdy myslí, což svědčilo o tom, že v hlavním městě říše vládne napjatá atmosféra. Seianus byl stále prefektem pretoriánské gardy a pořád se těšil přízni Tiberia, který zůstával v izolaci na Capri. Jak pokračuje jeho patronka Antonia ve svém politickém boji se Seianem o udržení legitimní vlády v Římě, zůstávalo záhadou. Po tak dlouhé době v tomhle zapadákově, jen nepatrné součásti říše, si Vespasián připadal jako zapomenutá figurka na okraji šachovnice. Toužil po návratu do Říma, kde by snad mohl znovu posloužit Antonii – a jejím prostřednictvím postupovat na společenském žebříčku. Tady ho nečekalo nic, jen stagnace.

Jeho dlouhý pobyt v Thrákii však měl přece jen jeden nepřehlédnutelný přínos. Jeho řečtina, *lingua franca* Východu, byla teď zcela plynná. Ovládal rovněž docela dobře místní thrácké nářečí, ale to spíš z nutnosti než z potěšení. Lov byl jedinou činností, která mu přinášela uspokojení, vzrušení a utužovala jej; jenže dnes ani ten nestál za nic.

Vespasián podrážděně vystřelil na ležící zvíře. Šíp prošel hrdlem a přibil jelena k lesní půdě. Okamžitě si v duchu vynadal, že dal takto průchod uražené pýše a neprojevil odpovídající úctu tvorovi, který se mu tak statečně snažil celou hodinu uniknout. Prodral se podrostem, tiše nad zvířetem odříkal rychlou děkovnou modlitbu bohyni lovu Dianě, vytáhl nůž a pustil se do kuchání ještě teplého těla. Utěšoval se myšlenkou, že čtyři roky jeho vojenské služby se už brzy završí. Končil březen a po zimě se znovu otevíraly námořní cesty. Zanedlouho dorazí jeho náhradník. Pak se vrátí do Říma s vyhlídkou na postup do postavení nižšího úředníka, jednoho z vigintiviri. Ovšem stejně tak se těšil na setkání s Caenidou, Antoniinou tajemnicí. Její obraz mu přelétl před očima, zatímco páral nožem břicho jelena – její jemné vlhké rty, třpytivě modré oči tak plné lásky a žalu, když se s ním loučila; její štíhlé tělo, nahé ve slabém svitu olejové lampy v tu jedinou noc, kdy spolu ulehli. Toužil ji znovu sevřít v náručí, cítit její vůni a chuť, mít ji jen pro sebe. Ale copak by to bylo možné? Pořád byla otrokyní a podle zákonů nemohla získat svobodu, dokud jí nebude nejméně třicet. Ostří zajíždělo do kůže a masa tvrději a rychleji, zatímco uvažoval nad marností situace. I kdyby získala svobodu, nikdy by si ji nemohl vzít, jak si to s naivitou šestnáctiletého hocha představoval. Někdo v jeho postavení, s jeho ambicemi, by si nikdy nemohl vzít za ženu osvobozenou otrokyni. Mohl by si ji nechat jako milenku, jenže jak by se v tom případě cítila žena, kterou by pojal za manželku? Musela by se s tím prostě smířit, rozhodl se, když vytáhl z úlovku poslední zbytky vnitřností.

„Za tu dobu, co tady sedím, už bych do tebe mohl nasypat aspoň tucet šípů."

Vespasián sebou trhl. Prudce se obrátil a řízl se přitom do palce. Magnus seděl na koni, dvacet kroků od něj, culil se a mířil na něj svým loveckým lukem.

„Do Hádu, tys mě vyděsil," mávl otráveně Vespasián zraněnou rukou.

„Ještě víc by ses zděsil, kdybych byl thrácký rebel a střelil tě tímhle šípem rovnou do zadku, pane."

„Jistě, jenže ty rebel nejsi a nestřelils." Vespasián se trochu zklidnil a sál si z prstu vlastní krev smísenou s jelení. „Proč se tady vůbec za mnou plížíš?"

„Já se přece vůbec neplížil, pane, přijel jsem a nadělal jsem přitom tolik hluku jako centurie nových rekrutů při loučení se svými matkami." Magnus sklonil luk. „Byls příliš zabraný v myšlenkách, než aby sis mě všiml, a pokud mohu jen podotknout zřejmé, pane, byl bys už kvůli tomu teď mrtvý."

„Ano, já vím, byla to ode mě hloupost, ale zamyslel jsem se, Magne," připustil Vespasián a vstal.

„No, už brzy budeš mít podnětů k přemýšlení ještě víc."

„Copak?"

„Přijela ti návštěva. Jen cos odjel, do pevnosti dorazil tvůj bratr."

„Cože?"

„Slyšels dobře."

„Co tady Sabinus chce?"

„A jak to mám asi vědět? Ale odvažuju se hádat, že nevážil celou cestu sem jen kvůli tomu, aby si s bratříčkem poklábosil. Nařídil mi, abych tě co nejrychleji našel, tak sebou hodíme. Kde máš koně?"

Než našli Vespasiánovy lovecké otroky a připevnili úlovek na koně, bylo už odpoledne. Kvůli hustým mrakům na obloze se v lese rychle šeřilo, a tak v obavě, že koně ve slábnoucím světle klopýtnou, raději zvířata vedli. Vespasián kráčel vedle Magna a uvažoval, co asi bratra přimělo putovat za ním stovky kilometrů, a začal se obávat nejhoršího. Před dvěma lety mu otec poslal očekávanou zprávu o smrti jeho milované babičky Tertully a on ani po tak dlouhé době nedokázal překonat žal, který pocítil pokaždé, když si ji vybavil, jak pije ze svého drahocenného stříbrného poháru.

„Jeden z rodičů musel zemřít," uvažoval nahlas a v duchu si vyčítal, že doufá, že to není otec. „Přišel ti smutný, Magne?"

„Právě naopak, pane, toužil tě vidět co nejdříve. Kdyby měl špatnou zprávu, nespěchal by s tím rozhovorem tolik. Připadal mi velmi zklamaný, když jsem mu oznámil, žes odjel."

„Tak to je snad poprvé." Vespasián se pousmál. Se Sabinem ani jako děti nevycházeli v dobrém a on musel léta snášet bratrovu brutalitu. Tohle období skončilo, když bylo Vespasiánovi jedenáct a Sabinus vstoupil do legií. Přestože po návratu z vojenské služby napětí mezi nimi polevilo, nedokázal si Vespasián představit, že by bratr mohl být zklamaný, že ho nenašel.

„Nejspíš se už brzy dozvím, co se děje," poznamenal, rozhlédl se a upravil si lovecký luk přehozený přes rameno. „Pojďte, pojedeme, stromy už prořídly." Chystal se nasednout. „Už je tady dost světla, takže..." Krátké zasyčení a těžká rána ho přerušily; do čelisti jeho koně, v místě, kde měl ještě před chvílí hlavu, se současně zabodly dva šípy. Zvíře se vzepjalo, pronikavě zaržálo a srazilo Vespasiána do sněhu. Třetí šíp hřebci vzápětí proklál plec a po dalším zásahu rovnou do hrudi kůň klesl k zemi.

„Co to...?" Magnus zalehl Vespasiána, zatímco jeho kůň začal vyvádět. „Rychle, za tvého koně, skoč tam."

Vrhli se přes ležící zvíře a schoulili se za jeho hřbetem ve chvíli, kdy se do břicha koně zabodly další dva šípy; hřebec zvedl hlavu a zařičel, kopyty zabušil ve vzduchu, jak se marně pokoušel vstát. Dva lovečtí otroci se vší rychlostí rozběhli jejich směrem, aby se k nim připojili v jediném dostupném úkrytu. Jeden náhle vykřikl, zatočil se jako káča a vlající plášť mu ovinul tělo, když se zhroutil na zem se šípem trčícím ze zakrvácené oční jamky. Jeho společník se vrhl směrem k Vespasiánovi a Magnovi a přistál vedle nich v okamžiku, kdy se do zmítajícího se koně zaryla další střela. Zvíře se prudce zachvělo a pak znehybnělo.

„Co si počneme?" sykl Magnus, když těsně nad jejich úkrytem přelétly další dva šípy a zabodly se do země jen pět kroků od nich. Pak vše utichlo.

„Vypadá to, že jim jde o mě," zašeptal Vespasián. „Všechny střely šly mým směrem, dokud jsem se neukryl. Teprve pak začali střílet otroky." Pohlédl na svoje dva společníky, vytáhl nůž a začal odřezávat kožené popruhy, kterými k mrtvému koni připoutali jelena. „Podle všeho jsou jen dva. Zkusím se dát jedním směrem a vy dva druhým; s trochou štěstí půjdou po mně a vy se k nim dokážete dostat zezadu. Jak se jmenuješ?" zeptal se loveckého otroka, muže ve středních letech s kudrnatými černými vlasy a řeckým písmenem sigma vypáleným na čele.

„Artebudz, pane," odpověděl otrok.

„No, Artebudzi, už jsi někdy zabil člověka?" Popruhy povolily a jelen sklouzl na zem. Do koně narazily další dva šípy.

„V mládí, pane. Než mě vzali do otroctví."

„Zabij dneska jednoho z těch neřádů a já se postarám, že už otrokem nebudeš."

Otrok přikývl. Ve tváři měl výraz naděje a odhodlání, když z poutka na opasku uvolnil svůj lovecký luk. Vespasián ho poplácal po rameni, pak popadl jelena za přední nohy a přehodil si zvíře přes záda.

„Až napočítám do tří, zvednu jelena. Jakmile do něj začnou střílet, utíkejte, než založí nové šípy, jasné?" Jeho společníci přikývli. Vespasián si skrčil nohu pod břicho připravený se odrazit. „Jdeme na to – jedna, dva, tři!" Zvedl jelena nad plec mrtvého koně a okamžitě ucítil prudký náraz dvou šípů, které téměř současně zasáhly mršinu. Odrazil se pravou nohou a vztyčil se i s mrtvou váhou jelena. Vzápětí se, co mu síly stačily, rozběhl k silnému dubu vzdálenému asi dvacet kroků. Při dvou prudkých nárazech zezadu se zapotácel, ale udržel se na nohou. Žádnou bolest necítil – šípy šly do jelena, který mu chránil záda. Chrčivě do sebe nasával studený vzduch. Doběhl ke stromu a schoulil se za ním, zatímco do kůry se s drnčením zaryly další dvě střely.

Vespasián se opřel hlavou o měkký mech rostoucí na kůře a zhluboka vdechoval zimní vzduch; hlava jelena se mu opírala o rameno jako nově nalezený opilý kumpán, který mu přísahá věčné přátelství. Opatrně vykoukl dozadu směrem k mrtvému koni a stromům za ním. Magna ani Artebudze nikde nezahlédl. Zatajil dech a poslouchal. Nic se nehýbalo. Pochopil, že musí zabavit útočníky, než je jeho dva druhové obejdou a dostanou se do výhodné pozice. Spustil jelena na zem, sundal z ramene luk a nasadil šíp. Klesl na kolena a z dráhy předešlých šípů se snažil odhadnout směr, kterým bylo potřeba zamířit. Spokojený s odhadem se zhluboka nadechl, vyklonil se s lukem kolem kmene a vystřelil jen okamžik předtím, než mu asi na šířku dlaně nad hlavou prosvištěl šíp. Vespasián se usmál. Rozdělili se, tím se všechno hodně usnadnilo. Deset kroků doleva ležel padlý dubový kmen, dost vysoký na to, aby mu poskytl dostatečné krytí. Vložil do luku další šíp. Potom jej pevně přidržel levačkou na luku, pravou rukou zvedl jelena a pomalu vstal. Zády se nepřestával tisknout ke stromu.

Ze směru, kam předtím střílel, zazněl náhle přerušený výkřik. Pak zvolání:

„Ještě jeden!“

Byl to Magnus. Věděl, že nemůže riskovat další střelu naslepo, aby nezasáhl přítele. Protože útočníci už znali jejich pozice, mohl si dovolit zavolat: „Jsou to Římané, nebo Thrákové?“

„Ani jedni, nikdy předtím jsem takového divocha neviděl. Má na sobě kalhoty,“ uslyšel Magna.

„Tak doufejme, že nemluví latinsky. Vidíš toho mrtvého koně?“

„Ano, asi tak padesát kroků před námi; podle zvuku jsi někde nalevo od něj.“

„Tak dávej pozor, musíte být blízko u toho druhého. Udělám pohyb, možná se ukáže. Zůstaňte dole, vystřelím do výšky hlavy. Artebudzi, sleduj pohyb.“

Vespasián se připravil na další rychlou akci. Odhodil jelena doprava a vzápětí zaslechl ostrý svist a další náraz do mršiny. Sám se vrhl doleva směrem k padlému stromu a během pohybu napjal tětivu a vystřelil. Překulil se podrostem a rychle se skryl za kmen, do kterého se zaryl se zadrnčením šíp. O okamžik později zaslechl slabý, ale nezaměnitelný zvuk náhlého a prudkého vydechnutí. Někoho zasáhli.

„Mám ho, páni,“ zvolal Artebudz a jeho hlas vzrušením poskočil o oktávu.

„Je mrtvý?“ zeptal Magnus.

Následoval okamžik ticha.

„Teď už ano.“

„Díky bohům.“

Když Vespasián dorazil za Magnem a Artebudzem, stáli nad tělem jednoho ze střelců.

Magnus nakrčil nos. „Nechápu, jak je možné, že jsme je neucítili, než nás napadli. Ještě jsem tak strašně páchnoucího divocha nepotkal. Museli se od nás držet po větru.“

Byl to opravdu odporný puch. Těžká směsice všech hlavních mužských výměšků, jež za léta ulpěly na oděvu z napůl vydělané zvířecí kůže, který si tenhle divoch nejspíš nikdy nesundal od chvíle, kdy jej navlékl. Vše završoval nakyslý odér starého a zažraného koňského potu.

„Co je zač?" Zhnusený Vespasián ustoupil o krok.

„Nemám tušení. Artebudzi, už jsi někdy viděl někoho takového?"

„Ne, pane. Ale vousy má zrzavé a střih čapky je thrácký."

Vespasián si prohlížel mužův oděv. Čapka byla podle vzhledu jasně thrácká – kožená s dlouhými klopami na tvářích a ochranou krku, podobná těm, jaké nosily kmeny na severu Moesie, na rozdíl od klobouků z liščí kožešiny používaných u jižních kmenů v samotné Thrákii. Jenže na téhle byly barevnou nití vyšité hrubé obrysy koní a kožené řemínky měl mrtvý uvázané pod bradou. Kromě bot po kolena už zbytek oděvu rozhodně thrácký nebyl. Kožešinové kalhoty, na vnitřní straně stehen odřené, což naznačovalo dlouhou dobu v sedle, a kožený kabátec po stehna, který měl útočník navlečený na nebarvenou vlněnou tuniku.

„Možná Skytové," uvažoval Magnus. Zvedl mužův luk z kombinace rohoviny a dřeva a zblízka si jej prohlížel.

„Ne, jednoho z nich máme doma, jsou snědší a mají zvláštní oči; tenhle muž vypadá normálně. No, nebudeme si s tím teď dělat starosti. Musím se vrátit za bratrem. Pro všechny mrtvé pošleme zítra ráno Artebudze s několika otroky."

Artebudz se usmál nad narážkou, že už brzy bude svobodný.

Vespasián se rozhlédl. „A teď najdeme koně."

Než dojeli do trvalého tábora před branami Filippopole, byla už tma. Vespasián poslal Artebudze zpět do královských stájí s varováním, aby mlčel o tom, co je potkalo, dokud si Vespasián nepromluví s královnou, které otrok patří. Oplatili pozdrav centurionovi na hlídce u pretoriánské brány a pak se s Magnem rozjeli co nejrychleji, aby nevzbudili pozornost, po Via Praetoria mezi nízkými cihlovými kasárenskými budovami k pohodlnější rezidenci na křižovatce s Via Principalis. Vespasiánova úzkost byla tak silná, že mu zcela unikla špatná nálada a neklid, s jakým více než tisíc vojáků pojídalo večeři a zapíjelo ji štědrým přídělem vína, který ještě doplnili o silnější nápoje, zakoupené u místních obchodníků. Přemítal o důvodu bratrovy návštěvy, o tom, jaké asi bude jejich setkání po čtyřech letech a také o tom, proč se je pokusili odpoledne ti dva cizáci zabít.

„Chlapci jsou dnes nějací nabroušení," přerušil jeho myšlenky Magnus.

„Cože?"

„Už jsem to zažil dřív, pane, může k tomu dojít hodně rychle. Po dlouhé době pouhého výcviku bez toho, aby ho mohli někdy uplatnit, začnou být hoši jako na jehlách a uvažují, co tady vlastně dělají a jak dlouho ještě v téhle prdeli budou trčet. Jsou to legionáři a už déle než tři roky ani jednou nebojovali. Naproti tomu ti, kteří se vrátili do Moesie, zažívají bojů spoustu, pokud jsou zvěsti jen z poloviny pravdivé."

Vespasián se rozhlédl po mužích, kteří seděli kolem ohřívadel, a uvědomil si, že řada z nich na něj přes poháry s vínem zamračeně hledí s pohrdáním ve vpadlých očích. Jeden nebo dva dokonce nesklonili zrak, což byl projev nekázně, s nímž by se za jiných okolností, kdyby neměl tolik starostí, okamžitě vypořádal.

„Promluvím ráno s centurionem Caelem a zjistím, co se děje," poznamenal unaveně, protože moc dobře věděl, že právě Caelus má povinnost přijít a hlásit špatné nálady u obou kohort, kterým velel. Byl to jen další příklad toho, jak se Caelus snaží nenápadně podrývat jeho autoritu.

Vespasián sesedl před svou ubikací. Byla postavená stejně jako ubikace mužstva, ale byla o něco větší a taky se nemusel o dvě místnosti dělit s dalšími sedmi lidmi.

„Dám ustájit koně," navrhl Magnus a převzal od něj otěže.

„Děkuju. Uvidíme se později." Vespasián se zhluboka nadechl a vstoupil do dveří.

„Ale, bratříček už se vrátil z plížení v lesích," zavrčel známý hlas beze stopy náklonnosti nebo třeba jen přátelství. Sabinus si hověl na pohovce ve večeřadle. Očividně použil důstojnické lázně, protože na sobě neměl žádné stopy prachu a špíny cest. Přes čistou tuniku měl přehozenou bezvadnou bílou jezdeckou tógu.

„Možná jsem tvůj mladší bratr, ale když jsem vstoupil k Orlům, přestal jsem být malý," vyštěkl Vespasián. „A taky se nikde neplížím, a nikdy jsem to nedělal."

Sabinus vstal. Posměšně hleděl na bratra a tmavé oči se mu v slabé záři dvou olejových lamp třpytily. „Á, pán si hraje na velkého vojáka. Snad mi taky nechceš tvrdit, že už si to nerozdáváš s mulami."

„Podívej se, Sabine, pokud jsi jel celou tu dálku sem jen proto, aby ses porval, tak si to odbuďme hned a pak klidně zase táhni domů. Jinak se snaž chovat jako dospělý a pověz, co máš na srdci." Vespasián se postavil proti bratrovi a zaťal pěsti na svěšených rukou. Sabinus se pousmál. Vespasián si všiml, že bratr přibral – čtyři roky, co opustil vojsko a vedl blahobytný život v Římě, zanechaly svoji stopu.

„To stačí, bratříčku," opáčil Sabinus a usedl na táborovou židli. „Jenže znáš to, zvyk je železná košile. Nepřijel jsem se rvát; posílá mě paní Antonia. Nenabídneš mi něco k pití?"

„Pokud jsi už skončil s urážkami, tak ano." Vespasián přešel na opačný konec místnosti k hrubě sbité dřevěné komodě, která stála vedle dveří do ložnice, a uchopil velký džbán. Ve dvou pohárech smísil silné místní víno s vodou a jeden podal bratrovi. „Jak se daří rodičům?"

„Jsou oba v pořádku, mám pro tebe od nich dopisy."

„Dopisy?" Vespasiánovi se rozzářily oči.

„Ano. Taky mám jeden od Caenidy, pak si je přečteš. Ale nejdřív by ses měl dát do pořádku a převléknout se. Jeden list od Antonie musíme doručit královně Tryfeně. Čeká nás práce a budeme potřebovat její pomoc."

„Jaká práce?"

„Taková, že záchrana Caenidy v porovnání s ní připomíná příjemnou procházku Lucullovými zahradami. Znáš thrácký kmen Getů?"

„Nikdy jsem o nich neslyšel."

„No, já o nich taky moc nevím, až na to, že žijí za hranicemi říše na druhém břehu Dunaje. Obvykle si vystačí s tím, že bojují s kmeny žijícími na sever od nich, ale poslední dobou opakovaně překročili řeku a plení v Moesii. Asi tak v posledním roce ty nájezdy sílí a jsou stále častější a Pátá Makedonská a Čtvrtá Skytská se je snaží odrazit. Imperátorovi začíná celá situace dělat natolik starosti, že znovu jmenoval Poppaea Sabina guvernérem."

„A co to má společného s námi?" zeptal se Vespasián, kterému se vůbec nezamlouvala představa, že znovu bude mít za zády Poppaea, o němž věděl, že je Seianovým spojencem.

„Antonia nechce, abychom podnikali něco ohledně těch nájezdů, o ty jí nejde. Zajímá se o zprávy, které obdržela před několika měsíci od jednoho svého agenta v Moesii."

„Ona má agenty v Moesii?"

„Ta má agenty všude. V každém případě, tenhle hlásil, že posledních tří nebo čtyř nájezdů se zúčastnil jistý muž, se kterým by si naše laskavá paní moc ráda trochu víc popovídala v Římě."

„A nás žádá, abychom jí ho přivezli."

Sabinus se usmál. „Jak jsi to uhodl?"

Vespasián cítil, jak se mu stáhl žaludek. „O koho jde?" zeptal se, ačkoli odpověď už tušil.

„O Seianova prostředníka. Thráckého velekněze Rhoteka."

KAPITOLA II

KRÁLOVNA TRYFENA ODLOŽILA Antoniin dopis na naleštěný dubový stůl a pohlédla na oba bratry. Vespasián stejně jako Sabinus měl na sobě tógu, protože šlo o soukromou schůzku. Seděli v přepychově zařízené, teple osvětlené pracovně, která patřila k řadě královniných soukromých komnat hluboko v nitru palácového komplexu, daleko od nastražených uší početných hodnostářů a otroků, jimiž se hemžily úřední prostory. Do těchto pokojů mohli bez vyzvání vstupovat jen její tajemník a osobní otrokyně. Dokonce i její syn, král Rhoimetalkés, musel vyčkat venku, až jeden ze strážných, kteří nepřetržitě střežili jediný vstup do královniných komnat, požádá jeho jménem královnu o slyšení. Vespasián díky svým úzkým vztahům s Antonií nemusel na uvedení ke královně nikdy dlouho čekat.

„Takže moje příbuzná zjistila, kde se nachází kněz, který by rád zabil mě a mého syna a vládl Thrákii ve jménu bohů," podotkla Tryfena a upřela na bratry jasně modré oči. „A žádá mě, abych pomohla při jeho zatýkání tím, že vám poskytnu vojáky. Ráda to udělám, jenže nemám tušení, nakolik vám budou proti Getům užiteční."

„Jak to myslíš, paní?" zeptal se Vespasián a předklonil se na vycpané židli ve snaze uniknout před závany kadidla, které stoupaly z ohřívadla za jeho zády.

„Moji lidé jsou hlavně pěšáci. Jen středně bohatí si mohou dovolit koně, takže máme relativně málo jízdy. Oproti tomu Getové žijí na pastvinách severně od Dunaje, kde je koní spousta. Bojují téměř výlučně v sedle. Naše jízda by se jim nemohla postavit a pěchota by je nedohonila. Jako nejvýše postavená římská občanka v Thrákii a vladařka z vůle Říma bych dokonce mohla nařídit, abyste si vzali dvě kohorty, které jsou zde umístěny, jenže ani ty by proti takové jízdní síle nic nezmohly. Vzpomínáte na Karrhy, pánové?"

„Takže musíme počkat, až přijdou za námi," vybavil si Sabinus strategii, kterou použili k porážce numidských rebelů, když sloužil u Deváté Hispánské v Africe. „Vydáme se na sever za Pomponiem Labeem a zjistíme od něj, kde dochází k nájezdům. Pak vytipujeme pravděpodobný cíl a počkáme, až zaútočí. Při troše štěstí s nimi bude i ten kněz, jako tomu bylo u předchozích přepadení."

Vespasián na bratra vrhl pochybovačný pohled. „To mi přijde jako střelba naslepo."

„A máš snad lepší nápad, bratříčku?" odsekl Sabinus. „To jim chceš poslat pozvání na hry a po nich ještě na večeři?"

„Tvůj bratr má pravdu, Vespasiáne," přerušila je královna dřív, než se sourozenecká hádka mohla rozhořet. „Možná to chvíli potrvá, ale nakonec se k nim dostanete a pak uvidíte, jestli budete mít Fortunu na své straně."

„Odpusť, paní." Vespasián cítil rozpaky. Jeho bratr měl pravdu, třebaže ho to hnětlo. Rychle odložil nevoli stranou a pustil se do rozvíjení Sabinova nápadu: „Budeme potřebovat muže, ale ne moc. Tuhle akci zvládneme lépe s půl tuctem vybraných bojovníků. Pokud se jim máme vyrovnat v otevřené bitvě, pak bude záležet na momentu překvapení."

„Výborně, bratříčku, už ti to dochází."

„Jestliže kladete takový důraz na moment překvapení, pánové, potom se shodneme, že mezi vámi musí být především soulad."

Bratři na sebe pohlédli a lehkým kývnutím hlavy uzavřeli tichou dohodu.

„Dobrá," pokračovala Tryfena, „takže dohodnuto. Požádám kapitána své stráže, aby vám dal k dispozici šest nejlepších mužů, kteří skvěle ovládají všechny zbraně, hlavně luk, protože proti sobě budete mít ty nejlepší lučištníky, jaké jste kdy potkali."

„Ale říkalas, že je to hlavně jízda," podotkl Vespasián. „Thrákové nepoužívají jízdní lučištníky."

„Tenhle kmen ano. Převzali poměrně dost zvyků od svých severních sousedů, Sarmatů a Skytů. Dokonce nosí kalhoty."

Vespasián při té poznámce vytřeštil oči. „Kalhoty? Myslím, že jsem na dva z nich dnes narazil."

Tryfena se zatvářila pobaveně. „To není možné, s Gety neudržujeme styky od té doby, co Římané před více než padesáti lety zabrali Moesii jako svoji provincii."

Vespasián jí rychle vylíčil odpolední události a snažil se zdůraznit Artebudzovu roli i slib, který mu dal. Když skončil, královna se zamyslela.

„Podle tvého popisu to skutečně vypadá na Gety," souhlasila po chvíli. „Opravdu jsi přesvědčený, že mířili na tebe?"

„Nepochybně."

„V tom případě to vypadá, že ti náš přítel Rhotekés neodpustil, žes mu zabránil zabít mého syna, a poslal za tebou z pomsty nájemné vrahy."

„Proč ale čekal skoro čtyři roky?"

„Jakmile uprchl ke Getům, trvalo mu nějakou dobu, než se vlichotil do přízně kmenových náčelníků. Nemají stejné zvyky jako my a určitě vůči němu byli hodně podezíraví."

„Jenže i když budeme předpokládat, že nakonec přesvědčil kmenové náčelníky, aby ty vrahy poslali, jak mohli vědět, jak můj bratr vypadá?" zeptal se Sabinus.

„Na tohle odpověď neznám. Ale vím, že Rhotekés je fanatik a že lidi, kteří ohrozí jeho plány, považuje za mrtvoly, které je třeba překročit. Takže to neskončí, dokud jeden z vás nebude mrtev. O to bude vaše zpáteční cesta do Říma zajímavější. Ale nejdříve ho musíte dostat. Měli byste odjet hned zítra. Sníh v pohoří Haemus už ustupuje a průsmyk Succi do Moesie se znovu otevřel. V poledne budou před římským táborem čekat moji muži a tvému velícímu důstojníkovi, prefektu Paetovi, pošlu zprávu, že se nevrátíš."

„Máme rozhodně v úmyslu se vrátit, paní," ohradil se Vespasián.

„Ano, to jistě, ale ne tudy. Nemůžu riskovat, že se ten muž ocitne znovu v mém království; mnoho mých poddaných ho považuje za hrdinu, který by je mohl zachránit před rostoucím vměšováním Říma do našich záležitostí. Pokud by se roznesly zvěsti o jeho přítomnosti v Thrákii a mě viděli, jak vám pomáhám dostat ho do Říma, vyvolalo by to velmi výbušnou situaci, která by měla jediný důsledek: Řím by nás po spoustě zabíjení anektoval."

„Tak co s ním máme udělat?" otázal se Vespasián.

„Vydejte se do Tomidy u Černého moře. V přístavu tam na vás bude čekat od začátku května moje osobní quinqueréma. Její posádka je mi zcela oddaná. Budou mít rozkaz čekat na vás příjezd a pak vás dopravit přímo do Ostie. Myslím, že měsíc na moři s knězem spoutaným v nákladovém prostoru bude příjemnější než dva měsíce trmácení po souši, kdy byste na něj museli ve dne v noci dohlížet. Co vy na to, pánové?"

„Jsi velmi štědrá, paní," poznamenal Sabinus a začínal na výpravu pohlížet o něco klidněji, když zpáteční cesta měla zahrnovat jen měsíc mořské nemoci.

„Jsem štědrá, ale nevím, jestli natolik, abych dala svobodu svému nejdražšímu loveckému otrokovi." Usmála se na Vespasiána a ten zrudl, protože mu došlo, že nakládal jako se svým s cizím majetkem, o jehož skutečné ceně neměl vůbec potuchy.

„Nahradím ti tu ztrátu, paní."

„Pochybuju, že by sis mohl Artebudze dovolit. Stojí malé jmění. Je to nejen můj nejtalentovanější stopař, ale také ten nejlepší střelec z luku, jakého jsem kdy poznala, a právě proto mu dám svobodu. Ale jen pod podmínkou, že půjde s tebou. Tak a teď, než začnu rozdávat zbytek svého království, mi pověz ty, Sabine, jak pokračuje Antoniino tažení proti Seianovi. Ona sama ve svých listech uvádí jen obecné narážky z obavy, že se dopisy dostanou do nesprávných rukou."

Sabinus protáhl obličej a neklidně poposedl. „Moc dobré to není, paní. Seianus posílil své postavení u císaře. Stal se v současnosti téměř jediným člověkem, který má k němu na Capri přístup. Podařilo se mu přesvědčit Tiberia, že proti němu intrikuje jeho vlastní rodina, ne on, Seianus. Těsně předtím, než jsem odjel, zatkli na Seianův rozkaz Antoniina nejstaršího vnuka Nera Germanika a jeho matku Agrippinu a obvinili je ze zrady. Ji uvěznili na ostrově Pandateria a jeho poslali na Pontinské ostrovy. Antonia má teď strach, že její další dva vnuky a možné dědice císařského titulu, Drusa a Caligulu, brzy potká stejný osud jako matku a bratra. Seianus si počíná velmi opatrně, vybírá si své oběti pomalu a metodicky."

Královna zamyšleně přikyvovala. „To je logické. Aby Seianus uspěl, bude muset odstranit všechny Tiberiovy potenciální dědice, kteří jsou příliš staří na to, aby potřebovali regenta. To je rozhodně jeho cesta k moci. Pokud se stane regentem mladého císaře, který poté náhodou tragicky zahyne, nebude mít senát jinou možnost než prohlásit jej za imperátora, jinak by riskoval další občanskou válku."

Vespasián pocítil neklid při představě, že by se jeho přítel Caligula mohl stát obětí Seianových machinací. „A co Seianovy listy Poppaeovi, které dokazovaly, že jsou spojenci? Nepodařilo se Antonii, přestože byly zničeny, použít je jako hrozbu, že by je mohla mít v rukou, a přimět Poppaea, aby změnil strany?"

Sabinus se zachmuřil. „Bohužel ne. Poppaeus si chvíli dělal starosti a nejspíš o tom i uvažoval, ale pak ji nazval intrikánkou a požádal ji, aby mu ty dopisy předložila, což samozřejmě nemohla. A potom zmizeli Asiniovi liktoři, kteří ten masakr přežili, a nejspíš z nich mučením dostali pravdu o jeho smrti, protože Poppaeus napsal Antonii, že s určitostí ví, že na něj nic nemá."

Tryfena se na okamžik zamyslela a pak potřásla hlavou. „Takže Asinius nakonec zemřel zbytečně. No, musíme se postarat o to, aby jeho smrt nezůstala nepomstěna." Vstala na znamení, že je audience u konce. „A teď jděte, moje modlitby vás budou provázet."

Bratři vstali. „Děkujeme, paní," řekli současně.

„A já děkuji vám, protože pokud uspějete, zbavíte mě mého úhlavního nepřítele a současně pomůžete mé příbuzné pojistit postavení našeho rodu v Římě." Oba je objala. „Hodně štěstí, pánové. Dopravte toho kněze Antonii, aby jej mohla použít ke svržení Seiana."

Vespasiánovi pádily hlavou myšlenky, zatímco se Sabinem kráčeli pod vysokými stropy slabě osvětlených chodeb paláce a jejich kroky se odrážely od mramorových zdí. Vyhlídka na činnost a úlevu od nudy, kterou trpěl, byla skutečně vítaná. Stejně tak se těšil na možnost pomstít Asinia, jemuž vděčil za svoji hodnost vojenského tribuna, tím, že do Říma dopraví jediného muže, který mohl spojit stříbro použité k financování thráckého povstání se Seianovým osvobozencem Hasdrem. Jestli to bude stačit na to, aby Seiana v imperátorových očích zničili, nevěděl, ale pokud o to žádala Antonia, věřil, že se to úsilí a riziko vyplatí. Ale jak dlouho jim tahle mise potrvá? Žil v naději, že se příští měsíc vrátí do Říma za Caenidou, teď se však musí vydat zcela opačným směrem za mužem, jehož místo pobytu bylo, hodně nadneseně řečeno, nejasné.

„U bohů, myslel jsem, že už brzy pojedu domů," zabručel.

„Ale vždyť odjíždíš domů už zítra, bratříčku," zasmál se Sabinus. „Jen to vezmeme trochu oklikou."

Vespasián jeho humor nesdílel. „Jenže to může trvat i půl roku."

„To doufám ne. Musím být o volbách v Římě. Antonii se podařilo zajistit mi imperátorův souhlas, aby mě zařadili na seznam možných kvestorů. Díky její pomoci mám velmi dobrou šanci, že mě zvolí, zvlášť teď, když volí už jen senát, a ne kmenové shromáždění."

„No, to máš štěstí," zavrčel Vespasián. Nějak se pro bratrovy úspěchy nedokázal nadchnout.

„Děkuji za tohle vroucné a opravdu srdečné blahopřání, bratříčku."

„Přestaň mi tak říkat."

„Kašlu na tebe."

„Pane, pane!" U vstupu do paláce čekal Magnus. Dva mohutní ozbrojení členové palácové stráže mu bránili ve vstupu kopími.

„Magne, co se děje?"

„Ti neřádi mě odmítají pustit," odpověděl a mračil se na dva strážné se zrzavými plnovousy.

„Opatrně, Římane," zavrčel větší z těch dvou. Byl aspoň o hlavu vyšší než Magnus. „Sem vláda Říma nesahá."

„Dej se vycpat, ty liščí synu."

Mohutný Thrák se ohnal násadou kopí proti Magnovu obličeji. Magnus se shýbl, zaklínil pravou nohu za levou nohu strážného a škubl. Strážný padl rovnou na záda.

„To stačí!" Vespasián vskočil mezi ně a odtlačil Magna od jeho soka. „Zpátky, Magne." Obrátil se ke strážnému. „Ukončeme to, omlouvám se za chování toho muže."

Sabinus přistoupil před druhého strážného, který zvedl kopí proti Vespasiánovi. Ležící strážný rychle pohlédl na oba bratry, pak vrhl záštiplný pohled na Magna a pomalu přikývl. Věděl, že by nebylo rozumné zahrávat si se dvěma Římany, kteří budili dojem, že jsou zvyklí vydávat rozkazy.

Vespasián odváděl Magna z kopce přes pochodněmi osvětlené náměstí před palácem. „To byla pěkná pitomost. Co tě to napadlo, chtít se pouštět do šarvátky s palácovými strážemi?"

Magnus si stál na svém. „No tak mě měli pustit. Bylo to opravdu naléhavé. Paetus mě poslal, ať tě co nejrychleji seženu. V táboře se mu to začíná vymykat z rukou."

Když procházeli starobylou branou Filippopole, dolehly k nim výkřiky a nadávky z římského tábora vzdáleného asi tři čtvrtě kilometru. Ve slabé záři půlměsíce se dali do běhu po nerovném terénu. Magnus nedokázal bratrům sdělit příčinu nepokoje. Věděl jen to, že došlo k potyčkám a že k Paetovi dorazila delegace rozhněvaných vojáků. Dříve než jim dá odpověď, chtěl se poradit s Vespasiánem jako tribunem dvou kohort Čtvrté Skytské.

V pretoriánské bráně nestály žádné stráže, jen centurio z hlídky, který vážně pohlédl na přicházejícího Vespasiána.

„Nevím, co to do nich vjelo, pane," zasalutoval. „Doutnalo to celý den od chvíle, co se našla ta těla."

„Jaká těla, Albine?" oplatil mu Vespasián pozdrav.

„Tři naše chlapce našli dnes ráno v lesích, pane. Ztratili se před pár dny. Byli ošklivě pořezaní. Někdo se na nich vyřádil s noži. Aspoň tak jsem to slyšel, sám jsem je neviděl. Dva jsou mrtví a ten, co přežil, na tom není vůbec růžově."

„Děkuji, centurione," odpověděl Vespasián. Zamířil branou na Via Praetoria následován Sabinem a Magnem.

Tábor posévaly velké i malé skupinky legionářů, kteří se mezi sebou dohadovali buď v jezírkách třepotavé záře pochodní, nebo ve stínech za kasárenskými budovami. Občas vypukly šarvátky, které přetížení centurioni, jimž pomáhali jejich zástupci *optioni*, krotili sice jen s obtížemi, ale pořád se zdálo, že si udržují autoritu; alespoň se tedy nedočkali žádných protiútoků, když vrazili do chumlů bojujících legionářů a rozháněli je ranami holí.

„Zdá se, že disciplína se úplně nerozpadla," poznamenal Vespasián právě ve chvíli, kdy jeden centurio divoce odtrhával jakéhosi ostříleného veterána od zakrváceného mladšího soupeře. Starší muž se chystal centuriona udeřit, ale pak svěsil ruce, protože mu došlo, že za útok na vyššího důstojníka neexistují žádné polehčující okolnosti. Trestem byla smrt.

„To je ale chaos," poznamenal posměšně Sabinus. „Čemu teda říkáte ve Čtvrté Skytské disciplína, pokud tohle není totální selhání? Něco takového by bylo u Deváté Hispánské důvodem k decimaci."

Vespasián se nemínil pouštět do sporů o relativních přednostech své a bývalé Sabinovy legie. „Mlč, Sabine. Teď potřebuju působit hlavně důstojně. Musím najít Paeta. Ty jdi s Magnem a počkej u mě doma. Tohle je vojenská záležitost a tebe se netýká." Upravil si tógu přes ohnutou levou paži a s hlavou vysoko vztyčenou vykročil pomalu po Via Praetoria, nevšímavý k chaosu vládnoucímu všude kolem. Míjel různé skupiny a volání a šarvátky postupně ustávaly. Legionáři si všimli svého tribuna, který se nesl jako magistrátní úředník v Římě a rozhodně odmítal brát je na vědomí. Vrozený respekt, který chovali k lidem ve vyšším postavení, jim zchladil hlavu a oni přerušili hádky a konfrontace a vykročili mlčky za Vespasiánem směrem k *Principii* ve středu tábora.

Jakmile dorazili k hlavní budově, dav, který se tam mezitím shromáždil, se rozestoupil. Vespasián vystoupil po několika stupních a prošel mezi sloupy průčelí. Dva centurioni, kteří strážili velitelství posádky před vzteklým davem, se postavili do pozoru za řinčení falér a předvedli bezvadný pozdrav. Vespasián jej oplatil a pak vstoupil do budovy, aniž se jedinkrát ohlédl po stovkách mužů stojících v tu chvíli venku.

Publius Junius Caesennius Paetus se zvedl z židle za velkým stolem na opačné straně místnosti. „Á, tribune, to je dobře, že jsi tady," prohlásil a dával si pozor, aby aristokratickým tónem bezvadně pronášel každou slabiku. „Doufám, že jsem nenarušil váš večer s královnou. Tvůj muž mi říkal, že jste ji šli s bratrem navštívit."

„Ne, pane, Magna jsme potkali až cestou zpátky," odpověděl Vespasián a přešel asi dvacet kroků ke stolu.

„To je dobře. Těším se, až se s tvým bratrem seznámím. Jestli se nemýlím, sloužil během povstání u Deváté Hispánské v Africe, že? Můj bratranec tam byl tou dobou jako tribun u Třetí Augustovy. Bylo to tam docela složité. Co kdybyste se mnou zítra oba povečeřeli?" navrhl Paetus. Posadil se a pokynul k židli naproti. „Prosím, udělej si pohodlí, Vespasiáne."

„Děkuji, Paete," napodobil Vespasián svého nadřízeného a upustil od vojenské formálnosti.

„Došlo tady k poněkud choulostivé situaci. Muži jsou nešťastní, začali se mezi sebou rvát a potom za mnou vyslali delegaci. Jak víš, mají právo přijít se stížností za velícím důstojníkem."

„Jistě. Všiml jsem si určitého neklidu, když jsem se vracel v podvečer z lovu," odpověděl Vespasián a snažil se jako vždy při rozhovoru s tímto vzdělaným patriciem co nejvíce potlačovat svůj provinční sabinský přízvuk. „Nač si stěžují?"

„No, klíčem všeho je to, že se nudí, ale to všichni víme. Do Hádu, všichni se nudíme. Já se nudím k smrti, že vězím na tomhle všivém místě. Jenže oni mají aspoň každý rok dovolenku, zatímco lidé jako ty a já tady vězíme pořád. Svého malého Lucia jsem neviděl od jeho pěti let, a to už mu teď bude skoro deset. Víc než čtyři roky jsem nebyl v divadle ani jsem neviděl v aréně lov na divou zvěř, a víš přece, jak mám tyhle zápasy rád."

„Ano, jenže nuda přece nemůže omluvit to, co se děje tam venku."

„Ne, ne, samozřejmě. Vůdce skupinek čeká bičování, pak převelení k jiné kohortě, a obávám se, že zítra ráno budeme muset dva hochy popravit za to, že napadli nadřízené důstojníky. Jsou v tuhle chvíli ve vězení a nejspíš se cítí hodně pod psa. Tohle chování nebylo potřeba.

Problém je, že dnes ráno jsme našli tři muže, které někdo hodně bestiálně mučil. Jeden z nich stále žije, je ve špitále. Doktor říkal, že přežije, i když já na jeho místě bych o to asi nestál, ale to jen mezi námi. Náhodou jsme objevili ještě další dvě mrtvoly, dva posly. Podle všeho šlo o císařské posly, ale nebylo na nich nic, podle čeho bychom je mohli identifikovat, takže nevíme. V každém případě spousta mužů teď žádá pomstu. Chápeš, jít a podpálit pár vesnic, utnout pár údů a znásilnit ženské pod šedesát. Vysvětlil jsem jim, že od chvíle, kdy jsme potlačili povstání, taková věc nepřipadá v úvahu, a většina z nich to pochopila. Jenže pak pár horkých hlav začalo obcházet druhé a tvrdit, že není fér, že vězí tady, zatímco jejich druhové z ostatních osmi kohort si v Moesii při odrážení nájezdů z protějšího břehu řeky užívají bojů jako za starých časů."

„Chápu, ale co s tím můžeme dělat?"

„No, právě kvůli tomu tady byla ta delegace. Chtějí, abych napsal guvernéru Pomponiu Labeovi a požádal ho, aby je povolal zpátky do Moesie a místo nich sem poslal jiné dvě kohorty. Musím přiznat, že mi to nepřipadá jako špatný nápad. Chtěl jsem to probrat s tebou jako jejich tribunem, než s nimi promluvím. A musím to udělat rychle, protože ty hádky mezi nimi stále pokračují. Jejich tvrdé jádro se s odmítavou odpovědí nesmíří a chce vzít věci do vlastních rukou."

„Je to dobrý nápad. Po tak dlouhé době nečinnosti se schopnosti mužů otupily, takže z vojenského hlediska to dává smysl. Potíž je v tom, že od bratra vím, že velení v Moesii je opět v rukou Poppaea Sabina. Pomponius je znovu pouhým legátem Čtvrté Skytské."

Paetus protáhl obličej. S Poppaeem nikdy nevycházel. „No tak napíšu Poppaeovi, tomu kluzkému malému zbohatlíkovi." Pohlédl omluvně na Vespasiána. „Promiň, kamaráde, nechtěl jsem se tě dotknout."

Vespasián se v duchu usmál. Ačkoli Paetus pocházel z velmi starého a vznešeného etruského rodu, který se pyšnil řadou konzulů, vždy jednal s Vespasiánem jako se sobě rovným, alespoň pokud šlo o vojenské záležitosti. „To nic, Paete."

„Dobrá. Ale napadá mě, že vzhledem ke vztahům, jaké máme s Poppaeem, asi nebude na moji žádost hledět s velkým nadšením. Ale kdybys ty napsal Pomponiovi jako tribun Čtvrté Skytské a požádal ho jako svého legáta, šlo by čistě o vnitřní záležitost v rámci legie a nemělo by to s Poppaeem nic společného."

Vespasián si uvědomil, že už nemůže dál nadřízenému tajit své plány. „Udělám něco lepšího, Paete, můžu ho o to jménem mužů požádat osobně."

„Ale kamaráde, něco takového není potřeba."

„Chtěl jsem počkat, až ti pošle královna úřední zprávu, ale o něco mě požádala." Sdělil Paetovi, co mohl, aniž zmínil Antoniino jméno ani koho hledá.

Když skončil, Paetus se naklonil nad stůl, opřel si své pěstěné ruce o rty a zamyšleně si Vespasiána prohlížel.

„Neříkáš mi všechno," poznamenal po chvíli. „Tvůj bratr přijede z Říma. Oba spěcháte za královnou a pak najednou máš jet do Moesie s malou skupinkou královniných stráží, aby ses tam z důvodů, které, jak tvrdíš, mi nesmíš prozradit, utkal s oddílem getských nájezdníků, a pak už se nevrátíš. Shrnul jsem to správně, že, Vespasiáne?"

„Ano," připustil Vespasián a uvědomoval si, že celá záležitost musí vypadat velmi podezřele.

„Víš, nejsem hlupák. Pocházím z rodu, který se už po staletí aktivně zabývá politikou, takže za tebe doplním pár mezer, když dovolíš. Zaprvé, Tryfena je pravnučkou Marka Antonia a ten, čistě náhodou, byl otcem Antonie, která byla spojenkyní zesnulého konzula Asinia, jemuž vděčíš za své místo tady a za kterým jsi odchvátal okamžitě, jakmile dorazil do Poppaeova tábora. Nikdy jsi mi neřekl, co jste spolu probírali, a já se tě neptal, ale možná je to irelevantní, protože Asinius odjel velmi záhy poté a zahynul na zimnici cestou do své provincie. Nebo tomu aspoň máme věřit." Paetus rozhodil ruce a nasadil nevěřícně výraz. „Ovšem v ten samý den, kdy Asinius odjel, jsem objevil Poppaeova tajemníka Krata, několik Asiniových liktorů, pár pretoriánských gardistů a ještě jednoho člověka, co si podle všeho někam založil hlavu, všechny mrtvé ve stejném stanu, který používal Asinius. A pak ses ztratil na dva dny ty a nevrátil ses, dokud Poppaeus neodjel do Říma."

Vespasián se neklidně zavrtěl. Viděl, že Paetus správně skládá jednotlivé dílky k sobě, ale třebaže ho měl rád a vážil si jej, neměl tušení, jaké chová politické sympatie. Kdyby mu řekl, jak se věci mají, mohlo by to být velmi nebezpečné. Paetus vycítil jeho neklid, usmál se a pokračoval dál.

„Ale nebyls jediný člověk, který se tehdy vypařil. Zmizel taky jeden zvlášť nepříjemný kněz s lasiččím obličejem, kterého po tom dni už nikdo nespatřil, pokud si správně vzpomínám." Paetus se odmlčel a zadíval se zpříma Vespasiánovi do očí. „Když ti teď řeknu, že vím, že ta bezhlavá mrtvola ve stanu patřila Seianovu osvobozenci Hasdrovi, kterého jsem znal z Říma, a když ti řeknu taky to, že vím, že on a Poppaeus kuli pikle s tím knězem, protože jsem je viděl spolu, a když ještě dodám, že vím, že Antonia rozhodně není Seianovou přítelkyní, dovolíš mi, abych zkusil jako znalec odhadnout, co máš za lubem?“

„Myslím, že raději ne, Paete, v zájmu nás obou,“ odpověděl opatrně Vespasián. „Fakta, jak jsi je vyložil, jsou správná, ale já bych se nerad dostal do postavení, kdy bych musel, jakkoli možná nepravdivě, popřít přesnost některého případného závěru, ke kterému bys na jejich základě dospěl.“

Paetus pomalu přikývl. „Chápu. No, možná bude lepší, když si nechám své domněnky pro sebe. Ale povím ti aspoň jedno: kdyby tvůj bratr přijel za Tryfenou s posláním od Antonie a kdyby mělo tohle poslání něco společného s fakty, která jsem ti právě předložil, rád bych ti pomohl s vynaložením všech svých sil, protože by to jen prospělo zájmům mého rodu.“

„Kdyby to všechno byla pravda, potom bych rád přijal tvoji pomoc, Paete.“ Vespasián cítil, jak mu ze srdce spadl velký kámen.

„Dobře, takže teď máme aspoň jasno.“ Paetus zatleskal a pak si zamnul ruce. „Využijeme ten rozruch v táboře jako zástěrku pro tvůj odjezd na sever. Mužům sdělíme, že se chystáš jejich jménem žádat Pomponia, a vezmeš s sebou vůdce skupin kvůli převelení. Já ti dám *turmu* pomocné jízdy jako doprovod přes průsmyk Succi do Moesie.“

„Proč potřebuju nějakou zástěrku a doprovod?“ zeptal se Vespasián, kterému takové plánování připadalo až příliš překombinované.

„Zástěrku proto, že ne všichni naši centurioni smýšlejí tak jako my dva. Vím zcela nepochybně, že jistí lidé v Římě věří, že Hasdrovu a Kratovu smrt máme na svědomí buď ty, nebo já. Ty, protože jsi okamžitě poté zmizel, a já, protože jsem ta zabití nenahlásil.“

„Komu ale bylo známo, žes o nich věděl?“

„Náš vlastní centurio Caelus mě viděl vyjít ze stanu, a jak možná víš, nebo snad nevíš, je celým srdcem oddaný Poppaeovi.“

„Aha.“

„No právě. A já se obávám, že není náhoda, že náš vrchní centurio zůstal zde, aby na nás dohlížel a hlásil každý náš krok Poppaeovi a jeho příteli. Kdyby ohlásil, žes odjel do Moesie s Tryfeninými vojáky, vypadalo by to, že podnikáš kroky proti nim, a to je věc, které se chci vyhnout, zvlášť pokud uspěješ a odvezeš do Říma to, co si myslím, že povezeš. A doprovod potřebuješ, protože vím naprosto jistě, že tvůj život je v ohrožení."

Vespasián ztuhl. „Jak to víš? Dnes odpoledne se mě pokusili zabít dva muži, ale jediní lidé, kterým jsem o tom řekl, jsou můj bratr a královna."

„Takže dva?"

„Ano, a oba jsou mrtví."

„No, myslím, že bys měl jít se mnou za tím ubožákem do špitálu, ale nejprve promluvíme k mužům."

Vespasián s Paetem vyšli z Principie do tábora zalitého září pochodní. Na rozhodnutí svých velitelů čekali všichni muži z obou kohort a pomocné aly; do studeného nočního vzduchu stoupala pára z jejich dechu. Dav ztichl v očekávání, když Paetus stojící nahoře na schodech rozepjal paže v rétorickém gestu označujícím jednotu.

„Muži thrácké posádky," zvolal hlasitě vysokým hlasem, aby se nesl až k zadním řadám. „Přišli jste za mnou se stížností. Je hanba, že nemůžeme pomstít své druhy zde v Thrákii. Ale poradil jsem se se svým tribunem a ten se nabídl, že osobně zajede na velitelství legie a předloží vaši věc samotnému legátovi. Poprosí legáta, aby vás dal vystřídat, a vy jste se mohli pomstít v Moesii."

Zvedl se mohutný jásot.

„Avšak," pokračoval Paetus do hluku, „došlo k případům porušení kázně, které kvůli udržení morálky nemohou zůstat nepotrestané. Dva muži vinni tím, že napadli vyšší důstojníky, budou ráno popraveni." Jásot utichl. „Nelze jinak. A dále předáte k potrestání vůdce skupin. Každý dostane dva tucty ran holí a potom, protože není možné, aby zde kvůli tomuto znamení rebelantství zůstali, doprovodí tribuna na velitelství legie, kde je převelí k jiné kohortě. To je cena, kterou musíte zaplatit za to, že jste hrozili vzpourou a nepředložili jste mi nejdříve svoji stížnost důstojným způsobem hodným římských vojáků. Řím nebude tolerovat rebelantství v řadách svých legií. Pokud nepřijmete tyto podmínky, budete muset zabít mne i svého tribuna, a poté se po zbytek svých krátkých životů stanete štvanci. Zvedněte pravou ruku, pokud souhlasíte."

Legionáři začali mezi sebou mumlavě hovořit. Sem tam se někdo ozval hlasitěji, ale nebylo to nic proti napětí, kterého byl Vespasián svědkem předtím. Postupně se začaly zvedat ruce, až nakonec každý muž stál se zdviženou pravicí.

Paetus přikývl. „Dobrá, nyní vydejte své vůdce. Na důkaz smíru, pokud předstoupí sami, snížím počet ran na jeden tucet."

V tu chvíli byl v davu patrný pohyb a pak vystoupili tři muži. V jednom z nich poznal Vespasián prošedivělého veterána, kterého viděl, jak se ovládl a neudeřil centuriona. Muž se postavil do pozoru a oslovil Paeta.

„Legionář Varinus z druhé centurie páté kohorty prosí o svolení promluvit, pane."

„Pokračuj, legionáři," odvětil Paetus.

„My tři jsme spolustolovníci těch dvou mužů ve vězení a tří mužů, které dnes objevili. Přebíráme plnou odpovědnost za výtržnost, která začala z naší přirozené touhy pomstít naše druhy, a rádi se podrobíme trestu. Chceme však požádat o jedno: milost pro naše dva druhy odsouzené k smrti, pane."

„To není možné, Varine. Oba muži vztáhli ruku na důstojníka. Musejí zemřít."

Z obličejů legionářů vyčetl Vespasián, že pokud bude rozsudek vykonán, nespokojenost mezi vojáky přetrvá. Naklonil se k Paetovi a něco mu naléhavě šeptal. Paetův obličej se rozzářil. Také on hledal způsob, jak se z tohoto mrtvého bodu dostat. Přikývl. Vespasián se obrátil a oslovil dav.

„Prefekt Paetus je se mnou zajedno, že vzhledem k tomu, že k přestupkům došlo za tmy, mohlo dojít k případu záměny totožnosti. Je možné, že oba přestupky spáchal jeden muž. Protože si nemůžeme být jisti, který z obou mužů je viník, měli by losovat. Ten, který prohraje, bude popraven, vítěz bude potrestán stejně jako vůdci skupin. Žádné další smlouvání v celé záležitosti nepřipadá v úvahu."

Varinus a jeho dva druhové se postavili do pozoru.

„Centurione Caele," zvolal Paetus, „dej je odvést. Trest bude vykonán zítra, druhou hodinu po rozbřesku. Zavel mužům rozchod."

Centurio, muž kolem pětatřiceti s hranatým obličejem, předstoupil a vypadal opravdu působivě s bílým chocholem na přilbě a spoustou falér, které se v záři pochodní třpytily.

„Pane, než se muži rozejdou, chtěl bych něco navrhnout.“

Paetus obrátil oči v sloup. Začínal mít pocit, že tohle jednání snad nikdy neskončí, ale musel vyslechnout, co má hlavní centurio a úřadující prefekt tábora na srdci. „Ano, centurione.“

Caelus obrátil svůj chladný podezíravý pohled k Vespasiánovi. „Tleskám nabídce tribuna, že jménem mužů bude intervenovat u legáta. Ale domnívám se, že jeho žádosti by dodalo váhy, pokud by s ním byl i zástupce centurionů.“ Z davu se ozvalo souhlasné mumlání. „A bylo by vhodné, kdybych jako nejvýše postavený centurio v posádce byl tím zástupcem já.“

Mumlání přešlo v jásot a ozývalo se volání „Caelus“. Paetus se obrátil k Vespasiánovi a omluvně se usmál. „Promiň, kamaráde, přechytračil nás. Vypadá to, že dostaneš do své skupinky nevítaného hosta,“ prohodil tiše a pak zvýšil hlas. „Souhlasím. Centurio doprovodí vašeho tribuna.“ S tím se obrátil a zamířil po bočních schodech Principie ke špitálu. Vespasián se vydal za ním. Cestou pohlédl na Caela, který se pousmál. V tom úsměvu bylo skryté nepřátelství.

„Vypadá to, že si tě chce centurio pohlídat,“ poznamenal Paetus, zatímco kráčeli přes slabě osvětlené cvičiště za Principií ke špitálu.

„Ano, něco v něm vzbudilo podezření,“ odvětil Vespasián, „ale je zbytečné si teď s tím dělat starosti, už se ho nezbavím. Naléhavější otázkou je to, jak vysvětlím přítomnost šesti královniných mužů ve výpravě a jak se Caela zbavím, až si promluvím s Pomponiem.“

„Odpověď na první otázku je snadná, prostě řekneš, že nesou Pomponiovi poselství od Tryfeny a využívají tvůj doprovod kvůli ochraně na cestě. Odpověď na druhou je trochu složitější.“ Paetus na Vespasiána významně pohlédl.

„Musím ho zabít?“

„Nejspíš ano. Pokud samozřejmě nechceš, aby Poppaeus zjistil, kam jdeš a co chceš dělat.“ Paetus prošel dveřmi špitálu. Vespasián ho následoval a věděl, že jeho nadřízený má pravdu.

Uvnitř je udeřil do nosu zápach hnijícího masa a zaschlé krve. Paetus zavolal na otroka, který stíral podlahu. „Přiveď lékaře." Otrok se lehce uklonil a chvátal pryč.

Vzápětí se objevil lékař. „Dobrý večer, pane, co si přeješ?" Podle přízvuku byl Řek podobně jako většina vojenských lékařů na Východě.

„Odveď nás za tím mužem, kterého přinesli odpoledne, Hesiode."

„Teď spí, pane."

„No tak ho probuď. Musíme s ním mluvit."

Lékař váhavě přikývl. Popadl olejovou lampu a vykročil jako první. Prošli pokojem s dvaceti lůžky, z nichž většina byla obsazená, a pokračovali dál dveřmi na konci do temné chodby s třemi dveřmi na jedné straně. Zápach tady zesílil. Lékař se zastavil u prvních dveří. „Rozklad masa pokročil, cos ho naposledy viděl, pane. Pochybuji, že to přežije."

„Podle mě stejně ani nechce," podotkl Paetus a vstoupil za lékařem do místnosti.

Vespasián ho následoval a málem se zalkl. Odporně sladký puch rozkládajícího se masa se skoro nedal snést. Lékař zvedl lampu a Vespasián pochopil, proč muž ztratil zájem žít. Nos a uši měl odřezané, rány mu kryl zakrvácený obvaz, kterým měl ovinutý obličej. Ruce měl také ovázané – a scházely mu dlaně a všechny prsty. A soudě podle krvavého obvazu v rozkroku to nebyly jediné části těla, o které muž přišel. Voják se probudil, když mu na tvář dopadlo světlo, a pohlédl s prosebným výrazem na návštěvníky.

„Pomoz mi umřít, pane," zaskuhral. „Těmahle rukama už neudržím meč."

Paetus pohlédl na doktora a ten pokrčil rameny. „Dobrá, legionáři," řekl, „ale nejdříve chci, abys tady tribunovi pověděl to, cos vyprávěl mně."

Legionář upřel na Vespasiána usoužený pohled. Nemohlo mu být víc než osmnáct. „Čekali na nás v lesích, pane." Pomalu vyrážel slova. „Dva z nich jsme zabili, než nás přemohli. Vypadali jako Thrákové, ale jejich jazyk se lišil od toho, kterým se mluví tady, a taky měli na sobě kalhoty." Hlas mu selhával. Lékař mu přidržel u úst pohár s vodou a on lačně pil. „Začali Postumem, zacpali mu ústa, aby nemohl křičet, a pak ho řezali na kusy – pomalu. Byl těžce zraněný během toho přepadení, tak nevydržel dlouho. Jeden z nich nám řecky sdělil, že stejně naloží i s námi, když nebudeme spolupracovat. Můj kamarád jim řekl, ať se jdou vycpat. To je naštvalo a dořezali ho hůř než Postuma. To už jsem byl hrůzou bez sebe, pane, a když mě pak párkrát taky řízli, řekl jsem, že jim pomůžu. Odpusť."

„Co chtěli?" zeptal se Vespasián.

„Chtěli, abych jim tě ukázal, až opustíš tábor, pane. Čekali jsme dva dny, a pak jsi dnes ráno vyjel se dvěma otroky na lov. Promiň, ulevilo se mi, myslel jsem, že mě nechají být. Ale oni mě nazvali zbabělcem, který zradil vlastní lidi, a dva z nich mi udělali tohle, zatímco druzí dva se vydali za tebou."

„Byli čtyři?" Vespasián pohlédl na Paeta, který zvedl obočí.

„Ano, pane. A teď to skončete."

Paetus tasil meč. „Jak se jmenuješ, legionáři?"

„Decimus Falens, pane."

Paetus mu přiložil hrot meče pod levé dolní žebro. „Opusť tento život v míru, Decime Falene, nezapomeneme na tebe." Levou rukou sevřel muži hlavu a vrazil mu meč do hrudního koše až k srdci. Falens sebou prudce zaškubal, vyvalil oči bolestí a pak, zatímco z něj unikal život, pohlédl vděčně na Paeta.

KAPITOLA III

MUŽI Z DRUHÉ A PÁTÉ KOHORTY Čtvrté Skytské legie se postavili do pozoru před dřevěným špalkem a čtyřmi dvoumetrovými kůly. Po cvičišti se neslo vysoké troubení signálního rohu, *buciny*. Vespasián stál vedle Paeta na pódiu a unaveným zrakem obhlížel vyrovnané řady legionářů. Moc toho nenaspal. Nedokázal zklidnit myšlenky. Po návratu ze špitálu do své ubikace vylíčil Sabinovi a Magnovi, co se během večera přihodilo. Paetova nabídka turmy o třiceti jezdcích jako doprovodu do Pomponiova tábora je trochu rozveselila, ale nikoho netěšila vyhlídka na to, že jim bude dělat doprovod Poppaeův muž, ani fakt, že někde venku na ně budou z úkrytu mířit další dva Getové. Jejich nářky ovšem nepadly na úrodnou půdu, protože Vespasián se pustil do čtení dopisů, které mu přivezl Sabinus. Listy od rodičů obsahovaly pouze novinky z jejich usedlostí od otce a nespočetné rady od matky, ale Caenidina láskyplná slova plná touhy ho vzala za srdce.

Znovu zazněl roh a Vespasián se soustředil na dění kolem. Z vězení vedle špitálu vyvedli pět mužů přímo před kohorty. Stráže je zastavily před sloupy a špalkem. Muži byli jen v sandálech a neopásaných červenohnědých tunikách jako ženy.

„Centurione Caele," zvolal Paetus, „připrav vězně k potrestání."

„Vězňové, pozor!" vyštěkl Caelus. Muži se napřímili. „Vězňové, kteří budete losovat, předstupte."

Dva z pětice vystoupili z řady. Caelus zvedl pěst. Držel v ní dvě stébla. „Ten, který si vytáhne krátké stéblo, bude obviněn z napadení obou důstojníků a velitel posádky nad ním vynese rozsudek. Ten, který si vytáhne dlouhé stéblo, dostane tucet ran holí s ostatními. Losujte."

Dva bezmocní muži, jimž ještě nebylo ani třicet, na sebe pohlédli a ztěžka polkli. Oba současně natáhli ruku a vybrali si z Caelovy ruky stéblo. Vespasián snadno poznal toho, který prohrál, protože muž sklonil hlavu a svěsil ramena, zatímco druhý zůstal vzpřímeně stát, jen hruď se mu prudce zvedala, jak zhluboka dýchal úlevou. Nikdo se nikdy tak netěšil na výprask jako on, uvažoval Vespasián.

„Prefekte Paete," zavolal Caelus, „tento muž je vinen. Jaký je tvůj rozsudek?"

„Smrt," odvětil stručně Paetus.

Rychlost, s jakou byl rozsudek vykonán, Vespasiána zaskočila. Muže předvedli ke špalku a přinutili ho před ním pokleknout a položit na něj ruce. Dobrovolně sklonil hlavu a pak sevřel rukama špalek. Věděl, že aby smrt byla rychlá a čistá, musí držet tělo pevně. Jeden ze strážných k němu přistoupil s taseným mečem a rychlým mocným švihnutím srazil odsouzenci hlavu. Jeho tělo přepadlo vpřed na špalek a zkropilo ho silným proudem krve.

Muži z druhé a páté kohorty stáli mlčky a upírali pohled na mrtvého druha, zatímco strážní rychle sebrali jeho hlavu a odnášeli ji i s tělem pryč.

„Vězňové ke kůlům," vyštěkl znovu Caelus a poklepal svou holí o nohy. Čtyři zbylí muži přistoupili ke kůlům a všichni současně zvedli paže nad hlavy. Mnohokrát byli svědky bití a znali postup. Strážní jim připevnili kolem zápěstí kožené popruhy a pak jim strhli ze zad tuniky, takže muži zůstali stát jen v bederních rouškách. Caelus a tři další centurioni se postavili se silnými rákoskami z révy, znakem svého úřadu, nalevo od každého z odsouzenců.

„Jeden tucet ran na můj povel," zvolal Caelus. „Jedna!"

Čtyři hole současně dopadly na ramena mužů, kteří zaťali každý sval v těle a přerývaně vydechli.

„Dvě!"

Rákosky znovu proťaly vzduch, tentokrát zasáhly těla těsně pod šrámy způsobenými první ranou. Vespasián si uvědomil, že tito centurioni se ve své práci vyznají, protože každou ránu zasadili o něco níž, aby nezasáhli pokaždé stejné místo a neriskovali, že odsouzencům zlomí kosti. Cílem bylo potrestat, ne zmrzačit. Kdyby to trest vyžadoval, použili by bič.

Po osmé ráně začala třem mužům po pažích stékat krev, jak se jim kožené popruhy zařízly do zápěstí. Jen Varinus tomu dokázal zabránit. Vespasiánovi došlo, že veterán musí mít zkušenosti s tělesnými tresty a naučil se, že nesmí při každé ráně škubnout pažemi. Uvažoval, jestli tuhle radu předal také svým mladším druhům. Pokud ano, bylo zřejmé, že se ostatní nedokázali tolik ovládat a teď trpěli víc, než bylo nutné.

„Deset!"

Čtyři rákosky dopadly na hýždě mužů takovou silou, že se jedna, Caelova, rozlomila vejpůl. Ulomený konec prolétl vzduchem a zasáhl s hlasitým zaduněním pódium důstojníků.

„Podejte mi druhou," zařval Caelus.

V nastalé krátké pauze se Paetus naklonil k Vespasiánovi a pošeptal mu: „Měl by si dávat pozor, jak žádá o novou rákosku, nemyslíš?"

Vespasián se usmál při narážce na centuriona Lucilia, známého mezi svými muži jako „Přineste mi druhou" kvůli počtu rákosek, které zlomil o jejich záda. Patřil také mezi první důstojníky, kteří byli zavražděni, když se po Tiberiově nástupu na trůn vzbouřily panonské legie.

Padly poslední dvě rány a muže odřízli. K Vespasiánově úlevě všichni dokázali jít. Bylo by mrzuté, kdyby musel odložit odjezd kvůli čekání na to, až se jeden nebo více z nich dá dohromady. Ale centurioni odvedli svoji práci tak zkušeně, že všichni čtyři se odpoledne, třebaže s obtížemi, udrží v sedle.

„Legionáři, trest byl vykonán," zavolal Paetus. „V budoucnu předkládejte své stížnosti přímo mně a neohrožujte disciplínu v posádce. Centurione Caele, zavel mužům rozchod." Obrátil se a sestoupil z pódia. Vespasián ho následoval.

„No, jsem rád, že je po všem," poznamenal Paetus cestou k Principii. „Nevadí mi, že musím dávat popravit muže, ale když je to kvůli jejich pocitu marnosti, že nemohou pomstít své druhy, zanechává to ve mně nepříjemný pocit. Děkuji, žes přišel na ten čestný způsob, jak ušetřit jeden život. Myslím, že ostatní přijali to bití dobře. Zmiň se o tom Pomponiovi, ano, kamaráde? Vypadá to, že jsou všichni dobří přátelé a on je rozdělí, tím jsem si jistý, ale když bude vědět, že přijali trest jako vojáci, možná by je mohl umístit do různých *contubernií* ve stejné centurii."

„Provedu, pane," odpověděl Vespasián, „až ho najdu. Víme, kde je teď Čtvrtá Skytská?"

„Depeše jsem posílal do Oeska na Dunaji, než sníh uzavřel průsmyk. Tinos, dekurio tvé doprovodné turmy, tam několikrát byl. Zná cestu."

„Takže nejprve zamíříme tam. Když je tam nenajdeme, určitě bude někdo vědět, kam se vydali. Děkuji za pomoc, Paete."

„Není zač, dělám to, protože věřím, že to, oč tě Antonia požádala, bude v nejlepším zájmu mého rodu a Říma. Snad se nemýlím."

„Nemýlíš. Když uspěju, bude to ku prospěchu všech rodů v Římě, které mají zájem na zachování legitimní vlády."

„Doufejme. Takže se rozloučíme," řekl Paetus a stiskl Vespasiánovi předloktí. „Tvoje věci ti dám poslat s mými, až za mě za pár měsíců dorazí náhrada a já se vrátím domů. Hodně štěstí a na shledanou v Římě." Obrátil se a rychle vyšel nahoru po schodech Principie.

Vespasián za ním zavolal: „Mrzí mě, že nevyšla ta dnešní večeře se mnou a s bratrem – už jsem ji slíbil někomu jinému, bohužel."

„Necháme tu večeři, až budeme doma, tam jsem na hosty mnohem lépe zařízený." Paetus zmizel v budově a Vespasián uvažoval, jestli v něm má přítele, nebo zda jde jen o spojence.

V poledne vyjeli Vespasián, Sabinus a Magnus z tábora na setkání s muži královny Tryfeny. Už na ně čekali na koních několik stovek kroků od brány; za nimi se proti dešťovým mrakům rýsovaly tři kopce starodávného města Filippopole.

Magnus si povzdechl. „Na to jsem si měl vsadit. Jediný Thrák, s kterým jsem se za celý rok porval, a zrovna ten musí jet s náma."

Ve skupině vedle Artebudze viděl Vespasián dva členy palácové stráže z předchozího večera. Ten velký se na Magna záštiplně zamračil, pak něco pošeptal svému druhovi, který se usmál a souhlasně přikývl.

„To tě naučí chovat se slušně k místním," zachechtal se Vespasián, „hlavně k těm velkým a chlupatým."

„Měl by ses modlit k tomu bohovi, co je ti nejmilejší, aby se nerozhodl udělat si z tebe svoji ženskou,“ přisadil si Sabinus.

„No, to je legrace,“ vyštěkl Magnus.

„Jo, taky mě to zrovna napadlo,“ dodal Vespasián a zarazil koně před Thráky. Chvilku si je prohlížel. Vedle dvou strážných stáli tři další Thrákové s hustými černými plnovousy. Na hlavách měli klobouky z liščí kožešiny, oblíbené u jižních kmenů, a těžké pláště proti mrazivému zimnímu vzduchu. V pouzdře u sedla jim každému visel krátký zahnutý luk z kombinace dřeva a rohoviny a vedle toulec plný šípů. Na opascích měli zavěšené meče a přes ramena jim vyčuhovaly násady smrtících srpovitých mečů zvaných *rhomphaia*, které měli uložené v pochvách připevněných popruhy k zádům.

Artebudz pobídl koně vpřed a sklonil hlavu. „Děkuji, žes mi získal svobodu, můj pane.“

„Zasloužil sis ji, ale nijak mi nepatříš. Jsem tvůj velitel a to platí i pro vás ostatní.“ Vespasián pohlédl každému z mužů do očí. „Jsem tribun Vespasián. Vaše královna mi vás přidělila, a to znamená, že se na vás vztahují vojenské řády. Je to jasné?“ Muži přikývli. „Dobrá. Předpokládám, že všichni mluvíte řecky.“ Muži opět přikývli. „Budete putovat na sever do Moesie ještě s oddílem pomocné jízdy a několika legionáři. Nebudete s nimi hovořit. Pokud jde o ně, vědí, že vás královna pověřila nějakým úkolem. Jakmile dorazíme do Moesie, pustíme se do hledání velekněze Rhoteka. Mám v úmyslu ho zajmout a dopravit ho do Tomidy a odtamtud lodí do Říma. Vadí to snad někomu?“

Mohutný zrzavý strážný si odplivl. „Zasraný kněz,“ zavrčel.

Ostatní Thrákové si také odplivli a zabručeli nadávky.

„Tak na tomhle se aspoň všichni shodneme,“ pronesl Magnus smířlivě.

Obr na něj vrhl vzteklý pohled. „Ještě jsem s tebou neskončil, Římane. Na tomhle se shodneme zase my dva.“

„A dost!“ vykřikl Vespasián. „Nebudeme spolu bojovat. Všechny spory, které mezi sebou máte, zanecháte zde.“ Zamračil se za strážného. „Jak se jmenuješ, vojáku?“

„Sitalkés,“ zavrčel muž.

„Sitalkés, pane!“ zařval Vespasián.

„Sitalkés, pane."

„To je lepší. Pochop, Sitalku, pokud se máme z téhle výpravy vrátit živí, musíme se naučit spolupráci ve skupině a tyhle třenice to nijak neusnadní. Jistě, Magnus tě včera posadil na zadek, ale já nedovolím, aby taková drobnost ohrozila naši jednotu. Tak to překousni, rozumíš?"

Sitalkés pohlédl z Vespasiána na Magna a poškrábal si hustý zrzavý vous. „Ano, pane, překousnu to," přitakal nakonec. „Dokud nebude po všem," dodal.

„Dobrá." Vespasián už se dál nesnažil, protože věděl, že tohle je nejlepší výsledek, jaký mohl prozatím čekat. Kdyby ještě dál naléhal, jen by zrzka před jeho druhy ponížil. „Počkejte zde, než vyzvedneme náš doprovod." Vespasián obrátil koně a všichni tři Římané se rozjeli tryskem zpět k táboru.

„Budeš si muset na našeho nového přítele dávat pozor, Magne," podotkl Vespasián, když před branou zpomalili.

„Žádné starosti, pane, už jsem zkrotil i větší než on," odpověděl Magnus zvesela. „Koneckonců ho můžeš vždycky poslat zpátky."

„Taky mě to napadlo, jenže ostatní by to mohli nést s nelibostí, a kromě toho vypadá, že by se nám mohl při boji zblízka hodit."

„Pokud se udrží na nohou," dodal se smíchem Sabinus.

Přijeli k ohradě s koňmi a zjistili, že jejich doprovod už mezitím připravil koně a čeká v sedle. Vstříc jim vyšel urostlý důstojník kolem pětatřicítky s hubeným opáleným obličejem a krátkými kudrnatými černými vlasy.

„Dekurio Tinos z pomocné ilyrské jízdy na tvůj rozkaz, pane," zasalutoval Vespasiánovi. Z přízvuku bylo zřejmé, že latina není jeho rodným jazykem.

„Jsou muži připraveni vyrazit, dekurione?" zeptal se Vespasián a sesedl.

„Ano, pane."

„Dobře. Viděls centuriona Caela?"

„Tady jsem," ozvalo se za ním.

Vespasián se obrátil a spatřil Caela, který přicházel s Varinem a jeho třemi druhy. Všichni měli přes ramena torny.

„Družstvo, stát!" vyštěkl Caelus. Legionáři okamžitě uposlechli rozkaz. Vespasián si všiml, že dva z nich sebou škubli bolestí. Tři mladší měli na zápěstích čisté obvazy. „Vezměte si každý koně," pokračoval Caelus, „upevněte na ně torny a nasedněte." Muži spěchali vyplnit rozkaz. Caelus se na důkaz, že pohrdá Vespasiánovou autoritou, obrátil, aby si sám vzal koně, aniž se hlásil vyššímu důstojníkovi.

„Centurione!" zařval Vespasián.

Caelus se zastavil a pomalu se k němu obrátil.

„Centurione, přistup sem." Vespasián ukázal přímo před sebe. Caelus se rychle rozhlédl. Vojáci si chystali koně, ale Tinos, Sabinus a Magnus ho pozorovali a on si nemohl dovolit dát před svědky najevo nekázeň. Přiloudal se k Vespasiánovi.

„Hlášení, centurione," pronesl Vespasián tiše a upíral na Caela tvrdý pohled.

„Centurio Caelus..."

„Do pozoru, centurione."

Caelus se váhavě napřímil a v očích mu plála nenávist. „Centurio Caelus se hlásí se čtyřmi legionáři převelenými z posádky."

„Neslyšel jsem v té větě slovo ‚pane'."

„To proto, že tam nebylo," zašeptal Caelus, aby to slyšel jen Vespasián.

Vespasián se přiblížil obličejem až těsně ke Caelovu a rychle a tiše pronesl: „Dobře mě poslouchej, centurione, jsi možná služebně starší než já, ale já mám pořád vyšší hodnost. Pokud mi znovu projevíš neúctu, dám tě degradovat na prostého legionáře. Budu tě sledovat, je to jasné?"

Caelus mu věnoval ledový úsměv. „Ale ano, mně to jasné je, ale tobě ne. Nemůžeš mě degradovat, protože mám ochránce na vysokých místech. A nedej se zmást, to já sleduju tebe." Poodstoupil a zasalutoval, jako by dostal povel k odchodu. „Pane!" zařval tak, aby ho všichni slyšeli, pak se obrátil a ukázkovým krokem zamířil pryč. Vespasiánovi zůstal jen vztek a pocit bezmoci.

„To se moc nepovedlo," utrousil Sabinus suše.

Vespasián se obrátil a zadíval se na bratra s takovou zuřivostí, že Sabinus raději polkl další sarkastické poznámky a zamířil s koněm k malému oddílu jízdy, který už byl téměř připraven k odjezdu.

„Taky na Caela si budeme muset dávat pozor, pane," poznamenal

Magnus, když Vespasián znovu nasedl. „Pokud se pokusí podrýt tvoji autoritu před muži, mohli bychom mít problém."
„Pochybuju, že ho Varinus a ostatní chovají v lásce, nedávno okusili na zádech jeho rákosku. Možná by ses s nimi mohl spřátelit a já si zase budu hledět Tina. Tím Caela izolujeme a pak prostě zkusíme najít způsob, jak se ho zbavit."
„Mě napadá jeden velmi spolehlivý způsob, jak se ho zbavit," pronesl Magnus vážně.
„To mi navrhl i Paetus."
Magnus zvedl udiveně obočí. „To je novinka, že velitel posádky navrhuje způsoby, jak se zbavit centuriona."
„No, doufejme, že k tomu nedojde." Vespasián pobídl koně a zamířil do čela útvaru. „Obávám se, že zbavit se Caela nebude jen tak."

Artebudz a Thrákové se zařadili za jejich skupinu jedoucí ve dvoustupu, když klusem vyjela z bran a zamířila po nové dlážděné silnici na severozápad k průsmyku vedoucímu do Moesie. Zaujali místo za čtyřmi rezervními koňmi a Caelus se po nich podezíravě ohlédl.
„Do Hádu, co tady dělají ti liškomilové?" zavrčel.
Vespasián věděl, že otázka směřuje na něj, ale nenamáhal se odpovědět, protože Caelus opět opomněl oslovení „pane".
„Královnini poslové do Moesie se svezou s námi," odpověděl Tinos. Vespasián ho předem upozornil na jejich příchod a on v tom neviděl nic zvláštního. „Často takhle s námi cestují, když jedeme na sever s depešemi. Jsou tak ve větším bezpečí, chápeš?"
Caelus něco zavrčel a dál se věcí nezabýval. Vespasián se v duchu usmál a děkoval Paetovi za tuhle prostou lest. Obrátil se k Tinovi. „Dekurione, vyšli čtyřčlenný průzkumný oddíl kilometr dopředu po obou stranách silnice a rozkaž, ať každou hodinu podávají hlášení."
Dekurio na něj tázavě pohlédl, protože v tomhle klidném spřáteleném království nebyl na taková bezpečnostní opatření zvyklý.
„Proveď," rozkázal Vespasián. „A řekni jim, ať se mají na pozoru."
„Ano, pane," odpověděl Tinos a odpojil se od čela kolony, aby předal rozkazy. O několik okamžiků později už se ozvala řada vysokých not

z *lituu*, dlouhého rovného jezdeckého rohu se vzhůru obráceným zvonovitě rozšířeným koncem. Osm jezdců projelo tryskem kolem kolony a zamířilo k sněhem pokrytému pohoří Haemus s vrcholky skrytými v mlze na severu a Rodopům na západě.

Magnus se také stáhl zpět, aby se seznámil s Varinem a jeho druhy. Vespasián se dal za jízdy do příjemného hovoru s Tinem, zatímco silnice začala zlehka stoupat známou kamenitou krajinou. Po první hodině rychlé jízdy se jen několik okamžiků po sobě vrátili dva ze zvědů. Oba stručně hlásili, že v okolní krajině nezaznamenali žádný pohyb, a poté znovu odcválali za svými druhy. Ze zakaboněné oblohy začal nakonec přece jen zlehka padat déšť. Vespasián si přitáhl plášť kolem ramen a zpomalil, aby ho dojel bratr.

„To se ti opravdu povedlo, jak jsi zjistil rozdíl mezi množstvím stříbrných prutů v mincovně a množstvím vyražených denárů," poznamenal. Narážel na Sabinovu zásluhu při odhalování způsobu, jakým Seianus využil Poppaeovo stříbro k ražbě mincí, které poté posloužily k podněcování thráckého povstání. Tou dobou jeho bratr pracoval jako nižší magistrátní úředník, který dohlížel na ražbu stříbrných a bronzových mincí.

Sabinus na bratra překvapeně pohlédl. Nikdy předtím ho nepochválil, což nebylo zase tak zvláštní, protože ani on nechválil Vespasiána. „Nejspíš teď zase na oplátku čekáš ode mě kompliment za to, jak jsi mě důkladně naučil účetnictví," odpověděl podezíravě.

„Není potřeba, i když jsi právě naznačil pochvalu tím, že jsi použil slovo ‚důkladně', takže ti děkuju."

„Hm, no, já ti taky děkuju," zavrčel váhavě Sabinus. Odvrátil hlavu a schoulil se před sílícím deštěm.

Chvíli pokračovali mlčky. Vespasián se podíval kradmo na bratra, který se ho rozhodl ignorovat. V duchu se bavil tou neúmyslnou pochvalou, kterou mu složil Sabinus, i tím, jak ho to teď hnětlo.

„Cos dělal v Římě od té doby, cos dosloužil ve vigintiviri?" přerušil nakonec mlčení.

Sabinus se zamračil. „Co je ti do toho?"

„Zajímá mě to. Koneckonců jsi můj bratr."

„Když už to musíš vědět, bratříčku, udržoval jsem vztahy s některými lidmi, abych si zajistil hlasy pro letošní kvestorské volby."

„Neříkej mi, žes celou dobu jen lezl někomu do zadku." Vespasián si otřel kapky deště, které mu stékaly z přilby s rudým chocholem.

„Samozřejmě, tak to přece funguje. A čím větší zadek, tím je to horší. Tvůj kolega tribun ve Čtvrté Skytské Corbulo, například, byl loni kvestorem a teď je v senátu. A tomu jsem lezl do zadku, kdy to jen šlo."

„Ty znáš Corbula?"

„Netvař se tak překvapeně. Známost s ním je přece tvoje zásluha."

„Jak to?" Vespasián ničemu nerozuměl.

Sabinus se usmál. „Strýček Gaius se zná s jeho otcem. Byli prétory ve stejném roce a nešlapali si na prsty, takže si zachovali dobré vztahy. Když se Corbulo před dvěma lety vrátil domů, jeho otec pozval Gaia a mě na večeři na znamení díků jedné rodiny druhé."

„Kvůli čemu?"

„No, bratříčku, Corbulo si podle všeho myslí, že ti musí být vděčný za záchranu života. Padlo něco o nějakém zvláštním talismanu, který jsi měl na krku a který vás vysvobodil z thráckého tábora, právě když jste byli nuceni se bít na život a na smrt. Moc jsem tomu celému nerozuměl, ale on vypadal přesvědčený, že tě bohové ušetřili, abys mohl naplnit svůj osud." Sabinus na něj vrhl hodnotící pohled a dodal: „Ať už bude jakýkoli."

„Tedy, pokud je mi vděčný, nikdy mi to nedal ani v nejmenším najevo."

„To proto, že je to arogantní blbec, který si myslí, že kdyby ti poděkoval, zavazovalo by ho to, což je ostatně pravda. Jeho otec, na druhou stranu, byl vždycky čestnější a dal jasně najevo, že udělá všechno, aby nám pomohl, a to z vděku, který pociťuje vůči naší rodině. To znamená, že za mě ztrácí slovo, abych se stal kvestorem, a tak se dostal do senátu, takže si dokážeš představit, s jakým nadšením jsme mu se strýčkem Gaiem podlézali. Aspoň jednou jsi byl rodině ku prospěchu, bratříčku."

„A hlavně tobě," podotkl Vespasián a z jeho hlasu jasně zaznívala hořkost.

Sabinus se na bratra poťouchle usmál a přikývl. „Jako u staršího bratra je to jen dobře a správně, ale neboj se, nebudu z toho mít užitek jen já.

Corbulo nám rovněž pověděl o rozhovoru v Moesii s centurionem jménem Faustus, který byl asi taky s tebou ten den v thráckém táboře."
„O čem?"
Sabinus se ohlédl přes rameno k místu, kde byl Caelus, aby měl jistotu, že je neslyší. „O Poppaeovi," ztišil hlas.
„Á, chápu. Musel jsem se Faustovi svěřit, abych získal pomoc. Věděl jsem, že nebude nadšený, až zjistí, že se Poppaeus pokusil zabít nás a celou kolonu s nováčky kvůli svým a Seianovým politickým cílům. Takže tohle pověděl Corbulovi?"
„Ano a Corbulo a jeho otec to sdělili nám. Neměli totiž tušení, že my už to víme, protože Tryfena a Rhoimetalkés napsali Antonii."
„A?"
„Nebuď tak tupý, bratříčku. Chtějí se pomstít Poppaeovi, a protože svými intrikami ohrozil také tvůj život, správně usoudili, že i my budeme toužit po odvetě. Nabídli nám spojenectví rodů. Proto jsme je vzali za Antonií a Corbulo souhlasil, že půjde s námi, až vezmeme toho kněze za Tiberiem. Dosvědčí před ním, že Poppaeus chtěl utajit objev thrácké truhly s denáry, když to měl hlásit imperátorovi a senátu."
Vespasián na bratra ohromeně pohlédl. „Cože? My povezeme Rhoteka na Capri? O tom ses zatím nezmínil."
„Někdo to udělat musí. Imperátor uvěří knězi, jen když ho před ním podrobíme mučení. A ty budeš muset podat spolu s Corbulem důkaz. A stejně, copak by v tom byl nějaký rozdíl, kdybys to věděl? Byl bys přece stejně tady, ne?"
Vespasián pomalu přikývl. Nenapadlo ho, že kněz bude muset stanout před nejmocnějším mužem na světě, ale bratr měl pravdu. Jeho rozhodnutí by se nijak nezměnilo, i kdyby to věděl. Pořád by byl zde.
Déšť přešel ve vytrvalý liják a zahalil horská pásma vlevo i vpravo. Z provazců vody se od západu vynořil osamělý zvěd. Vespasián pobídl koně a dojel na Tinovu úroveň, aby vyslechl mužovo hlášení, které bylo naštěstí i tentokrát záporné. Když zvěd znovu zamířil pryč, Vespasián zapátral zrakem směrem k severu. Po druhém zvědovi nebylo nikde stopy. Ujeli další téměř kilometr a od severu pořád s hlášením nikdo nepřijížděl. Vespasiána se zmocnila zlá předtucha. Ohlédl se na Tina.

Ten znepokojeně pokrčil rameny. Zepředu se náhle ozval hrdelní výkřik. Tinos zvednutím ruky zarazil kolonu. Při pohledu na siluety čtyř blížících se koní, sotva viditelné asi dvě stě kroků od nich, se jim na okamžik ulevilo. Pobídli koně vstříc vracejícím se zvědům, ale jakmile se přiblížili, bylo zřejmé, že v sedle sedí vzpřímeně jen jeden z jezdců. Ostatní tři leželi jako žoky na hřbetech a šípy, které z nich trčely, vypovídaly až příliš jasně o tom, co se přihodilo. Vespasián pohlédl na přeživšího zvěda. Z obličeje mu crčela krev smísená s deštěm a pokrývala mu tuniku. Z pravého ramene mu trčel zlomený pahýl šípu. Hleděl na Vespasiána a v očích se mu zračila hrůza a šílenství.

„Kde se to stalo?“ zeptal se Vespasián.

Muž obrátil šílené oči v sloup a vystrčil bradu. Přitom vydal odporný bublavý zvuk, ani vzdáleně nepřipomínající slova. U úst mu vytryskl proud krve. Někdo mu vyřízl jazyk.

KAPITOLA IV

PRŠELO CELÉ DVA DNY a dvě noci a v tu chvíli padal hustý déšť se sněhem. Kolona začala stoupat po klikaté cestě, která vedla k průsmyku Succi více než tři sta metrů nad nimi. Nálada mezi muži nebyla dobrá. Kromě toho, že byli promočení a ztuhlí na kost, znepokojoval je přízrak neviditelných vrahů, číhajících nablízku, i zmrzačení jejich druha. Zvěd jim toho nedokázal příliš mnoho sdělit, protože neuměl psát. Ale mohl alespoň přikyvovat, a než v důsledku ztráty krve zemřel, stačil potvrdit, že útočníci byli jen dva, oba na koních, a skutečně měli na sobě kalhoty. Vespasián odvolal druhou hlídku, protože usoudil, že je zbytečné riskovat životy dalších mužů při hledání nepřátel, schopných z dálky tak snadno zabít jednu skupinu zvědů, která je počtem dvojnásobně převyšovala. Napadlo ho, že by mohl vyslat vpřed své Thráky, ale jejich životy pro něj měly vyšší cenu než životy pomocné ilyrské jízdy. Litoval, že tihle jezdci nedokážou střílet v sedle, aby se vyrovnali těm přízračným lovcům, ačkoli mu podle zažitých představ tenhle způsob boje připadal nečestný. Usoudil však, že pokud je Getové stále sledují, nepochybně se dříve nebo později sami ukážou a pak bude jejich bezpečnost záviset na rychlosti reakce i na jejich počtu. Nicméně bylo přesto ponižující, že pouzí dva muži dokázali vzbudit takovou hrůzu v koloně čítající více než čtyřicet vojáků.

Jak stoupali výš, místo deště se sněhem se z oblohy začaly snášet vločky a kolona musela zpomalit, aby se koně nezmrzačili na kamenech ukrytých pod rychle narůstající bílou pokrývkou. Vespasián si střásl z klína hromádku sněhu. Obrátil se na Magna, který jel se skloněnou hlavou vedle něj: „Jak jsi pokročil s našimi čtyřmi legionáři?"

„Jsou to dobří hoši. Ukázalo se, že Lucius – to je ten, co si vylosoval dlouhé stéblo a má štěstí, že je tady, a moc dobře si uvědomuje, že to je tvoje zásluha – no, tak ten dělal v Římě, než vstoupil do legie, stájníka u zelených. Pořád s nimi má spoustu kontaktů a slíbil mi, že mě po návratu domů seznámí s pár lidmi. Bylo by to užitečné kvůli tipům na dostihy. To bych pak mohl získat předem sázky v lepším kurzu, než je u závodiště."

Vespasián se usmál navzdory bolesti v rozpraskaných rtech. „Vypadá to na užitečného kamaráda," odpověděl se zřejmým sarkasmem, „aspoň pokud tedy chceš vyhazovat peníze za sázky."

„Ty to prostě nechápeš, že? Když o tom tak uvažuju, nikdy jsem neviděl do tvého měšce. Ale snad stačí, když řeknu, že ví, že je tvým dlužníkem, stejně jako Varinus a ti druzí dva hoši, Arruns a Mettius. Žádný z nich nemá v lásce Caela, takže pokud dojde ke konfrontaci, budou stát při tobě."

„Taková informace se hodí, i když náš přítel vypadá, že se bude držet zpátky."

Magnus se ohlédl po Caelovi, který byl zachumlaný v plášti a choulil se v sedle. „Možná že tohle počasí připravilo našeho centuriona o bojovnost."

„To pochybuju, ale v tuhle chvíli ho rozhodně aspoň vyřadilo z boje."

Než dorazili ke vstupu do průsmyku, rozpoutala se sněhová vánice. Jejich chmury ještě zesilovala vyjící severozápadní vichřice, která se hnala soutěskou. Vespasián zastavil kolonu a naklonil se k Tinovi. „Co myslíš, dekurione?" snažil se překřičet burácející vítr. „Stáhneme se někam do úkrytu v závětří a počkáme, až se to přežene, nebo budeme pokračovat dál?"

„Mohlo by to trvat několik hodin, ale taky několik dní," odpověděl Tinos. Na řasách a nosních dírkách mu visely malé rampouchy. „Když budeme čekat, mohli bychom zapadnout sněhem a pravděpodobně bychom umrzli. Buď se musíme vrátit až úplně dolů, nebo pojedeme dál. Průsmyk měří jen osm kilometrů. S trochou štěstí se za necelé dvě hodiny můžeme dostat na druhou stranu."

Vespasián si přiložil zfialovělé dlaně k ústům a foukal si na ně, zatímco hleděl do nitra vichřice. Neviděl nic než bílo, ale věděl, že průsmyk je rovný a nikde není širší než třicet kroků, takže se nemohou ztratit. Rozhodl se. Tinos má pravdu. Šlo jen o to nezastavovat. „Pokračujeme," zavelel. Tinos přikývl a vyrazil.

Vespasián několika kopanci pobídl váhajícího koně. Zvíře sklopilo nespokojeně uši, ale po dalších dvou kopancích se přece jen dalo do pohybu.

Po několika stovkách kroků v neustávající mrazivé bouři si Vespasián uvědomil, že se ho snaží dojet nějaký muž. Obrátil se v sedle. Byl to Caelus.

„To je šílenství," volal zasněžený centurio. „Měli bychom se vrátit."

„Můžeš, když chceš, centurione, ale my pokračujeme."

Caelovi se podařilo dojet na Vespasiánovu úroveň. „Proč? K čemu ten spěch? Mohli bychom se vrátit do tábora a zkusit to znovu, až sníh ustane a průsmyk bude volný."

„Průsmyk může být neschůdný celé dny, možná i měsíc," zařval Vespasián a nutil koně kráčet dál bičujícím sněhem. „Musíme využít možnost a dostat se na druhou stranu."

„Žádost mužů k Pomponiovi může měsíc počkat. Proč chceš riskovat životy těchhle všech pro takovou maličkost?"

Vespasián si uvědomil, že nemůže Caelovi poskytnout žádnou uspokojivou logickou odpověď. Mohl se jen odvolat na svoji hodnost, a proto vybuchl: „Přestaň zpochybňovat moje rozkazy a motivy, centurione, nebo přísahám při bozích, že se postarám o tvoji degradaci, ať tě chrání kdokoli."

Caelus, plný podezření, se na něj mračil. „Na tyhle kecy ti kašlu." Sáhl po meči. „O co ti doopravdy jde, Vespasiáne?"

„Na tvém místě bych si to rozmyslel, Caele," zařval Magnus za centurionem a přitiskl centurionovi ke stehnu mrazivě ledové ostří meče. „Nic mě nezastaví, pokud tasíš. Na mě se vojenská disciplína nevztahuje."

Caelus se k němu obrátil. „Tak se do toho nepleť, civilisto, tohle je vojenská záležitost."

„To je, ale já mám pořád meč na tvém stehně, a pokud mi sklouzne a rozříznu ti nohu, víš, někde tam, odkud vždycky tak rychle stříká krev, tak při téhle teplotě budeš dávno mrtvý, než tě dopravíme k nějakému lékaři."

„To mi vyhrožuješ?"

„Ne, stejně jako tys nevyhrožoval tribunovi."

Caelus zasunul napůl tasenou zbraň zpátky do pochvy a znovu se otočil k Vespasiánovi. „Sepíšu o tvé lehkomyslnosti hlášení Poppaeovi, hned jak se dostaneme do Moesie. Pokud se tam tedy dostaneme," odplivl si a obrátil koně.

„To ti věřím, centurione," zavolal za ním Vespasián. „Nepochybně půjde o první z mnoha, ale měl bys to hlásit spíš legátovi naší legie, Pomponiovi, pokud tedy věrně nesloužíš spíš někomu jinému." Vespasián nevěděl, jestli ho Caelus, který znovu zaujal svoje místo v koloně, slyšel. A bylo mu to jedno. V duchu si nadával, že dal před Caelem tak jasně najevo, že má skryté pohnutky ke spěchu.

„Když jsem viděl, jak se k tobě blíží, napadlo mě, že bude lepší, pokud na něj dám pozor," zavolal Magnus proti větru a zasunul meč.

„Měl jsem tu situaci pevně v rukou," odpověděl vztekle Vespasián.

„Příště se teda nebudu obtěžovat, pokud ti připadá, že situaci, kdy centurio vytáhne meč na tribuna, máš pevně v rukou."

Vespasián se odvrátil. Byl naštvaný sám na sebe a litoval, že si svoji zlost vybil na příteli. Se zaťatými zuby a očima upřenýma do ledového větru se snažil udržovat koně v pohybu. Sníh už sahal hodně vysoko nad kotníky zvířat, blížil se k jejich kolenům. Všichni začínali mít ve zhoršujících se podmínkách potíže. Vespasián dojel s koněm vedle Tina.

„Jak daleko myslíš, že už jsme se dostali?" zavolal a jeho hlas bylo přes vichřici sotva slyšet.

„Tak půldruhého kilometru."

„Pokud nám zbývá ještě skoro sedm kilometrů a sníh je stále hlubší, začínám vážně pochybovat, že se jím prodereme."

„Jedna věc je jistá. Jestli budou ty závěje sahat koním příliš vysoko nad kolena, budeme muset sesednout a vést je, ať už budeme pokračovat dál, nebo se vracet." Tinos sebou najednou prudce škubnul a překvapeně se zahleděl na šíp, který mu vězel v hrudi. Z koutků úst a z nosu mu začala vytékat krev a pak se sesul z koně.

Vespasián obrátil koně. „Zpátky. Přepadli nás!" zařval a spíš cítil, než viděl nebo slyšel, jak kolem něj vlevo na šířku dlaně prolétl další šíp. Magnus se Sabinem nepotřebovali dvakrát pobízet, protože viděli Tina klesnout, ale v koloně za nimi nastal zmatek. Caelus, čtyři legionáři a první z Ilyrů poslechli rozkaz, ale v ústupu jim bránil nápor jezdců, kteří se tlačili z oblaku sněhu zezadu.

„Obrátit, rozptýlit se a ústup," křičel Vespasián a snažil se v nastalém zmatku popohnat koně. Jednoho legionáře vymrštil zásah šípu dopředu z koně, který se vzepjal na zadních, zděšený z narůstající paniky kolem. Předníma nohama bil před sebou a srazil k zemi jednoho příslušníka pomocné jízdy. Vespasián viděl, že se nikam nedostanou. Tlak zadní části kolony neustával. Vytáhl luk, nasadil šíp a zoufale se rozhlížel po zdroji útoku. Neviděl nic, jen ženoucí se sníh. Přes zmatek k němu dorazil Sitalkés, luk v ruce.

„Proč neustupujete?" zařval Vespasián.

„Napadli nás zezadu, pane. Nemůžu určit odkud. Už jsem ztratil jednoho ze svých mužů."

V tu chvíli došla Vespasiánovi hrůza celé situace. Uvázli v průsmyku mezi pouhými dvěma neviditelnými střelci – a nedokážou se pohybovat dostatečně rychle ani v jednom směru, aniž přitom ztratí spoustu mužů.

„Sesednout a držet se u stěn soutěsky," zavelel co nejhlasitěji a seskočil na zem. Rozkaz se šířil zmatenou kolonou. Muži sklouzli ze sedel a běželi do relativního úkrytu strmých stěn průsmyku.

Vespasián se přitiskl k břehu vedle Caela a tří přeživších legionářů. Od úst mu po namáhavém běhu závějemi, které jim sahaly již po kolena, stoupala pára.

„Víš jistě, že ti to stálo za to?" odplivl si centurio. „Ztrácíme spoustu mužů jen kvůli tvé netrpělivosti."

„Teď není čas na obviňování, centurione. Musíme spolupracovat, jestli se máme z téhle polízanice dostat."

„A že je to pořádná polízanice."

Vespasián se nemínil hádat. Zavedl je sem v domnění, že Getové budou mít v tomhle počasí stejné potíže jako oni. Evidentně neměli a na něm teď bylo, aby zachránil životy co největšího počtu mužů v koloně.

Sabinus, Magnus a dva členové pomocné jízdy se k nim přidali ve chvíli, kdy další jezdec klesl k zemi jen pár kroků od bezpečného úkrytu. Krev z prostřeleného hrdla se vsakovala do prašanu a barvila ho jasně červeně. Z dráhy letu střely usoudil Vespasián, že lučištník je téměř přímo nad ním.

„Musí být úplně blízko, že si dokážou v té vánici hledat cíle. Tak jak je možné, že je nevidíme, když oni vidí nás?" oddychoval ztěžka Magnus.

„Už jsem tyhle podmínky zažil, když jsem sloužil v Panonii," vysvětloval Sabinus. Do úkrytu mezitím doběhli také Sitalkés, Artebudz a přeživší Thrákové, kteří použili jako krytí zděšené koně. „Mnohem snáz se hledí dolů do sněhové bouře než nahoru skrz ni. Není tam tak jasno a sníh vám tolik neletí do očí."

„Takže se musíme nějakým způsobem dostat nad ně," uvažoval Vespasián. „Sitalku, ty a tvoji muži si připravte luky. Ze které strany přišly ty střely, které zasáhly zadní část kolony?"

„Odnaproti, pane," odpověděl Sitalkés. Všichni Thrákové si připevnili toulce k opasku a z pouzder na sedlech vytáhli štíhlé zahnuté luky.

„Bohové, ti neřádi si to důkladně promysleli. Musíme se rozdělit. Sabine, já si vezmu Artebudze, Sitalka a Magna a poradím si s mužem na druhé straně, ty si vezmi ostatní tři Thráky a sejmi toho hajzla nad námi."

Caelus pohlédl tázavě na Vespasiána. Chystal se něco říct, ale pak si to rozmyslel.

Sabinus se usmál. „Dobrá, bratříčku. Dáme si závod, že?"

„Uvažuj o tom, jak chceš, Sabine, ale musíme to provést rychle, než zapadneme sněhem. Sejdeme se znovu tady a můžu tě ujistit, že na opozdilce žádné ceny nečekají." Vespasián se na bratra ušklíbl a pak se obrátil ke Caelovi. „Vezmi si legionáře a pokračujte vpřed. Najděte koně těch neřádů a přiveďte je sem. Musejí být dál v průsmyku, protože jsme je neminuli, a nahoru si je s sebou taky nevzali – stěny jsou příliš strmé."

Caelus se nepřel. Krytý srázem vyrazil s muži kupředu. Dva členové pomocné jízdy pohlédli na Vespasiána v očekávání rozkazů.

„Vy dva najděte co nejvíce svých druhů, pak vyšlete skupinky, aby sehnaly do houfu naše koně." Vespasián ukázal ke skupině koní, kteří bezcílně bloudili po místě přepadení. „S nimi si nedělejte starosti, zastřelili by vás shora. Ti nikam neutečou. Starejte se jen o ty, kteří utekli dopředu nebo dozadu, jasné?"

Oba Ilyrové zasalutovali a vyrazili vpřed.

Vespasián se obrátil opačným směrem. „Tak jdeme na to."

*

Bylo snazší vracet se průsmykem, když jim vítr a sníh dorážely do zad, ale jejich nohy začínaly trpět. Přestože měli všichni v sandálech vlněné ponožky a natřeli si ráno před vstupem do průsmyku nohy velkým množstvím vepřového sádla, mrzla jim chodidla. Po pár stovkách lopotných kroků doprovázených strachem ze šípu, který mohl přiletět z protějšího srázu, minuli posledního mrtvého koně, jehož temné obrysy byly pod sněhem sotva rozpoznatelné. Vespasián usoudil, že už zašli dostatečně daleko a minuli zadního střelce. Opustili částečnou ochranu srázu a nedůstojným způsobem přešli na protější stranu – dělali dlouhé kroky a zvedali nohy co nejvýše, aby se v hlubokém prašanu pohybovali co nejrychleji. Celou dobu měli přitom obavy, že odněkud přiletí šíp. Po krátkém pátrání našli místo, kde byl sráz méně strmý než jinde a dalo se na něj vylézt.

„Půjdu první," navrhl Vespasián.

Přihlásil se Artebudz. „Pane, pocházím z hor v provincii Noricum. Vyznám se v lezení a lovu v horách, takže bych měl jít první já."

Vespasiánovi se silně ulevilo a souhlasil. „Skvělé. Musíme se dostat tak vysoko, abychom neviděli soutěsku. Tak budeme vědět, že jsme nad tím neřádem, a pak se začneme různě vysoko po dvojicích vracet."

Vespasián začal stoupat za Artebudzem do zrádného svahu. Zuby mu drkotaly a prsty necítil. Jen s obtížemi držel krok s mrštným osvobozencem, který si zkušeně hledal cestu od jedné opory ke druhé. Jak šplhali výš, poryvy větru sílily, rvaly mu plášť, který povlával jako volná plachta, táhl ho doprava a zbavoval ho rovnováhy. Zaťal zuby a snažil se překonat za neustálého pohybu vzhůru ztuhlé svaly v rukou a nohou. Občas se odvážil pohlédnout dolů, kolem Magna a Sitalka, ale přestože protější sráz brzy ztratil z očí, stezka uprostřed průsmyku zůstávala snad po celou věčnost stále vidět. Sabinus měl pravdu. Bylo snazší dívat se dolů do sněhové bouře. Šplhal stále výš a žasl nad dovedností getských lukostřelců, kteří dokázali v tak silném bočním větru zasáhnout cíl pod sebou. Potom si uvědomil, že to byl právě vítr, co ho zachránilo. První šíp byl určen jemu, ne Tinovi. Zamumlal děkovnou modlitbu Fortuně za její soustavnou ochranu.

Když vyšplhali přibližně o nějakých třicet metrů výš, průsmyk se konečně ztratil v chumelenici a Vespasián dal povel k zastavení. „To už stačí," přerývaně dýchal a lokal ostrý mrazivý vítr, po kterém po takové námaze jeho tělo lačnilo. „Artebudz a já vylezeme ještě o něco výš a pak se začneme vracet zpátky. Magne, ty se Sitalkem zůstaňte na této úrovni a držte se mírně za námi."

Magna nijak nepotěšila vyhlídka na to, že má na kluzkém strmém svahu zůstat sám s mohutným Thrákem. Sitalkés si to dobře uvědomoval. Škodolibě se na něj ušklíbl. „Neboj se, Římane, jsi v bezpečí, dokud tohle neskončí. A kromě toho možná se tě budu potřebovat zachytit, kdybych padal."

„To ti ale nepomůžu," obdařil ho Magnus nevinným úsměvem. „Viděl jsem, jak rychle a ztěžka jdeš k zemi."

Sitalkés zavrčel a tvářil se, že mu není do řeči.

„Je mi jasné, že z vás budou nejlepší přátelé, než tohle skončí," podotkl Vespasián a ztuhle se zvedl. „A teď pojďme na to, než tu dočista umrzneme."

S vynaložením nadlidského úsilí vyšplhal za Artebudzem o dalších pět metrů výš a potom se opatrně začali vracet k místu přepadení. Artebudz držel luk připravený a za chůze po strmém svahu neustále mířil různými směry. Díky přirozené mrštnosti a zjevné zkušenosti s lovem v horském terénu se dokázal udržet pevně na nohou bez pomoci rukou. Vespasián, který si tak jistý nebyl, se opíral pravou rukou o svah a v levé ruce držel luk s nasazeným šípem. Když pohlédl dolů, viděl, že Magnus a Sitalkés mají při chůzi po svahu stejné potíže.

Asi po padesáti vratkých krocích se vítr náhle ztišil a přestal je bičovat vodorovně letící sníh. Viditelnost se zlepšila, takže brzy rozpoznali protější svah i mrtvé dole v průsmyku. Po několika dalších krocích se Artebudz zarazil, dřepl si a ukázal si na nos.

„Cítím ho," zašeptal vzrušeně. „Musí být přímo proti větru."

Vespasián posunkem naznačil Magnovi a Sitalkovi, aby zastavili a dřepli si, a pak začichal v klidnějším vzduchu. Najednou ucítil nezaměnitelný závan stejného těžkého puchu, který vycházel z mrtvého Gety v lese. „Jak daleko?"

Artebudz ukázal přímo před sebe. „Co je to tam, asi třicet kroků od nás?"
Vespasián se zadíval ve směru Artebudzova prstu. Nejprve nic zvláštního přes zvolna se snášející vločky nezahlédl, ale pak si všiml nepatrného pohybu, jako by se usazený sníh zavlnil. Po několika okamžicích rozpoznal vedle velkého balvanu o průměru asi pět kroků, který vězel ve svahu, menší hromadu, asi velikosti muže, s dvojím různým odstínem a strukturou. Patřily sněhu a nepatrně tmavší bíle obarvené vlně.

Vespasián kývl na Artebudze. Zamířili a vystřelili. Šípy vlétly přímo do středu hromady a zmizely v ní. Po nárazu se uvolnila většina napadaného sněhu a objevil se provizorní přístřešek tvořený bílou vlněnou pokrývkou přehozenou přes zaraženou hůl.

„Bohové!" odplivl si Vespasián. Vzápětí mu došlo, že právě ohlásili svoji přítomnost neviditelnému nebezpečí, které se muselo skrývat za balvanem. „K zemi!" zařval a zalehl právě v okamžiku, kdy se nad balvanem bleskurychle objevil getský střelec a vypustil šíp, který zmizel ve sněhu přesně v místě, kde Vespasián stál ještě okamžik předtím.

Vespasián věděl, že na volném svahu a bez úkrytu mají jedinou možnost. „Nepřestávej mířit na místo, kde se objevil, a kryj mě," pošeptal Artebudzovi. „Já jdu k němu." Nechal luk ležet a vytáhl z pochvy gladius. Pak posunkem naznačil Magnovi se Sitalkem, aby obešli balvan spodem, a sám se začal plazit k němu.

Než se ocitl v polovině vzdálenosti, šaty mu promáčela mrznoucí břečka a měl pocit, že bronzový náprsní štít mu z hrudi jako velký kus ledu odsává i tu trochu tepla, která v něm ještě zbývala. Vespasián už byl dost blízko, aby ho střelec nezahlédl, pokud by zcela nevstal a nevydal se tak všanc Artebudzovu luku a jisté smrti. Proto se odvážil dalších patnáct kroků schoulený přeběhnout. Dorazil k balvanu a vzápětí dvojí zadrnčení tětivy naznačilo, že Artebudz a jejich protivník si vyměnili další dvě střely.

Magnus a Sitalkés byli o deset kroků níž, téměř na stejné úrovni jako on. Natáhli luky a pomalu se plížili vpřed, aby se dostali do pozice, z níž by mohli vystřelit za balvan. Vítr zcela ustal a na svahu se rozhostilo přízračné ticho, které obvykle doprovází zlehka padající sníh. Z Getova puchu se jim zvedal žaludek. Vespasián zatajil dech a začal tiše po centimetrech sestupovat kolem velkého balvanu. Před ohybem se zarazil a v duchu se připravoval na boj zblízka. Pevně sevřel jílec meče a kývl na Magna se Sitalkem. Vyskočili vpřed a rychle vystřelili dva šípy, načež opět zalehli do sněhu. O okamžik později zadrnčela v odpověď tětiva getského střelce. Vespasián se vrhl za balvan a vrazil do muže, který právě vytahoval z toulce další šíp. Geta neměl čas sáhnout po dýce, proto zaútočil zubatým hrotem šípu proti Vespasiánově hrudi. Šíp narazil do náprsního štítu, a když se Vespasián přitiskl blíž, aby mohl vahou těla vrazit meč pod střelcova žebra, šíp sklouzl po kovu a uvízl mu v levém rameni. Vespasiánovým tělem projela prudká bolest, jak špičatá hlavice šípu narazila do kosti, ale útok nepřerušil. Vbodl meč protivníkovi do srdce. Puklo, a Vespasiánovu paži skropil proud horké krve. Střelec klokotavě zaječel a jeho páchnoucí dech zahalil Vespasiána, když spojeni železným mečem padali k zemi.

„Jsi v pořádku, pane?“ vydechl ztěžka Magnus, jakmile se Sitalkem odtáhli Vespasiána z mrtvého getského bojovníka.

„Až na tu věc v rameni ano, aspoň myslím,“ odpověděl Vespasián. Zatím k nim došel i Artebudz. Prohlížel si šíp a pak za něj prudce škubl. Šíp vyjel ven snadno, ale ne bez bolesti. Kost v rameni zabránila, aby se ostny vnořily hluboko do masa.

Z rány prýštila krev. Artebudz nabral do dlaně sníh. „Drž si ho tam, než sešplháme dolů a budu to moct pořádně ovázat.“ Přitiskl sníh na ránu. Vespasián poslechl a poprvé ten den byl za sníh vděčný. Zbavoval ránu horkosti a postupně umrtvil celé její okolí, takže zranění tolik nebolelo. Pohlédl na páchnoucího mrtvého muže u svých nohou. Šedivýma očima zíral na padající sníh. Vločky mu sedaly na řasy. Rty, přes dlouhý hustý černý plnovous sotva viditelné, mu už začínaly modrat. Přes oblečení měl bílou pokrývku, teď potřísněnou krví, s vyříznutým otvorem uprostřed pro hlavu. Odpadní látku ve tvaru kruhu měl přistehovanou na čapce, takže mu zajišťovala téměř dokonalé maskování.

„To je chytré,“ pronesl obdivně Vespasián. „Není divu, že jsme je neviděli. Vrátíme se a zjistíme, jak si vedl Sabinus.“ Nohou nadzvedl pokrývku a přehrnul ji muži přes obličej. Když se obracel k odchodu, upoutal jeho pozornost předmět, který vyčuhoval zpod pokrývky. Klekl si a odhrnul ji ještě víc. Pod ní bylo válcovité pouzdro z červené kůže asi třicet centimetrů dlouhé.

„Co to, u bohů, dělá tady?“ zvolal Vespasián a zvedl válec.

„To je pouzdro na vojenské depeše, že?“ zeptal se stejně překvapený Magnus. „K čemu by bylo těmhle divochům? Neumějí přece číst.“

„Ty taky ne.“

„To máš pravdu.“

„Musí být od těch kurýrů, které zajali. Paetus mi o nich, o chudácích, vyprávěl. Podíváme se na to později. Jdeme.“ Vsunul si pouzdro za opasek a začal sestupovat po strmém zasněženém svahu.

Než se vrátili na místo, kde se měli sejít s druhou skupinou, sněžení zcela ustalo a mraky se začaly protrhávat. Přeživší ilyrští jezdci sehnali mezitím dohromady koně a Caelus s třemi legionáři se vrátili s koňmi Getů. Šlo o nízká zvířata s hustou drsnou srstí.

Artebudz se pustil do ošetřování Vespasiánova zranění. Právě skončil s obvazováním, když se vrátili Sabinus a ostatní Thrákové.

„Hotovo?“ ucedil Vespasián přes drkotající zuby. Horko, které pociťoval ze vzrušení z boje zblízka, odeznělo, a teď všichni znovu mrzli navzdory slunci, které se dralo skrz mraky.

„Ano, ale jen tak tak. Ovšem jak říkám, i tak tak stačí. Byl to ale mazaný syčák, skoro dostal tady Bryza,“ odpověděl Sabinus a ukázal na Sitalkova druha s rudými vousy, který se divoce usmál.

„Drenis a Ziles potřebují trochu pocvičit ve střelbě na cíl,“ poznamenal. Jeho dva tmavovlasí společníci se zatvářili patřičně rozpačitě. „Jen jeden z nich dokázal toho neřáda zasáhnout, než jsem ho sejmul zezadu. Nebyl skoro zraněný a bil se jako lev. Ale nakonec jsem toho páchnoucího pohana přece jen dostal.“ Zvedl zakrvácený skalp, který mu visel u opasku.

„Pohana?“ Vespasián se na Bryza tázavě zadíval. „Já jsem myslel, že všechny thrácké kmeny mají stejné bohy.“

„Getové ne,“ odplivl si Bryzos. „Zřekli se všech našich bohů kromě jednoho, Zalmoxise. Ti hlupáci, copak by mohl existovat jen jeden bůh?“

„Co u nich ale potom dělá váš velekněz?“

„Nevíme, ani nás to nezajímá," odvětil Sitalkés a také si odplivl. „Ovšem kvůli tomu, že s nimi je, ho považujeme za odpadlíka a už se ho nebojíme."

Vespasián přikývl a vydal rozkazy, aby mrtvé, celkem sedm, připoutali na volná zvířata. Spálí je na hranici, jakmile se dostanou z průsmyku. Když nasedal na koně, vnímal úlevu od jedné ze svých starostí. Měl strach, že až dojde ke konečnému střetu s Rhotekem, zaseje velekněz do Thráků strach z bohů a oni mu zabrání, aby se ho zmocnil. Jak už Vespasián zjistil, thráčtí bohové budili docela velkou hrůzu a nebylo radno s nimi laškovat.

Kolona vyrazila na cestu. Díky stále se zlepšujícímu počasí brzy prošli soutěskou, která vedla rovnou mezi sněhem pokrytými majestátními vrcholky, jež se v tu chvíli pod azurovou oblohou oslnivě třpytily.

Blížili se ke konci soutěsky, když si Vespasián, jedoucí mezi Magnem a Sabinem, vzpomněl na pouzdro na depeše a vytáhl je zpoza opasku.

„Co to máš?" podivil se Sabinus.

„Nevím, našli jsme to u toho střelce," odpověděl Vespasián. Sundal víko a zatřásl pouzdrem. Do klína mu vypadl svitek. Zvedl ho a pohlédl na pečeť. „Tiberius Claudius Nero Germanicus," četl nahlas. „Bohové, to je přece Antoniin syn."

„A hlupák k pohledání, nebo se tak aspoň tváří," ušklíbl se Sabinus. „Ale všichni se shodují, že abys mohl hrát hlupáka, musíš jím v prvé řadě být. Aspoň tak to tvrdí Antonia."

„Komu píše?" otázal se Magnus a naklonil se, aby si prohlédl pečeť.

Sabinus pohlédl na Vespasiána. „Je jen jediná možnost, jak se to dá zjistit. Máš nervy na to, abys otevřel soukromou korespondenci od člena císařského rodu, bratříčku?"

Vespasián chvíli uvažoval. „Když to neotevřeme, nebudeme vědět, komu to máme doručit." Rozlomil pečeť, pak si prohlédl svitek a tiše hvízdl.

„No?" zeptal se Magnus.

„Je to pro Poppaea, a nepodepsal to Claudius, ale nějaký člověk jménem Boter, a kromě oslovení a podpisu je to celé psané nějakou šifrou."

„Tak to je zajímavé," uvažoval Sabinus. „Boter je jedním z Claudiových osvobozenců. Nesetkal jsem se s ním osobně, ale Pallas ho zná.

Před pár lety s ním otěhotněla Claudiova první žena. Claudius tehdy s Boterem nic nepodnikl, a mně teď už dochází proč. Když drží někoho v hrsti pod takovou záminkou, může Claudius toho muže používat, aby za něj dělal špinavou práci, a pak pokud se věci zvrtnou, může se k němu obrátit zády a říct, že to všechno spáchal zatrpklý člen jeho domácnosti. Boter padne, Claudius dosáhne zadostiučinění, a přitom zůstane čistý. To je velice důmyslné."

„Myslíš, že by mohl jednat za Claudiovými zády?" zeptal se Magnus.

„Mohl. Podle Palla je velmi ambiciózní." Sabinus se zarazil a chvíli uvažoval. „Ne. Kdyby tomu tak bylo, nepoužil by Claudiovu pečeť. Ten dopis musel napsat s Claudiovým vědomím. Ale protože ho nepodepsal Claudius, ale přitom nese jeho pečeť, lze tenhle dopis současně označit za autentický i popřít jeho pravost. Možná to opravdu není takový hlupák, za jakého ho všichni mají. Myslím, že bychom si měli ten dopis nechat a ukázat ho po návratu Antonii. Pallas nejspíš šifru dokáže rozluštit."

„Proč by ale psal Poppaeovi šifrou? Pokud se ovšem nespřáhl s ním a se Seianem," uvažoval Vespasián a vrátil svitek do pouzdra. Dojeli na konec průsmyku a začali sestupovat. Ve velké dálce, pod nimi a pod hranicí sněhu, se táhly hustě zalesněné zvlněné kopce Moesie.

„To je jasné. Jako synovec imperátora a bratr Germanika, původního Tiberiova dědice podle dohody, kterou uzavřel s Augustem, je Claudius ve velmi dobrém postavení, aby jednou zdědil císařský trůn, zvlášť pokud mu Seianus pomůže."

„Proč by to dělal?"

„Protože se pravděpodobně domnívá, že Claudius je slabý hlupák, kterého může ovládat, což nejspíš taky opravdu dělá."

„Jak?"

„No, poté, co mu porodila Boterovu dceru, se Claudius rozvedl se svou první ženou Plautií Urgulanillou, a to kvůli cizoložství. A pak, před dvěma lety, ho Tiberius přesvědčil, nepochybně na Seianovu radu, aby se znovu oženil, tentokrát s ženou jménem Aelia Paetina."

Vespasián se zamračil. To jméno mu nic neříkalo. „No a?"

„Takže si toho nikdo tehdy moc nevšímal, protože Claudius je takový ňouma. Jenže Aeliini rodiče zemřeli, když byla ještě malá, a ji vychovával její strýc z matčiny strany, Lucius Seius Strabo."

Vespasián nevěřícně vyvalil oči. „No teda, není to Seianův otec?"

„Ano, bratříčku, Seianův otec. To znamená, že Aelia je Seianova adoptivní sestra a Seianus Claudiův švagr, a kdyby se Claudius stal imperátorem, stane se Seianus jeho legitimním dědicem."

ČÁST II

MOESIE, DUBEN ROKU 30 PO KR.

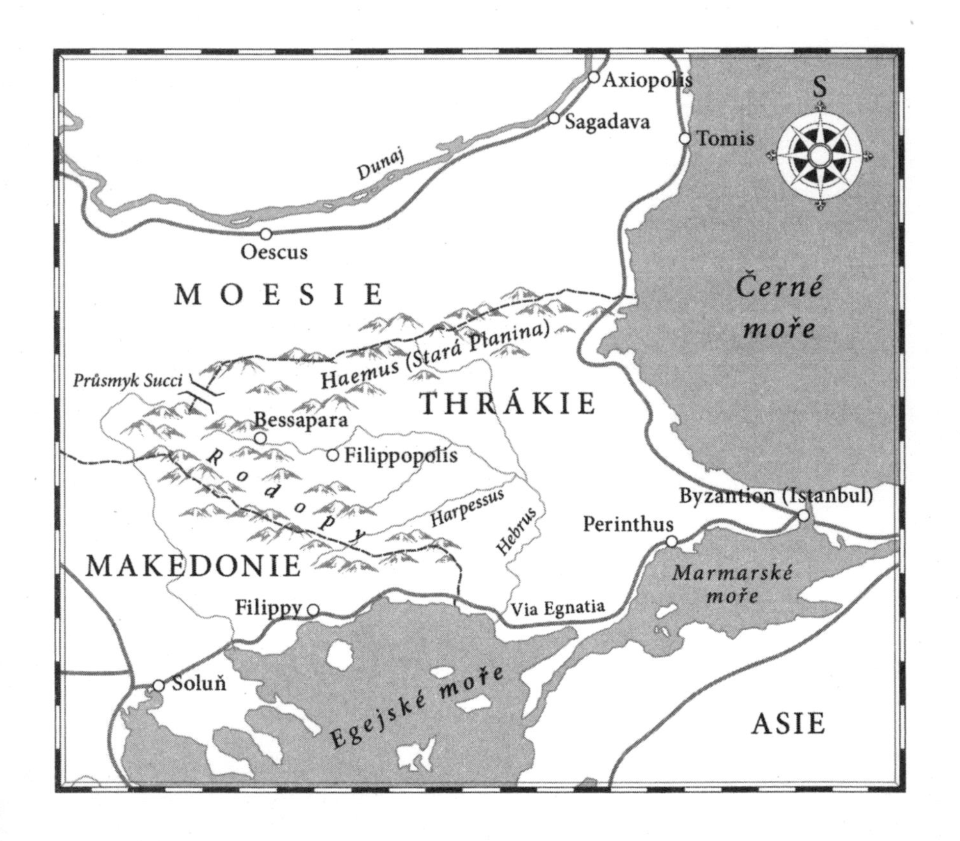

KAPITOLA V

„DĚKUJI ZA HLÁŠENÍ, PÁNOVÉ," pronesl Pomponius Labeo a pozoroval Vespasiána a Caela s výrazem mírného pobavení v buclatém obličeji. „Promyslel jsem vaši žádost a vyhovím jí. Jakmile úspěšně dokončíme obléhání hradu v Sagadavě, pošlu třetí a osmou kohortu, aby thráckou posádku vystřídala."

Vespasián a Caelus zasalutováním poděkovali veliteli za rozhodnutí. Stáli v Pomponiově pracovně v nově vybudované pevnosti Durostorum na březích Dunaje, do které se teprve nedávno nastěhovala malá posádka Čtvrté Skytské. Hlavní stavební práce skončily závěrem předchozího roku a v místnosti byly stále cítit nové navoskované dřevěné podlahy a čerstvě obílené zdi. Oknem bez okenic dovnitř pronikal hluk vydávaný stovkami otroků, kteří prováděli dokončovací práce, a volání jejich dozorců.

„Mohu jen předpokládat," pokračoval Pomponius a opřel si silné paže o stůl, „že značný rozdíl v líčení cesty sem ve vašich hlášeních je důsledkem osobního nepřátelství, které podle mého názoru nijak zbytečně neohrozilo životy mužů, a proto, vzhledem k blížícímu se odjezdu tribuna Vespasiána do Říma, jsem ochoten je přehlédnout."

Vespasián vydechl úlevou. Posledních dvacet dnů, jež jim zabralo hledání Pomponia, který, jak se dozvěděli od velitele posádky v Oesku, byl právě na výpravě proti getskému nájezdnímu oddílu čítajícímu nejméně tři tisíce mužů a plenícímu východ Moesie, prožil v očekávání vážného postihu za to, že impulzivně vedl kolonu průsmykem Succi ve sněhové bouři. Ve snaze hájit se, když podával hlášení Pomponiovi, což vzhledem ke své hodnosti mohl před Caelem, si dával pozor, aby se nezmínil o Caelově přesvědčování k návratu, a místo toho zdůraznil nutnost předložit Pomponiovi co nejdříve žádost posádky thrácké pevnosti. Tuto naléhavost ještě umocnil přehnaným hodnocením nespokojenosti mužů. Věděl, že to vrhne špatné světlo na Caela jako velícího centuriona zodpovědného za jejich disciplínu, který nechal věci dojít tak daleko, ale naopak dobré na Paeta a jeho, že potlačili možnou vzpouru.

„Žádám o povolení promluvit, legáte," vyštěkl Caelus.

„Budeš mlčet, centurione," odsekl Pomponius, až se mu faldy na tváři zatřásly. „Měl jsi možnost hovořit, když jsi mi podával hlášení dnes ráno při příjezdu. Záležitost je uzavřená. Cestou zpátky do Thrákie vezmeš tři legionáře, které poslal Paetus k přeložení, do řad obléhatelů v Sagadavě pod velením prima pila Fausta. Chtěli pomstít své druhy, tak k tomu budou mít spoustu příležitostí v první centurii první kohorty, až vyrazí na zteč hradu. Můj tajemník už připravil příkazy k jejich převelení i několik depeší pro Paeta. Vyzvedni je cestou odsud. Odjedete okamžitě. Rozumíš, centurione?"

„Ano, pane!"

„Dobrá. Vezmi s sebou pomocnou ilyrskou jízdu a vraťte se co nejrychleji do Thrákie. Odchod."

Caelus zasalutoval, rychle se obrátil a zmítán špatně skrývaným vztekem vypochodoval z místnosti.

Jakmile za ním zapadly dveře, Pomponius se pousmál. „Vždycky to byl Poppaeův donašeč a bude toho mít jistě spoustu na srdci, až se dostane za ním do Sagadavy."

„Poppaeus je v Sagadavě?" vyhrkl Vespasián a zapomněl, že je stále ještě v pozoru, a tudíž by neměl mluvit, pokud není přímo vyzván.

Pomponius jeho přestupek přehlédl. „Pohov, tribune, posaď se. Ano, dorazil před čtyřmi dny, ten kluzký syčák. Poslední dva měsíce jsem pronásledoval Gety po celé východní Moesii a konečně se mi je podařilo dostat do pasti v Sagadavě, kde čekali, až se budou moct znovu přeplavit přes řeku. A pak, před třemi dny, sotva jsme dokončili obléhací linie a bylo jasné, že ti koňáci se nikam bez boje nedostanou, se objeví Poppaeus se čtyřmi kohortami Páté Makedonské na palubě dvou lodí dunajské flotily, převezme velení a mě odešle okamžitě sem, abych tady čekal, až on slízne smetanu z vítězství. Dokonce měl tu drzost obvinit mě, že jsem nesplnil povinnost vůči Římu, protože jsem nezastavil getské nájezdy. Jako by to bylo tak snadné, postavit se nepříteli, který se dokáže pohybovat rychlostí padesáti šedesáti kilometrů za den v porovnání s našimi pětadvaceti, když máme štěstí. Potřebujeme v téhle provincii víc jízdy!" Pomponius se schoulil na židli a otřel si pot z čela, který mu tam vystoupil navzdory chladu v místnosti.

Vespasián neklidně poposedl a uvažoval, jak má zjistit, jestli je Rhotekés s obléhanou skupinou, nebo ne, a pokud ano, jak proniknou přes římské linie do hradu, zajmou ho a pak dostanou pryč, aniž by na sebe upozornili Poppaea. „Proč začali Getové tak často napadat provincii?" zeptal se. „Nezdá se, že by se tady toho dalo tolik naloupit, a pokud budou pokračovat, jen donutí imperátora, aby rozšířil říši za řeku."

Pomponius se probral ze svého sebelítostivého zamyšlení a vzhlédl k Vespasiánovi. „Co? Aha, chápu. Ze strategického hlediska jde z jejich strany o naprosté šílenství. Jenže vypadá to, že jejich krále, Kotise, což je vnuk krále stejného jména, kterého jsme před padesáti lety porazili, někdo navádí, aby se za tohle ponížení svého národa pomstil."

„Kdo?"

„Ten odporný kněz, který se těšil takové Poppaeově přízni. Možná jsi ho zahlédl, když přivedl Dinovy lidi, aby se vzdali – byls přece u toho, ne?"

„Ano, byl." Vespasián se snažil zachovat klidný hlas. „Takže on je u Getů od porážky toho povstání?"

„Nevím, jestli k nim utekl hned poté, ale je tam rozhodně poslední rok nebo tak. Viděli ho s nimi při několika nájezdech."

„A při tomhle ho taky viděli?" zeptal se nevinně Vespasián.

Pomponius se chystal odpovědět, ale pak se zarazil a upřel na mladého tribuna prasečí očka. „Aha," pronesl pomalu. „Tvůj bratr je s tebou, že?"

Vespasiánovi se zrychlil pulz. „Ano, pane."

„Ale nemá v tuhle chvíli vojenské pověření, že?"

„Ne, je civilista."

„Nepřijel nedávno z Říma?"

Vespasián věděl, že je zbytečné to popírat. „Ano, pane, na konci března."

Pomponius zamyšleně přikývl a vstal. Vespasián ho okamžitě následoval.

„Musím se teď věnovat dalším záležitostem, tribune," naznačil Pomponius, že rozhovor je u konce, „ale byl bych rád, kdybyste se mnou dnes s bratrem povečeřeli."

„Myslím, že tenhle pokrm vám bude obzvlášť chutnat," rozplýval se Pomponius, když na stůl postavili velký talíř s okounem přelitým hustou hnědou omáčkou. „Je to specialita mého kuchaře, jeho omáčce z vína s medem a švestek se žádná nevyrovná, a taky přesně ví, jak pošírovat rybu, aby se maso skvěle oddělilo od kosti. Je to kouzelník. Koupil jsem ho před dvanácti lety a je jako dobré víno, s přibývajícími roky zraje." Na zdůraznění svých slov si dal pořádný doušek vynikajícího vína a říhl. Pak postavil pohár a zadíval se nedočkavě na krásně servírovanou rybu.

Vespasián pohlédl přes stůl na Sabina, který nedával najevo žádné známky únavy, a pak se na hostitele zdvořile usmál. „Opravdu vypadá velmi lákavě, Pomponie," vysoukal ze sebe zpola srdečně.

Popravdě by ryba vypadala ještě lákavěji, kdyby šlo o druhý nebo třetí chod. Jenže tohle byl už osmý. Vespasián tušil, vzhledem k obvodu hostitele, že večeře bude opulentní záležitost, rozhodně nic pro osoby se slabým srdcem, a tak během prvních čtyř chodů držel krok v domnění, že už brzy jistě přijdou na řadu zákusky a ovoce. Jenže se hluboce mýlil. Do této chvíle si musel vychutnat pečené kůzle, talíř různých divokých ptáků a srnčí kýtu, to všechno zalité rozmanitými hustými omáčkami. Bylo by vrcholem nezdvořilosti odmítnout porci některého z chodů, které před ně kladli, ačkoli mu hlavou kroužila slova jako plný, nacpaný, přecpaný a nafouknutý. Jedinou úlevou bylo napodobování Pomponiova zvyku volně vypouštět oběma tělesnými konci vzduch – nic takového by jindy u jídelního stolu neschvaloval. Jenže u šestého chodu šly všechny zábrany stranou, a od té doby už se víckrát řídil hostitelovým příkladem a ulevoval napínajícím se vnitřnostem. Při tom stále více záviděl Magnovi, kterého nechal spolu s Artebudzem a Thráky u nezvykle velkého množství vína. Neklidně poposedl, zatímco Sabinus si naložil přehnaně velkou porci okouna a přelil ho bohatě omáčkou.

„Dej si, bratříčku,“ pronesl a v očích se mu škodolibě zablýsklo. „Náš hostitel nechal to nejlepší jídlo na konec. Měli bychom to ocenit.“ Vložil si do úst kus ryby a začal s mlaskáním a spokojeným mručením žvýkat.

„Mýlíš se, Sabine,“ opravil ho Pomponius, zatímco si sám nadšeně přitáhl talíř a nabral si ještě větší porci. „Rozhodně by byla chyba šetřit to nejlepší na konec, to bychom byli příliš plní a patřičně si pokrm nevychutnali. Přesto nás čeká ještě pár dalších chodů a potom nakonec jako tečka plši v medu, než přijdou na řadu zákusky.“

Sabinus při jeho slovech zbledl, Vespasiánovi se udělalo zle. Obrnil se a pak si statečně naložil na talíř ten nejmenší kousek okouna, jaký dovolovaly dobré mravy. Potom začal předstírat, že s chutí jí, zatímco potají upouštěl co nejvíce jídla na ubrousek, který před ním ležel rozložený na pohovce.

„Poppaeus si může cestovat se vší nádherou, jakou může koupit za své nové peníze,“ vrátil se Pomponius ke svému oblíbenému tématu večera, „se stanem s mramorovou podlahou, přenosnými freskami, křiklavým nábytkem a spoustou koní, jenže nedostatek vychování mu brání, aby pochopil drobné finesy života.“ Začal vytírat zbytek omáčky na talíři velkým kusem chleba. „Věřte mi, pánové, měl jsem tu smůlu s ním mnohokrát večeřet, a být to na mně, dal bych jeho kuchaře zbičovat za to mizerné jídlo, co nám nachystal. Skoro tak hrozné jako normální legionářské příděly – žádný div, že je generál tak malý.“ Jeho vtip ho pobavil natolik, že se málem zalkl vínem. „Při těch ubohostech, které mi tam servírují, si vždycky dávám pozor, aby na mě po návratu čekalo pořádné jídlo,“ pokračoval a otíral si víno, které mu vyteklo nosem. „Jen pomyšlení na ně mi pomáhá ty žalostné večírky přečkat.“ Zvedl pohár, aby mu ho čekající otrok dolil, a dodal: „Jedinou výjimku představuje jeho víno. To se musí tomu člověku nechat – víno má opravdu slušné.“

„Stejně jako ty, Pomponie,“ ozval se Sabinus a zvedl pohár. Byl rád, že se také dostal ke slovu. „Odkud je máš?“

„Ze svých statků v Aventiku, na jihu Germánie. Prvotřídní,“ odpověděl Pomponius a znovu si pořádně přihnul. Pohlédl zadumaně na oba bratry. „Je tam krásně, na břehu jezera Murten, na kmenovém území Helvetů. Můj děd Titus Pomponius Atticus tam skoupil spoustu půdy, když do provincie rozšiřoval naše bankovní kontakty.“

Vespasián se snažil projevovat zájem, zatímco Pomponius pokračoval ve vyprávění o rodinných podnicích a naříkal nad skutečností, že v důsledku jeho špatného finančního odhadu nyní pod jeho péčí začínají upadat a uvažuje o jejich prodeji. Přinesli a odnesli nový chod, po němž následoval zase další, a Vespasián začínal litovat, že nemůže požádat o mísu a vyzvracet se, což byla další praktika, se kterou nesouhlasil, ale nyní by ji s radostí využil, nebýt toho, že Pomponius už několikrát dal jasně najevo svůj názor na tohle téma – škoda dobrého jídla.

Konečně od něj odnesli i poslední talíř s napůl snězeným plchem. Pak Pomponius poslal pryč otroky, kteří před ně předtím na stůl rozložili zákusky a ovoce a postavili dva plné džbány téměř neředěného vína.

„Nuže, pánové, a teď k věci," zvolal Pomponius, jakmile poslední otrok zavřel dveře a oni osaměli ve velké, prostě zařízené místnosti, jejíž strohost trochu zmírnila teprve záře zapadajícího slunce, olejových lamp a ohřívadla. „Moc by mě zajímalo, Vespasiáne, proč jsi dnes odpoledne stočil náš hovor tak rychle, a docela obratně, k Rhotekovi. Sice jsem jen prostý voják a úředník bez vloh pro politiku a naložený ve vlastním víně, ale přece jen poznám, když mi nějaký muž položí rychle za sebou tři otázky, na které existuje zjevná odpověď, a poté mi dá čtvrtou, na kterou odpověď nezná, ale zoufale by ji znát potřeboval."

Vespasián pochopil, že je zahnaný do kouta. Pokud by popřel, že se snažil z Pomponia vypáčit informace o tom, kde je teď Rhotekés, urazil by inteligenci svého hostitele. Jenže jestli to potvrdí, bude následovat řada otázek, proč on, pouhý vojenský tribun, chce vědět, zda je kněz s getským přepadovým oddílem. V duchu si nařídil, že bude muset být v budoucnu opatrnější v dotazech, a pohlédl na Sabina, který jen bezmocně pokrčil rameny.

„Musíš být pohotovější, když se dostaneš do úzkých, Vespasiáne," podotkl přísně Pomponius. „Už jen skutečnost, že ses na tak dlouho odmlčel a hledáš pomoc u bratra, jasně svědčí o tom, že chceš toho kněze najít, ale nechceš prozradit proč."

„Ano, pane," odvětil Vespasián.

„Tady jsi na soukromé večeři, ne na cvičišti, není třeba oslovovat mě ‚pane'," vyštěkl Pomponius. „Proč toho kněze hledáš?"

„Požádali nás, abychom ho dopravili do Říma.“ Vespasián cítil, jak se mu přecpaný žaludek začíná bouřit.

„Kdo?“ Z Pomponiova pohledu se vytratila veškerá žoviálnost a nyní se do Vespasiána zabodával s takovou silou, že mladík najednou dostal strach.

„To ti nemůžu prozradit, Pomponie,“ odpověděl se vzrušenou odvahou v hlase. Vnímal, jak Sabinus naproti ztuhl napětím a chystá se na Pomponia vrhnout.

„Povíš mi to, tribune, nebo při všech bozích, zapomenu na to, že ti vděčím za svůj život, což jediné mě přimělo shodit dnes dopoledne ze stolu Caelovy stížnosti na tvé velení, a tohle rozhodnutí přehodnotím a pošlu tě zpátky do Říma v hanbě.“

„V tom případě dělej, jak myslíš, legáte, protože já ti to nemůžu povědět.“

Pomponius okamžik vypadal, že vybuchne, ale nakonec se ovládl. „Dobrá, tribune, ať je po tvém.“

„Smím ti položit také jednu otázku, Pomponie?“ ozval se Sabinus.

„Jestli nám to pomůže z téhle patové situace…“

„Můj bratr ti správně odmítá sdělit, kdo nás požádal, abychom toho muže přivezli do Říma. Nechceš nám zase na oplátku prozradit, proč to tak nutně potřebuješ vědět?“

Pomponius se ani na okamžik nerozmýšlel. „Ne.“

„Protože si uvědomuješ, že to, co ten člověk ví, je důležité pro dvě proti sobě stojící frakce v Římě, a nikdo z nás si prozatím není jistý, pro kterou z nich ten druhý pracuje?“

„Myslím, žes to shrnul správně.“

„Takže bys měl zájem o to, aby se kněze zmocnila některá z těch stran, než padne do rukou někoho jiného, nebo bude odstraněn?“

Pomponius se rozesmál. „Musíš si vážně myslet, že jsem včerejší, pokud jsi jen na okamžik věřil, že ti na tuhle otázku odpovím. Oba dobře víme, že na Rhotekově smrti má zájem pouze jedna strana.“

„Ano, ale my jsme přece už řekli, že ho chceme dopravit do Říma, a to znamená udržet ho naživu.“

„To máš sice pravdu, ale co když mně jde o to, aby zemřel?“

Sabinus rychle sáhl pod tuniku, vytáhl nůž a vykročil k Pomponiovi.

„V tom případě tě budu muset zabít, což bych měl udělat v každém případě už jen kvůli bezpečí." Pomponius se ztěžka zvedl a zůstal stát.

„Sabine, dost!" vykřikl Vespasián. „Slyšels ho dnes večer – víš, jak nenávidí Poppaea. Neudělal by nic, co by prospělo jeho záměrům."

Pomponius se usmál. „Mladý muži, máš se ještě hodně co učit. To, že někoho nenávidíš, neznamená, že s ním nemůžeš spolupracovat, pokud máte společné zájmy. Já vím, že ho také nenávidíš, jinak bys mi, když jsme porazili thrácké vzbouřence, neprozradil, že mi ukradl vítězství. Jenže to jsou už skoro čtyři roky a za tu dobu jsi také ty mohl změnit strany. Ale tím, že mě teď bráníš před svým bratrem, mi dokazuješ, že patříme do stejného tábora. Pokud ovšem nejsi velmi dobrý herec, což podle mě nejsi... aspoň zatím. Takže vám budu důvěřovat, navzdory tomu, žes na mě v mé vlastní jídelně vytáhl nůž, Sabine, což považuji za vrchol nevychovanosti. Kněz je v Sagadavě."

Sabinus držel nůž zdvižený. „Proč ti máme věřit?"

Pomponius na něj zpříma pohlédl. „Protože Antonii, která tě sem, jak předpokládám, poslala, abys Rhoteka našel, jsem informaci, že Rhotekés uprchl ke Getům, předal já."

„Ty jsi Antoniin agent v Moesii?" Z Vespasiánova hlasu zaznívaly pochyby.

„Nebuď k smíchu. Já nejsem ničí agent. Sdělil jsem jí to proto, že vím, že máme společné zájmy. Po bitvě jsi mi vyzradil, Vespasiáne, jak Seianus a Poppaeus využili Rhoteka jako prostředníka, takže když se znovu loni objevil, předal jsem tu informaci anonymně Antonii. Prostě jsem usoudil – a evidentně správně, protože vás poslala, abyste ho dostali –, že se jí bude hodit. Vím, že se snaží zničit Seiana, a pokud uspěje, tak při troše štěstí se Seianem padne také Poppaeus a já se dočkám pomsty za to, že mě připravil o právoplatné vítězství."

„Odkud jsi věděl, že Antonia intrikuje proti Seianovi?"

„Posaďte se oba a dolijte si poháry, a můj taky, když už budete v tom, a já vám to vysvětlím."

Bratři poslechli a brzy se vlivem silného vína zklidnili. Pomponius jedním douškem vyprázdnil pohár a natáhl ruku, aby mu znovu dolili. Vespasián poslechl.

„Děkuju," řekl Pomponius a opřel se na pohovce. „Budu stručný. Když před šesti lety hrozili Thrákové povstáním, byl jsem v Římě. Právě mě jmenovali legátem Čtvrté Skytské a chystal jsem se odjet do Moesie. Asinius se na mě obrátil, abych působil v Moesii a Thrákii jako jeho oči a uši. Svěřil se mi, že se s Antonií snaží zastavit rostoucí hrozbu v podobě Seiana. Vzhledem k tomu, že po potlačení numidského povstání se u Tacfarina našlo velké množství římských peněz, pojali Antonia s Asiniem podezření, že vyvolávání vzpour v provinciích je součástí širšího Seianova plánu, jak destabilizovat říši poté, co si pojistil pozici u imperátora. Obávali se, že hrozící revolta v Thrákii je součástí téhle strategie. Tehdy neměli tušení o účasti Poppaea, protože ten už tou dobou působil deset let jako guvernér Moesie a Makedonie a nevědělo se o žádných jeho kontaktech se Seianem. Je to i proto, že Poppaeus je obecně považován za váženého člověka, ale bez nějakých výrazných schopností – nikoho neohrožuje. Ovšem neměli ani důvod mu důvěřovat, takže potřebovali na místě vlastního muže."

„Co ale vedlo Asinia, že ti důvěřoval a svěřil se ti?" nechápal Vespasián.

„Protože jsme příbuzní. Jeho matka, Vipsania Agrippina, je neteř mého otce."

„A byla Tiberiovou první ženou a matkou jeho zesnulého syna Drusa, kterého, jak věří Antonia, zavraždila její dcera Livilla, Seianova milenka," poznamenal Sabinus, který pochopil souvislosti.

„Přesně tak. Takže jsme oba chtěli pomstít svého příbuzného a hájit imperátora, s nímž jsme oba byli spojeni sňatkem. Asiniovi to připadalo jako sázka na jistotu – ale já jsem to odmítl."

„Proč?"

Pomponius se usmál pobouřenému nevěřícnému výrazu ve Vespasiánově tváři. „Protože můj úsudek už nezatemňují ideály a mladické nadšení, což o tobě evidentně neplatí, soudě podle tvého výrazu. Seianus mi tehdy zabránil stát se konzulem a místo mě na to místo nasadil jednoho ze svých mužů. Dal mi jako úlitbu Čtvrtou Skytskou a já jsem věděl, že mě sleduje, a to nejspíš platí dodnes. Pro Asinia s Antonií bych byl přítěží, ale hlavně – chci zemřít v posteli, což nemůže očekávat většina lidí, kterých si Seianus začne všímat."

„Tak proč teď ta náhlá změna názoru?" otázal se posměšně Vespasián.

Pomponius na něj nevzrušeně pohlédl. „V mé jídelně se mnou mluv zdvořile, mladíku, a zdrž se hodnocení na základě svých vlastních impulzivních a naivních soudů."

Vespasián zrudl. Zahanbila ho Pomponiova strohá slova i fakt, že má hostitel vlastně pravdu. „Odpusť, Pomponie. Byla to ode mě hrubost."

Pomponius sklonil hlavu. „Abych odpověděl na tvoji otázku. Moje působení zde je u konce. Zhruba za měsíc se vrátím na svůj statek v Aventiku, abych se držel při zemi a popíjel víno, dokud se politické zmatky v Římě tak či onak nevyřeší. Proto jsem se rozhodl, že podstoupím to riziko a předám Antonii informace, které ublíží Poppaeovi, v naději, že je využije."

„Proč ses nepokusil sám zajmout Rhoteka, když se objevil, a neposlal jí ho?"

„Celý rok jsem se snažil dostat toho kněze do rukou, a když jsem ho konečně měl v koutě a přemýšlel jsem o tom, jak ho dopadnu, objevil se Poppaeus. Seianovi se muselo donést, že Rhotekés znovu vstoupil na scénu, a přesvědčil imperátora, aby opět udělal Poppaea guvernérem, a jako záminku k tomu využil zesílení nájezdů přes řeku a moji údajnou neschopnost je zvládat. Takže Poppaeus se ujal velení v Sagadavě, protože ví, že tam je Rhotekés, a má v úmyslu se postarat o to, aby se kněz už nikdy nikde neobjevil. A vy musíte zajistit pravý opak."

Bratři na sebe pohlédli, zatímco Pomponius pil ze svého poháru, a kývnutím se mlčky shodli, že mohou legátovi důvěřovat.

„Jak to podle tebe máme udělat, Pomponie?" zeptal se Sabinus. „Říkals, žes vymyslel plán..."

„Říkal jsem, že jsem se snažil přijít na způsob, jak ho dopadnout," opravil ho Pomponius. „Plán jsem ještě nedotáhl do konce. Bude to těžké. V pevnosti a v sousedním opevnění se mačkají skoro tři tisíce těch hajzlů. Podle mě tam mají sotva místo, aby se pohnuli, protože většinu koní nechali venku."

„I kdybychom se dostali dovnitř, vzbudíme podezření," dodal Vespasián, kterému se tenhle scénář vůbec nezamlouval.

„Pokud se nepřevlečeme za Gety," podotkl Sabinus.

„Přesně tak," přitakal Pomponius, „o tom jsem právě uvažoval, ale neměl jsem na to dost mužů. Nejsou tady žádní Thrákové, kterým bych takový delikátní úkol svěřil, a my Římané bychom se za Gety vydávat nemohli, ani kdybychom si navlékli ty jejich zablešené kalhoty."

„Přivedli jsme si pět mužů královny Tryfeny, ti to zvládnou, když jim seženeme oblečení," uvažoval Vespasián. „Sabinus, Magnus a já se prostě budeme muset snažit s nimi splynout."

Pomponius na něj pohlédl a zvedl obočí. „To je hodně riskantní. Proč tam nepošleš jen ty Thráky?"

„Protože dva z nich budou muset vyvléct toho kněze, což znamená, že na jejich obranu zbudou jen tři muži. Pokud jednoho nebo dva zabijí, je po všem. Musíme jít taky, abychom jim pomohli."

Sabinus si povzdechl. „Mám nepříjemný pocit, že můj bratr má pravdu, Pomponie. Tak jak se dostaneme dovnitř a zase ven?"

„No, nejdříve si musíte opatřit šaty, to by mělo být docela snadné, protože v římském táboře je budova plná zajatců. Centurio Faustus, kterého znáš, Vespasiáne, a kterému oba důvěřujeme, ti pomůže. Pokud jde o to, jak proniknout dovnitř, to je mnohem těžší. Vím jen o třech cestách a nejlepší, podle mého, vede přes malou stoku v severní stěně proti řece. Mohli byste se tam dostat ve člunu, což by znamenalo projít přes obléhací linie, protože ty se táhnou na obou stranách pevnosti až k řece."

Sabinus nakrčil nos. „Představa, že se budu brodit v getských sračkách, se mi vůbec nezamlouvá. Jaké jsou ty další dvě cesty?"

„Hlavní branou v západní zdi, nebo rovnou přelézt hradby, jenže pokaždé by si vás někdo všiml."

„Nemohli bychom prostě počkat, až Poppaeus vezme pevnost útokem, a pak se ve všeobecném zmatku zmocnit Rhoteka?" navrhl Vespasián.

„To byste mohli, jenže kdybych byl na Poppaeově místě, poslal bych dovnitř elitní oddíl s rozkazem zabít ho, a vy byste pak bojovali proti Římanům i Getům."

„Tak se zdá, že to přece jen vyhrají ty sračky," podotkl Vespasián. „Neboj se, Sabine, přes puch svých hadrů je ani neucítíš."

Sabinus se pousmál. „Vtipné, bratříčku. Co cesta zpátky, Pomponie?"

„Znovu člunem. Požádejte Fausta, aby vám tak kilometr až dva po proudu nechal připravit koně a vaše věci, a zmizíte dřív, než Poppaeus vůbec zjistí, že tam jste. Hlavně musíte být opatrní, abyste nenarazili na dunajskou flotilu, která je rozmístěná na řece, aby Getům zabránila v úniku na přepravních člunech."

Vespasián se smířil s nevyhnutelným. „No, tak aspoň je to nějaký plán, a vzhledem k tomu, že je jediný, nezbude nám nic jiného než ho provést. Další možností už pak jenom je obrátit se a zase odjet a nechat toho kněze zemřít v Sagadavě."

„To mi přijde docela lákavé," namítl Sabinus, „a mnohem méně nepříjemné."

„Z krátkodobého hlediska ano," souhlasil Pomponius, „jenže z dlouhodobého, pokud se nepodaří Seiana odstranit, všechny, na které padne podezření, že se mu postavili, včetně jejich rodin, čeká osud mnohem méně lákavý. Proto navrhuju, abyste se teď pořádně vyspali, pánové, protože vás čeká den a půl rychlé jízdy a potom až dorazíte do cíle, dlouhá a nebezpečná noční práce."

„Máme to udělat hned v tu noc, kdy dorazíme?" vykřikl Vespasián. „Neměli bychom nejdříve obhlédnout terén a dokončit plán?"

„Obávám se, že na to není čas. Když jsem odjížděl, Poppaeus se chvástal, že do konce měsíce bude každý getský válečník mrtvý. Pokud chce tenhle slib dodržet, tak bude podle všeho chtít zaútočit předposlední noc v měsíci, což je už za tři dny."

KAPITOLA VI

NAD STAROBYLOU PEVNOSTÍ SAGADAVA visel hustý oblak šedého dýmu. Vespasiána a jeho společníků se zmocnila obava, že Poppaeus již zaútočil a oni dorazili příliš pozdě, ale když přijeli blíž, zjistili, že kouř vychází z římských ohnišť a pojízdných kováren umístěných v obléhacích liniích, které obklopovaly lapené Gety. Přestože se obléhaný prostor nedal rozsahem srovnat s mohutným šest a půl kilometru dlouhým opevněním, které dal Poppaeus vybudovat před čtyřmi lety, aby dostal do pasti thrácké povstalce, byl na něj i přesto působivý pohled, a to i z dálky.

Pevnost dal vybudovat z velkých pískovcových desek téměř o čtyři sta let dříve getský král Cothelas, vazal Filipa II. Makedonského, na obranu západní hranice před útoky po řece. Stála na hřbetu ostrého horského pásma v místě, kde se křížilo se stejně strmým svahem, který vedl paralelně s řekou, sto padesát kroků od jejího břehu. Další hřeben vybíhající do vnitrozemí, dvě stě kroků na západ, nejenže téměř znemožňoval útok z tohoto směru, ale také usměrňoval případný frontální útok od jihu na plochou rovinku před hlavní branou v západní stěně na spojnici s jižní stěnou. Šlo o působivé útočiště. Mocné zdi, tři sta kroků na délku a šest metrů na výšku, obklopovaly vnitřní pevnost na severovýchodním rohu, která se vypínala nad řekou. V dobách rozkvětu pevnosti byly na její široké ploché střeše umístěny katapulty, které dokázaly potopit nepřátelské lodě bez toho, aby je zasáhla odvetná palba. Jenže teď byla střecha prázdná, katapulty už dávno podlehly zubu času, když moc Getů na jih od Dunaje po galské invazi zeslábla. Stáhli se na druhou stranu řeky a uvolnili prostor primitivnějším kmenům bez potřebné techniky na opravu katapultů. Když Římané pod vedením generála Marka Crassa, vnuka triumvira stejného jména, dobyli v počátcích Augustovy vlády Moesii, našli rozpadající se pevnost a snadno přemohli zbytky kmene Saciů, který v ní našel útočiště. Provedli několik oprav opevnění, ale protože strategický význam stavby během let zastínila velká lýsimachovská pevnost v Axiopoli, tvořily od té doby její posádku pouze méně schopné pomocné oddíly, které proti útočící getské hordě neměly žádnou šanci.

Vespasián a jeho druhové se zastavili asi kilometr a půl od římských linií na vrcholu kopce zbaveného legionáři stromů, které použili na obléhací hradbu, a zadívali se na hemžení v táboře. Hrad a opevněnou osadu, která vyrostla vedle něj ve stínu dalšího hřbetu vedoucího západním směrem, obklopovala tři kilometry dlouhá dřevěná hradba ve tvaru koňské podkovy, jejíž konce vybíhaly k řece. V celém prostoru se bezcílně proháněly stovky koní.

Ve středové části obléhací hradby byly blízko sebe tři brány. Za každou stála nově vybudovaná mohutná kolová obléhací věž, u základny široká devět metrů a nahoře tři metry. K horní části každé z nich byla připevněná dlouhá rampa. Rampy byly zdviženy do svislé polohy systémem kladek a připraveny tak na pomalé vlečení po území nikoho, které skončí tím, že rampy s rachotem klesnou na hradby a věže vyvrhnou ze svého nitra stovky příslušníků útočných oddílů.

Za římskými liniemi, právě tak daleko, aby mohli přestřelit hradbu, až zazní rozkaz k útoku, právě sestavovali legionáři desítky katapultů na vrhání kamenů a balist pálících šípy. Společně s krétskými pomocnými lučištníky postupujícími s věžemi zajistí tyto stroje krycí palbu a budou zkrápět hradby pevnosti – vzdálené něco přes čtyři sta kroků – smrtícími střelami ve snaze zabránit getským střelcům, aby v řadách Římanů způsobili příliš velké škody.

Mezi obléhacími stroji pobíhaly tisíce legionářů, kteří pracovali jako tesaři na věžích, jako kopáči srovnávající terén, jako kováři, kteří v pojízdných kovárnách zhotovovali železné šípy, aby nakrmili hladové balisty, nebo jako kameníci, kteří otesávali balvany a zaoblovali je tak, aby dobře sedly do praků katapultů. Zvuk jejich neustávající práce se mísil s výkřiky důstojníků v kakofonii tak hlasitou, že jasně doléhala až k místu, kde na koních seděli Vespasián a jeho skupina.

„No, není to pro vojsko typické?" ušklíbl se Magnus. „Můžou se honit po celé Moesii, a oni se místo toho rozhodnou, že nacpou co nejvíce lidí do jednoho malého kouta."

„Ale podle mě už tady moc dlouho nebudou," podotkl Sabinus. „Mně to přijde, že už jsou skoro připravení. Pomponius to odhadl správně, zítra půjdou na věc."

„V tom případě bychom si měli pospíšit," pobídl Vespasián koně. „Musíme v tom zmatku najít Fausta."

Hledání Fausta bylo nakonec snazší, než čekali. První kohorta byla nasazena u prostřední brány, kde dokončovala velkou obléhací věž přistavenou pár kroků za ní. Rámus, který vydávala kladiva, pily a dláta, s nimiž legionáři budovali schodiště a plošiny v útrobách věže, byl sice hlasitý, ale na to, aby přehlušil známý hlas, nestačil.

„Musí to plnit účel, nejde o žádné umělecké dílo; nebudete v tom bydlet se svým miláčkem, z tohohle budete bojovat. Tak se do toho dejte. Jestli Pátá Makedonská dokončí svoji věž před námi, prohraju s jejich primem pilem deset denárů a budu nucený poslat každého desátého z vás zpátky domů k mámě bez koulí."

Rachot vzápětí zesílil. V jednom ze vstupů do věže se objevil Faustus a oprašoval si rameno.

„Centurione Fauste," zavolal Vespasián a sesedl.

Faustus vzhlédl a vzápětí se postavil do pozoru. „Tribune Vespasiáne," zahlaholil s úsměvem od ucha k uchu, „a Magne, ty starý pse, snad jste se nepřišli zapojit do naší malé války? V Thrákii to musí být opravdu nuda, když vás to přiměli cestovat takovou dálku, abyste zažili trochu akce."

„V Thrákii je opravdu nuda," odpověděl Vespasián a sevřel centurionovo svalnaté předloktí, „jenže my jsme nepřijeli, abychom ti pomohli lépe si užít tvoji válku. Nás čeká vlastní bitva, než pobijete každého Getu, kterého najdete. Tohle je můj bratr Sabinus a toto...," pokynul k Artebudzovi a Thrákům, „... je naše vojsko."

„Á, nech mě hádat, chcete ulovit toho kněze s lasiččím ksichtem.

Nebudu se vyptávat proč, ale předpokládám, že ho chcete najít dřív než Poppaeus. V tom případě ho musíte dostat dnes v noci, protože je všeobecně známým tajemstvím, že zítra v noci zaútočíme."

„Jsi chytrý, Fauste. Potřebujeme, abys nám pomohl sehnat nějaké getské šaty a člun."

Na Faustovi bylo patrné váhání. „Poppaeus mi začal od svého návratu znepříjemňovat život. Můžu se tvářit, že nevidím, co děláte, ale pokud jde o..."

Přerušilo ho volání centuriona z ochodu na hradbě. „Blíží se! Je jich asi pět set. Kryjte se, chlapci. *Pila* připravit."

Muži na ochozu se okamžitě přikrčili a zvedli svá kopí do vrhací polohy.

„Štíty," zařval Faustus, „pak rychle k hradbě."

Všude kolem legionáři odhazovali nářadí, zvedali štíty a běželi do bezpečí ve stínu hradby.

„Odveď své muže a koně k hradbě, pane, tam budete v dostatečném bezpečí. Ti smradlaví koňáci takhle vyvádějí tak jednou za hodinu, snaží se nám podpálit jednu z věží. Vypadá to, že je tentokrát zase řada na nás, ačkoli bych byl radši, aby si častěji vybírali Pátou Makedonskou, protože bych moc stál o to, vyhrát tu sázku."

Když se Vespasián a jeho druhové dostali k hradbě, vzduch naplnil vysoký kvílivý válečný pokřik a dunění stovek kopyt. O několik okamžiků později následoval ostrý sykot spousty přelétajících hořících šípů, které za sebou zanechávaly tenkou kouřovou stopu. Narážely do věže za zdánlivě nekončícího staccata. Náhlým nárazem se spousta hořících hadrů, které byly připevněny k šípům, uvolnila a odpadla jako plamenný déšť, ale mnoho střel také zůstalo neporušených a věž začala na řadě míst hořet.

Centurie, která pod věží čekala s pumpou a kbelíky naplněnými vodou, okamžitě zareagovala a začala hasit požáry v nižších částech. Ale víc nahoře, tam, kam nedosáhli, se začal oheň šířit. Zatím přilétla nová salva zápalných šípů a působila další škodu.

„Dejte tu pumpu do pořádku, vy hovada. Tenhle oheň není žádná posvátná oběť Mithrovi, ten musíme uhasit," duněl Faustův hlas, zatímco centurion hrozil rákoskou skupině legionářů, kteří ze všech sil poháněli páku kývavého čerpadla ve snaze zvýšit tlak vody, aby proud dosáhl až na vrchol obléhací věže. Hrozba, jakou představoval zuřící primus pilus, dělala divy a proud vody z hadice, kterou drželi dva muži, vzápětí zasáhl plameny, k nimž už nedosáhli jejich druhové s kbelíky.

Přes hradbu přilétla nová hrozba. Getové pronikli dostatečně blízko a začali vrhat pryskyřičné pochodně, které nesli, aby mohli podpálit šípy svých spolubojovníků. Desítky jich se zaduněním dopadly na věž a rozmázly po jejím boku smůlu, která odolávala i stříkající vodě. Hasiči obnovili úsilí a ve stejnou chvíli zaslechl Vespasián seshora povel, aby obránci vrhli pila po Getech, kteří se dostali do jejich dosahu. Válečné pokřiky z druhé strany hradby přešly v nářek, když se osmdesát pil střetlo s hustým uskupením jízdy. Při výkřiku, který se ozval seshora, Vespasián překvapeně vzhlédl a spatřil, jak z ochozu padá po hlavě k jeho nohám jeden z obránců. I kdyby ho nezabil šíp, který mu trčel z čelisti, pád na hlavu vše dokonal. Krk měl zkroucený v nepřirozeném úhlu a na Vespasiána se upíral pohled mladých vyhaslých očí. Tomu hochovi nemohlo být víc než sedmnáct.

„Chudák," poznamenal Magnus. „Právě se mu dostalo tvrdé lekce, že když odhodíš pilum, nemáš vystrkovat hlavu, aby ses podíval, jestli jsi někoho zasáhl."

Vespasián přikývl. Seshora zazněl rozkaz k vypuštění další salvy pil. Tentokrát byli Getové připraveni a na zem se zřítilo za triumfálního burácení z druhé strany hradby několik dalších legionářů s prostřelenými hrdly nebo tvářemi.

„Konec, odjíždějí," hlásil centurion nahoře.

„Už bylo načase. Palte!" zaduněl Faustus.

Obsluha balist a praků první kohorty spěchala od hradby a muži začali rychle nabíjet.

„Dvě stě kroků… dvě stě padesát," hlásil centurion na hradbě. Čekal, až se útočníci dostanou do dostatečné vzdálenosti, aby je střely nepřelétly, protože do jejich dráhy bylo potřeba započítat i stojící hradbu. „Teď!" vykřikl a zalehl, aby nepřišel o hlavu.

Patnáct těžkých zbraní vypálilo najednou za hlasitého skřípání kovu o dřevo. Následovalo ostré praskání dřevěných ramen, jak stroje po vypuštění střel narazily do trámů, které je zadržovaly.

Když střely přelétly přes hradbu, Faustus přišel k Vespasiánovi. „Sotva je některá ze střel zasáhne, jen mi to přijde jako slušnost, poslat za nimi na ústupu pár šípů a kamenů," uculoval se, „a taky je to zábava."

„A dobrý výcvik pro osádky," poznamenal Sabinus. „Dokázali velice rychle nabít. To bylo působivé."

„No, tak jim to hlavně neříkej, stouplo by jim to do hlavy a zpomalili by."

„Budu mlčet, bratře ve světle."

Faustus pozvedl obočí. „Takže tys zaslechl, jak jsem rouhavě vzal do úst našeho pána Mithru, bratře? Určitě mi to odpustí, ale abych si to pojistil, vynaložím veškeré síly, abych souvěrci pomohl. Takže říkáte člun a šaty? Žádný problém."

Faustus obrátil pozornost ke svým mužům. „Na co všichni civíte, lenoši?" zařval. „To jste ještě nikdy neviděli uhašenou obléhací věž? Vraťte se k práci, bando. Pátá Makedonská celou dobu, co na nás útočili, nepřerušila práci, tak sebou hoďte a odkliďte ty mrtvoly."

Legionáři okamžitě zareagovali. Odložili štíty a kbelíky a vrátili se ke svým úkolům. Jakmile se Faustus ujistil, že všechno postupuje, jak nejrychleji to jde, znovu se obrátil k Vespasiánovi a jeho druhům. „Nuže, pánové, Getové nám vyřešili problém ohledně šatů. Místo abych musel shánět a popravovat osm zajatců, leží jich nejspíš desítky hned za branou. Až se setmí, půjdeme je obhlídnout. Ale nejdříve ten člun."

„Pokud vím, tak tahle stoka," ukázal centurio Faustus ve světle jediné olejové lampy na hrubé schéma pevnosti, „je hned na západní straně hradní věže, což znamená, že bude ústit na hlavním nádvoří."

„Tak to si tam moc soukromí neužijeme," vykřikl Magnus. „Bude to tam samý Geta."

„Jo, tak dva tisíce, zbytek je v opevněné osadě," přitakal Faustus. „Ale pokud se tam vydáte někdy uprostřed noci, je aspoň šance, že budou spát."

„Šance, jak říkáš, ale žádná jistota," podotkl Vespasián a poškrábal se v rozkroku, který ho svědil od chvíle, kdy si navlékl getský oděv.

Faustus pokrčil rameny. „Kdo ví, kvůli čemu ti neřádi můžou v noci vstát. Pořád mají v pevnosti pár koní. V každém případě, pokud se dostanete dovnitř, kněze nejspíš najdete přímo ve věži. Podle těch několika členů pomocných oddílů, kterým se podařilo uprchnout, když Getové přepadli pevnost, jsou nejpohodlnější pokoje zhruba v polovině, ve třetím patře. Podle mě právě tam budou ubytovaní getští velitelé."

„To je čím dál šílenější," prohlásil Sabinus. „I když se nám podaří protáhnout se kolem těch spících divochů a vyběhneme tři patra za Rhotekem, určitě způsobíme hluk, když se ho budeme snažit zmocnit. Tak jak se v tom zmatku dostaneme zpátky dolů a ven? Na takové zázraky je i Mithra krátký."

„Nemusíte se vracet zpátky, ale Mithrova pomoc rozhodně neuškodí," usmál se Faustus. „Dám vám lano a můžete odejít oknem, je to asi patnáct metrů přímo na břeh řeky. Půjčím vám dva nebo tři své hochy, aby počkali ve člunu a vyzvedli vás."

Vespasián přikývl. „To nám nejspíš dává nejlepší šanci na útěk. Ale bez urážky, Fauste, byl bych radši, kdybys dal ten člun na starost těm třem mužům, které sem převeleli z naší posádky. Jednomu z nich jsem zachránil život, takže budou mít víc než dobrý důvod, aby vydrželi, až začne jít do tuhého."

Faustus jen pokrčil rameny. Choulili se kolem stolu v malé špatně osvětlené chatrči postavené u obléhací hradby, která Faustovi sloužila jako velitelství první kohorty. Uvnitř bylo skoro nedýchatelno kvůli puchu, který táhl z oblečení, jež před třemi hodinami svlékli mrtvým Getům.

Vespasián pohlédl na Sabina a Magna, kteří váhavě přikývli, pak se obrátil k Sitalkovi a zbytku Thráků, kteří mu přes rameno nahlíželi do mapy. „No, Sitalku, co ty na to?" zeptal se mohutného Thráka.

„V Thrákii máme jedno rčení: ‚Slaboch nikdy nevleze na prase.'"

Vespasián se rozesmál spolu s ostatními. „To si budu pamatovat. No, pánové, máme před sebou opravdu velké prase, tak se postaráme, aby si pořádně užilo."

„Co myslíš? Jaké jsou šance, až zítra zaútočíte?" zeptal se Vespasián Fausta, zatímco mířili mezi obléhateli k řece. Několik legionářů, kteří ve světle pochodní pokračovali v práci, si je zvědavě prohlíželo, ale když viděli svého prima pila a po zuby ozbrojené *contubernium* – oddíl osmi mužů –, dospěli k názoru, že jde o skupinku getských zběhů, které vedou k výslechu. Zbavili se svých zbraní, které spolu s šaty, Vespasiánovou uniformou, několika páčidly a lany uložili do ručního vozíku. Ten táhli Varinus a jeho dva druhové, Lucius a Arruns.

„Bude to dřina, ale dostaneme se tam. Jde jen o načasování. Musíme zadržet takovou tisícovku nepřátel v opevněné vesnici, aby nezničili naše obléhací věže za tu půlhodinu, co je budeme tlačit k hradbám, nebo, až se tam dostaneme, neprorazili obléhací linie a neutekli, zatímco se my budeme snažit zdolat hradby. To budou mít za úkol sedmá, osmá, devátá a desátá kohorta. My a šestá si vezmeme jednu věž, třetí a čtvrtá druhou a dvě kohorty Páté Makedonské povezou třetí. No a jejich zbývající dvě kohorty budou hlídat brány. To musím Poppaeovi nechat, umí věci promyslet a ví, jak vést obléhání, což se zdaleka nedá říct o všech těch pitomcích, pod kterými jsem sloužil."

„Na kolik hodin je naplánován útok?" zeptal se Sabinus.

Než mohl Faustus odpovědět, přerušil je děsivě známý hlas: „Fauste, u všech bohů, kdes přišel k těm divochům?" Ze tmy vyšel centurio Caelus doprovázen dvěma legionáři s pochodněmi. „Pokud je vedeš ke generálovi k výslechu, tak jdeš špatným směrem."

„Odprejskni, Caele, a hleď si svého," zavrčel Faustus. Vespasián a Sabinus sklonili hlavy ve snaze skrýt své oholené tváře tak nepodobné obličejům Getů. Magnus ustoupil za Sitalka.

„Zajatci podléhají generálovi a já sloužím generálovi," odsekl Caelus, vzal od jednoho ze svých legionářů pochodeň a přistrčil ji k Vespasiánovi. „Moc se jim nechce ukazovat ksicht, co?"

„Zpátky," varoval ho Faustus a snažil se vstoupit mezi Vespasiána a Caela, jenže Caelus byl rychlejší. Popadl Vespasiána za bradu a násilím mu zvedl hlavu.

„Ale, copak to tady máme?" pronesl pomalu a nenávistně se na Vespasiána zadíval. „Tribun převlečený za getského válečníka." Rozhlédl se po zbývajících přítomných a poznal Sitalka a ostatní Thráky. „Všichni oblečení stejně... Takže žádní poslové od královny, co? Spíš špehové." Obrátil se znovu k Vespasiánovi. „Věděl jsem, že něco kuješ s těmihle zarostlými neřády, když jsi jim v průsmyku udílel rozkazy. Celou cestu jsi s nimi nepromluvil, ale přitom jsi věděl, že se jmenují Sitalkés a Artebudz. Teď už chápu, proč jsi dal v sázku naše životy. Jsi na neodkladné tajné výpravě. Generála to bude moc zajímat, až mu sdělím, co se děje, tím jsem si jistý."

„Centurione, to neuděláš," rozkázal Vespasián zbytečně. „Fauste, zadrž ho!"

Caelus uskočil před Faustem doprava a rozmáchl se pochodní. Jen tak tak že nezasáhl prima pila do obličeje, takže ten musel ucouvnout. Pak se jízlivě usmál, bokem se protáhl mezi svým doprovodem a zmizel ve tmě.

„Vy dva zpátky ke své centurii," rozkázal Faustus dvěma Caelovým legionářům, „a o tom, co se tady stalo, ani muk, pokud nechcete strávit zbytek služby tím, že budete uklízet latríny a já vám pravidelně budu dřít kůži ze zad."

Oba muži, náležitě vyděšení touhle reálnou hrozbou, rychle přikývli, zasalutovali svému nadřízenému a dali se na spěšný ústup.

„Do Hádu!" zalamentoval Vespasián. „Ten nám ještě pěkně zavaří."

„Jo, ale co zmůže Poppaeus?" namítl Sabinus „Možná uhodne, že se snažíme dostat do pevnosti, ale neví jak, a než se Caelus dostane do tábora, my už budeme sedět ve člunu."

„Nejspíš máš pravdu. Měli bychom sebou hodit."

Vespasián napůl slezl, napůl se skutálel po strmém říčním břehu k osmiveslovému dubovému člunu s plochým dnem, dvacet kroků dlouhému a v nejširší části tři kroky širokému. Kotvil u mola v rákosí a strážili ho dva z Faustových mužů. Sloužil převážně k přepravě zásob mezi břehem a loděmi kotvícími na řece. Lucerny na jejich zádi a přídi byly vidět i v tuto chvíli, pohupovaly se letargicky v temné noci a odrážely se v pomalu plynoucí vodě jako tenké rubínové vlnovky.

„Ulož co nejrychleji tu výstroj, Varine," nařídil Vespasián, když nadávající legionáři svezli ruční vozík ze svahu.

„Rozkážu pár chlapům, aby na vás čekali po proudu tak tři kilometry od našeho tábora i s vašimi koňmi a jedním pro toho kněze," informoval je Faustus, když začali s naloďováním. „Budou mít pochodně, takže je uvidíte. Odtamtud to budete mít do Tomidy jeden den rychlé jízdy. Musíte sledovat řeku až ke staré pevnosti v Axiopoli, kde se stáčí ostře k severu. Tam se odpojte a zamiřte po pobřeží přímo na jihovýchod."

„Děkujeme, bratře," řekl Sabinus a pevně stiskl Faustovu dlaň. „Ať tě náš Pán uchová ve svém světle."

„I tebe, bratře," odpověděl Faustus.

„Přežij ve zdraví zítřejší noc," stiskl Vespasián centurionovo předloktí.

Faustus se usmál. „O mě si nedělej starosti. Na to, aby mě poslali do tepla Mithrova světla, nějaká banda koňáků nestačí."

„To jistě." Vespasián se obrátil ke člunu. Když usedal na zádi vedle Sabina u kormidelního vesla, zazněla od římských obléhacích linií za nimi řada volání buciny.

„Do Hádu!" vykřikl Faustus.

„To je ‚Všechny kohorty do zbraně'. Co myslíš, že to znamená?" zeptal se ho Vespasián.

„No, buď Getové právě útočí na celou hradbu místo na jeden úsek, což je nepravděpodobné, protože to bychom už dávno slyšeli válečný pokřik těch pohanů, nebo Poppaeus právě posunul útok na dnešní noc. Pokud ano, je to šílenec. Vyrazíme jen zpola připravení – a pořádně nám nakopou zadek."

„Sakra," odplivl si Sabinus, „odhadl z toho, co se dozvěděl od Caela, k čemu se chystáme, a chce se k tomu knězi dostat první."

„Měl bych radši jít," zavolal na ně Faustus, zatímco se drápal do svahu následován svými muži. „Pokud je to útok, musím se ještě postarat, abyste měli připravené ty koně. Poppaeus vám právě bezděčně pomohl. Pokud teď zaútočíme, Getové budou střežit hradby – a nádvoří by mělo být prázdné."

„Ano, ale všichni budou taky vzhůru," zavrčel Magnus, „a kde najdeme toho kněze?"

„Neumím si představit, že by ten slizký malý had bránil hradby, když se může schovávat v pěkné teplé komnatě," podotkl Vespasián a popadl kormidelní veslo. „Odstrč nás, Varine."

„Jistě, jistě, trierarcho," odpověděl mu vousatý veterán s úsměvem. Uvolnil kotevní lano a zabral veslem proti molu. Vespasián se zamračil nad tou přehnanou familiárností, ale přesto muže, kterému měl zakrátko svěřit svůj život, za ono neškodné oslovení nepokáral.

Člun se dostal do říčního proudu a začal klouzat po hladině k pevnosti vzdálené necelý kilometr. Přestože všechna vesla byla obsazená, nevydal Vespasián rozkaz k veslování. Proud se činil místo nich a snaha osmi neškolených veslařů by jejich postup spíš brzdila. Půlměsíc halily husté mraky, a přestože byli jen nějakých deset kroků od břehu, ocitli se teď, když se vzdálili od římských linií, téměř v naprosté tmě. Na břehu vpravo ustoupily vysoké tóny bucin hlubokému basovému dunění rohů *cornu*, používaných ve vojsku k vydávání bitevních signálů, protože jejich hlubší tóny byly lépe slyšet přes ostré řinčení zbraní a volání a výkřiky mužů v boji.

„To je začátek útoku," pošeptal Vespasián bratrovi. „Ten mizera všechno uspěchal a kvůli chaosu teď zahyne mnohem více hochů."

„Když rohy duní, muži krev roní," pronesl Sabinus starou legionářskou průpovídku.

Vespasián pohlédl ke břehu a snažil se podle hluku odhadnout, co se děje. Rozpoznal měkkou oranžovou záři, která osvětlovala kontury říčního břehu, a usoudil, že jsou to pochodně v opevněné osadě vzdálené asi sto kroků. „Faustus říkal, že potrvá půl hodiny, než dopraví věže na místo, ale že nezačnou dřív, než zajistí vesnici."

„Ovšem za předpokladu, že se budou držet původního plánu, což v tuto chvíli rozhodně neplatí," namítl Sabinus. „A stejně je zbytečné si s tím dělat starosti, už to nemůžeme nijak ovlivnit. Musíme se teď soustředit na naše vlastní problémy. První z nich je najít vhodné místo k přistání."

Vespasián přikývl a obrátil pozornost k udržování přímého směru člunu. Cítil, jak se mu stahuje žaludek. Myslel na to, že když ho zranili v průsmyku Succi, bylo to poprvé v boji. Třebaže zranění nebylo nijak vážné, mnohem více si začal uvědomovat vlastní smrtelnost. Nebýt prsního štítu, byl by už mrtev. Teď prsní štít neměl a cítil se výrazně zranitelnější. V mysli mu tanuly obrazy z dětství, z práce na rodinném statku, a na chvíli zatoužil být v bezpečí domova, kde se mohl obávat tak nanejvýš kopance od paličaté muly. Zapudil tu myšlenku, věděl, že je marná. Už si zvolil a ta volba ho zavedla daleko do domova, do tohoto člunu. Teď se potřeboval obrnit, aby dokázal čelit blížícímu se nebezpečí, a překonat strach ze smrti tím, že se soustředí na praktické záležitosti úkolu, který má před sebou.

Vzhlédl a spatřil několik drobných světýlek v oknech pevnosti. Když se dostali zhruba na úroveň středu opevnění, začal stáčet člun ke břehu ve snaze najít v hluboké tmě místo s řidším rákosovým porostem, aby mohl přirazit ke břehu. Asi o sto padesát kroků dál se objevila neproniknutelná temnota hradby korunované slabou září, kterou vydávalo několik pochodní hořících na nádvoří. Úplně vlevo se tyčila věž. Její tvar se dal jen odhadovat ze záblesků světla pochodní z nádvoří, které ozařovaly část vnitřní zdi, a slabého svitu v otevřených oknech ve vnější zdi, který dopadal na říční břeh.

V dálce nepřestávaly dunět rohy.

Konečně člun narazil do pevné půdy břehu. Varinus připevnil kotevní lano k dolní části jakéhosi keře a Vespasián a ostatní se vydrápali na souš. Lucius a Arruns jim rozdali páčidla, lana a getské zbraně: luky, toulce s šípy, štíhlé nože a sekery s dlouhou násadou, patnácticentimetrovým ostřím a trny na opačné straně, které tento kmen s oblibou užíval při boji muže proti muži v koňském sedle. Sitalkés a jeho Thrákové si navíc nesli své srpy, které si připevnili na záda. Artebudz a Sabinus měli každý přes ramena tlustý kotouč lana.

„Schovej člun v rákosí, Varine," zašeptal Vespasián a připevnil si k pasu toulec. „Vrátíme se zpátky, jak nejrychleji to půjde."

„Spolehni se, pane, hodně štěstí."

Vespasián jen nesrozumitelně zabručel, obrátil se a zamířil v čele mužů pryč. Přikrčení u země opatrně šplhali do svahu. Když se přiblížili k vrcholu, ztuhl, protože uslyšel, jak se přímo před nimi něco pohybuje.

„Co se děje?" sykl Sabinus vedle něho.

„Na svahu před námi se něco hýbe," odpověděl Vespasián. Vytáhl z toulce šíp a napínal zrak do tmy. Když si zvykl, rozpoznal nahoře na břehu dva nebo tři tvary, pak další. Nasadil šíp a uvědomil si, že jeho druhové za ním dělají totéž. Jeden z tvarů se lehce pohnul. Vespasián se ani neodvážil dýchat. Pak zaslechl měkké vydechnutí a mlasknutí, po němž následovalo odfrknutí a pár tvrdých přidupnutí na travnaté půdě.

„Jsou to jenom koně, spousta koní," zašeptal. Sklonil luk a vydechl úlevou. Vystoupal pomalu nahoru na břeh. Ostatní ho následovali.

Svírání v žaludku, které stále sílilo od okamžiku, co nasedli do člunu, se v tu chvíli dalo sotva snášet, a navzdory mrazivé noci se Vespasián potil strachy. Tahle výprava byla předem ztracená a on se začal zlobit na klid a jistotu, s jakou Antonia, z bezpečí své přepychové vily v Římě, očekávala, že s bratrem uskuteční její přání. Pak se mu vybavila babiččina varovná slova, aby si nezačínal s mocnými, protože využijí lidí jeho třídy, aby odvedli špinavou práci, a pak se jich zbaví, protože jakmile vědí příliš mnoho, nejsou už k užitku.

„Nerozmyslel sis to, pane?" zeptal se Magnus, jako by mu četl myšlenky, když se vydrápali na břeh a zastavili se. Temné obrysy bezpočtu odpočívajících koní zmizely v temnotě.

„Proč se ptáš?"

„No, to je snad jasné, ne? Chystáme se vlézt mezi tisíce divochů, kterým by se každý člověk s trochou zdravého rozumu radši vyhnul, abychom se zmocnili toho odporného trpaslíka, se kterým se žádný rozumný člověk nemá chuť potkat dvakrát; a kvůli čemu vlastně?"

Vespasián se ve tmě usmál. „Tedy... předpokládám, že to děláme pro Řím."

„Řím, to určitě! Ty to možná děláš pro Řím, ale já to dělám, protože to děláš ty – a já musím jít s tebou z vděku k tvému strýci. A právě proto mě napadlo, jestli třeba, čirou náhodou, nedostals rozum a nerozmyslel sis to."

„To si tady vy dva sednete a budete klábosit celou noc?" sykl ze tmy Sabinus.

„Mně to přijde jako mnohem lepší varianta," zabručel Magnus napůl pro sebe.

Rozveselený skutečností, že jeho přítel má očividně stejný strach jako on sám, a překvapivě uklidněný přítomností svého bratra, se Vespasián sebral. Pousmál se při vzpomínce na Sitalkovo thrácké přísloví a vyrazil vpřed. Opatrně v čele svých druhů kličkoval mezi stovkami odpočívajících getských koní. Rozpoznali pach jejich getského oděvu, mírně se před nimi rozestoupili a s občasným odfrknutím nebo zaržáním je nechali projít.

Chvíli trvalo, než přes tuto živou překážku překonali sto kroků po nerovné půdě ke strmému svahu pod pevností. Když se blížili k úpatí kopce, slyšeli nad sebou volání a dupot stovek nohou.

„Tak teď už jsou nejspíš všichni vzhůru," vydechl Magnus.

„Ale stojí na hradbách," podotkl Vespasián a zadoufal, že by přece jen mohli mít šanci. „Pojďme najít to ústí stoky."

Vydali se do svahu k základně hradeb a začali postupovat podél nich směrem k věži.

Stoku ucítili dlouho předtím, než ji uviděli. Skoro čtyři sta let proudící splašky vytvářely u ústí odporně páchnoucí hnijící bažinu.

Nakonec uslyšeli zurčení plynoucí tekutiny a zastavili se u kruhové mříže o průměru zhruba metr, ze které vycházel ještě horší puch než z té bažiny.

„U Plutonova nemytého zadku, tohle smrdí ještě hůř než ty naše hadry," zalapal po dechu Magnus. Teprve před nedávnem trochu přivykl zápachu svého přestrojení.

„Opravdu sis nemohl vybrat lepší přirovnání, příteli," podotkl Vespasián. „Podle mě je právě tohle Plutonův nemytý zadek a my se do něj chystáme vlézt."

„Jenom pomyslete na to, jak asi budeme smrdět, až vylezeme na druhém konci," dodal Sabinus a přemáhal nutkání zvracet.

„Sitalku, Zile, přineste sem páčidla a odstraňte tu věc," rozkázal Vespasián s vědomím, že odkládat nevyhnutelné nemá smysl.

Sitalkés a Ziles, zdánlivě neteční k puchu, vložili páčidla pod okraj mříže. Po několika silných zapáčeních se mříž uvolnila ze zdi a Drenis s Bryzem ji brzy vytáhli ven.

„Ať už to máme za sebou," zabručel Vespasián. Zhluboka se nadechl a vlezl do tunelu, ve kterém panovala naprostá tma.

Dalo se tam jen tak tak plazit, a on poprvé od chvíle, kdy si oblékl ty podivně neznámé a nepohodlné kalhoty, byl za ně vděčný. Chránily mu kolena před staletým nánosem výkalů, který pokrýval dno tunelu. Ale ruce neměl chráněné ničím, takže mu mlaskaly ve slizkém kalu, který se držel u okraje, když se vsoukal nahoru do temného úzkého kanálu.

Po zdánlivě nekonečném dýchání jedovatého plynu vznikajícího rozkladem výkalů, přičemž ovšem ulezl sotva pět metrů, zaslechl Vespasián před sebou chraplavé hlasy a rozpoznal slabou oranžovou záři na konci tunelu. Zmítán mezi touhou dostat se co nejrychleji na čerstvý vzduch a obavou, že východ budou nepřátelé střežit, pokračoval stejným tempem: co nejrychleji. Když se přivlekl blíž, zjistil, že světlo nepřichází přímo do tunelu, ale ve skutečnosti se odráží od zdi několik desítek centimetrů od otvoru. Přinutil se zpomalit a zastavil se asi metr před východem. Ucítil, jak mu Sabinus vrazil do zadku, pak se tlak zvýšil, jak se zase o bratra zastavil další muž, a tak dál, až všichni v útrobách stoky nenadále znehybněli.

Vespasián se natáhl ve snaze vyhlédnout z tunelu a přes zeď za ním. Byl odměněn pohledem na dva velmi chlupaté getské zadky uprostřed činnosti. Jejich majitelé spolu zapáleně rozmlouvali, zatímco seděli jako na bidýlku na jedné ze tří zdí, které ohrazovaly východ ze stoky a tvořily otevřenou a hojně používanou latrínu. Na jedné z bočních zdí se objevil další zadek, právě když první dva dospěly k hlučnému finále a zmizely, načež je téměř vzápětí nahradily jiné dva.

„Co se to děje? Proč stojíme?" sykl Sabinus za ním.

„Protože lezeme ven jejich latrínou a pár z nich se zrovna teď snaží si naposledy ulevit."

„No to snad ne, jak dlouho to potrvá?"

„Jak to mám vědět?" zašeptal Vespasián a znovu vystrčil hlavu. „Teď zrovna jich tam je pět; a dva z nich vypadají, že mají pořádný strach," dodal a ušklíbl se.

O několik okamžiků později nezaměnitelný zvuk nadávání doprovázený několika pohlavky přiměl zadky, z nichž dva neustávaly v činnosti, k spěšnému ústupu. Vespasián počítal do sta, a když už se žádný další neobjevil, obezřetně se připlazil blíž ke konci stoky. Navzdory tomu, že dřepěl po lýtka v čerstvých lejnech, cítil se jako znovuzrozený. Lačně vdechoval vzduch, který byl nad latrínou nesrovnatelně čistší, a otíral si dlaně o kalhoty. Kolem vládlo nepřirozené ticho. Připlížil se blíž k přední zdi, vykoukl přes ni a ke svému údivu zjistil, že je obklopen koňmi. Zvířata nahnali do severovýchodního rohu nádvoří, aby byla co nejdále od brány a hlavního směru boje. Všechna si zcela pochopitelně od latríny udržovala uctivý odstup. Pohlédl za koně, zatímco z otvoru lezli také ostatní, a viděl, že na jižní a západní hradbě je to samý Geta.

Stáli ve dvojstupech až trojstupech, téměř rameno na rameni, luky připravené, a upírali pohled k římským liniím s klidným mlčením mužů, kteří sledují, jak se jejich osud nezadržitelně naplňuje.

Sabinus se k bratrovi připojil. „To máme teda štěstí," zašeptal, jakmile obhlédl situaci.

„Ještě jsem neslyšel, že by se někdo po kolena v hovnech považoval za šťastlivce," poznamenal Vespasián, „ale máš pravdu. Jdeme." Rozhlédl se po ostatních a pak se začal soukat přes zeď.

Vzduch prořízl hluboký hlas rohu.

„Do Hádu," sykl Sabinus za ním a stáhl ho zpátky dolů, „to troubí ‚zahájit ostřelování'. K zemi."

Všichni si rychle dřepli za zeď. Vzduch náhle naplnil vzdálený sykot spousty rychle se blížících předmětů. Vzápětí zesílil a přešel v řadu tříštivých nárazů, jak na pevnost dopadla řada kamenných a železných střel. Některé srážely z hradeb muže, někdy celé, ale častěji v kusech, jiné zasáhly kámen, až vylétly spršky jisker, a ostré úlomky se rozlétly k zemi a zvedaly obláčky prachu. Do jekotu vydávali getští náčelníci dunivými hlasy řady rozkazů. Obránci zvedli luky a začali vystřelovat salvu za salvou k noční obloze rychlostí, nad kterou zůstával Vespasiánovi rozum stát.

„Jestli opětují střelbu, znamená to, že věže se přibližují," zvolal Sabinus a vytáhl zpoza opasku sekeru. „Přestaň se rozhlížet, bratříčku, nemáme moc času." Vyskočil z latríny a rozběhl se k věži vzdálené dvacet kroků. Tam se přitiskl ke zdi, ne snad, že by se snažil pohybovat kradmo, protože obránci měli plné ruce práce a vůbec si jich nevšímali, ale ve snaze uniknout před plašícími se koňmi. Vespasián a ostatní se vydali za ním ve chvíli, kdy od řad postupujících Římanů přilétla na hradby a do nádvoří mohutná záplava šípů a zkosila desítky mužů a spoustu vyděšených zvířat. To už na koně bylo moc. Vrhli se proti chabé ohradě, ve které byli zavření, snadno ji prorazili a začali klopýtat po nádvoří posetém lidskými těly.

Vespasián se sekyrou v ruce dostihl bratra u dveří věže. Hořel hanbou kvůli pokárání, kterého se mu od bratra dostalo, protože Sabinus měl pravdu... Zaváhal a velení se musel ujmout jeho bratr.

„Na tři, bratříčku." Sabinus se zapřel do zamčených dveří. „Tři!"

Současně vrazili těly do masivních dubových prken.

Dveře odolaly.

„Do Hádu! Sitalku, Zile,“ zařval Sabinus přes vřavu, „kde jsou ta páčidla? Hoďte sebou, chlapci, za chvíli bude následovat další ostřelování.“

Sitalkés a Ziles se rychle rozběhli ke dveřím a vrazili nástroje mezi ně a rám. Jenže nebyli dost rychlí. Při další sérii prudkých nárazů dopadajících těžkých střel se všichni bezděčně přikrčili. Dva balvany z praku zasáhly zeď věže pár metrů nad dveřmi a roztříštily se při nárazu za stovek jisker. Muže zasypaly velké úlomky kamenů, snesly se na jejich záda i na okolní zem jako ostrý těžký déšť. Byli sice celí potlučení, ale nezranění.

Sitalkés se vzpamatoval jako první. Zapřel se mohutným tělem do konce páčidla. Dveře zapraskaly a uvolnily se, ale nepovolily. Ziles znovu vrazil páčidlo do rozšířené mezery, Sitalkés vytáhl z pochvy na zádech srp, kývl na svého druha a pak spojenými silami znovu nalehli na obě páčidla. Tentokrát se dveře rozlétly a mohutný Thrák vpadl dovnitř a tvrdě se zřítil na zem. Ziles skočil za ním a okamžitě prudce vycouval zpátky, jako by ho praštil nějaký Titán. Z hrudi mu trčelo půl tuctu šípů. Ještě než mrtvý Thrák vůbec klesl k zemi, vrhl se Vespasián do otvoru a uskočil doleva, zatímco seshora k němu dolehl mohutný řev. Dorazil právě včas, aby zahlédl ve světle pochodní Sitalka, jak vyskočil, máchl srpem v obou rukou nad pravým ramenem k řadě šesti Getů, kteří se v hrůze snažili rychle znovu založit šípy do luků. Po záblesku železa na zem dopadly v proudu krve dvě hlavy a půlka paže. Zatímco mohutný Thrák uskočil doprava od getské řady, Vespasián se vrhl s řevem ke Getovi nalevo, který odhodil luk a právě vytahoval nůž s dlouhou čepelí. Šíp od dveří proklál muže vedle něj. Nůž prolétl vzduchem směrem k Vespasiánově hrudi. Mladík si všiml rychlého pohybu protivníkovy ruky a duchapřítomně se shýbl. Nůž mu přelétl nad hlavou, kterou vzápětí vrazil do mužova břicha. Vyrazil mu dech a povalil jej na zem. Vespasián se zvedl na kolena, pozdvihl sekyru a opakovaně jí bušil do Getova obličeje, až se kolem rozlétla změť kostí, krve a zubů, a ani pak neustával ve zběsilém mlácení do té krvavé kaše. Ucítil, jak mu zápěstí pevně sevřela čísi ruka. Obrátil se a spatřil Magna.

„Myslím, že už bude mrtvý, pane,“ procedil mezi zaťatými zuby. „Vlastně už jsou všichni.“

Vespasián několikrát zamrkal a postupně se uklidnil. Poprvé od chvíle, kdy zaútočili, se soustředil na celou místnost. Leželo tam šest rozsekaných Getů. Sitalkés, Bryzos a Drenis se snažili zabarikádovat rozmlácené dveře. Artebudz a Sabinus kryli úzké kamenné schodiště vedoucí do dalšího patra. Začal zhluboka dýchat, aby potlačil primitivní pudy, které, jak mu pozvolna docházelo, vyvolal strach ze smrti.

„Na tohle si dávej pozor, pane," tiše ho varoval Magnus a pomáhal mu vstát. „Umřou jen jednou, ale tebe může snadno stát život, když se je budeš snažit zabít podruhé, potřetí nebo jako v tomhle případě pošesté."

„Děkuju, Magne, budu se snažit na to nezapomínat," odpověděl Vespasián poněkud úsečněji, než zamýšlel. „Promiň, byl jsem bez sebe strachy," dodal na omluvu. Všiml si zakrváceného srpu v přítelově ruce.

Magnus zachytil jeho pohled. „Vypůjčil jsem si ho od Zila, ten už ho nebude potřebovat. Je to skvělá zbraň, bojuje se s ním mnohem líp než proti němu, zvlášť když ho drží někdo takový jako Sitalkés, jestli mi rozumíš..."

Vespasián rozuměl.

Poté, co na střechu věže zabubnovala další dávka střel z praků, probral se úplně a přidal se k Sabinovi u schodů.

„Je seshora něco slyšet?" zašeptal, takže mu bylo přes jekot a výkřiky Getů na hradbách sotva rozumět.

„Nic."

Sitalkés přiběhl od dveří. „Udělali jsme, co se dalo, ale dlouho to nevydrží."

„Měli bychom si pospíšit," přitakal Sabinus a vzal z držáku na zdi jednu jasně hořící pochodeň. „Vezměte i ty ostatní. Necháme tady tmu. Artebudzi, se mnou." Začal svižně stoupat do schodů a Artebudz s připraveným lukem vedle něj. Hluk zvenku snadno zastřel zvuk jejich lehkého našlapování.

Vespasián popadl pochodeň a s Magnem po boku je následoval. Srdce mu prudce tlouklo. Pořád se bál, ale strach ze smrti zastínila jiná, silnější, pozitivnější emoce – vůle a touha přežít. Cítil teď mnohem větší klid a také vděčnost vůči bratrovi, že se ujal místo něj velení ve chvíli, kdy se ostatní spoléhali, jak si dobře uvědomoval, na jeho rozhodnost.

Podle zapraskání prken poznal, že se bratr dostal do prvního patra. Sabinus a Artebudz pokračovali obezřetně dál. Vespasián za nimi. Ocitli se ve skladišti, které se rozkládalo přes celou délku a šířku věže. Bylo bez oken a pořád ještě pod úrovní hradeb pevnosti. Uprostřed místnosti vedlo robustní dřevěné schodiště do dalšího patra. Ve tmě rozpoznali pytle s obilím, hromady amfor a sudy s vodou. To, co viselo na zdech, Vespasián nejprve považoval za lidské mrtvoly, ale při bližším prozkoumání zjistil, že jde o zabité jeleny a ovce.

„Vypadá to, že si tady Getové zapomněli oběd," poznamenal Sabinus. „Rychle, hoši, naskládejte pytle kolem schodiště a podívejte se, co je v těch amforách. Doufejme, že olej, oheň nám pomůže."

Bylo to dílo několika okamžiků. Když skončili s vyléváním amfor, které skutečně obsahovaly olej, na hromadu pytlů, hluk z venku se najednou změnil. Volání zesílilo a mísilo se do něj řinčení zbraní.

„To jsou naši chlapci na hradbách, musíme sebou opravdu hodit," vybídl je Sabinus. Předal pochodeň Drenidovi a popadl jednu neotevřenou nádobu s olejem. „Vezměte si každý amforu, pokud můžete, hoši, možná budeme nahoře taky potřebovat oheň. Drenide, počkej tady, až se všichni dostaneme o patro výš, a pak zapal ty pytle." Spěchal rychle do schodů s Vespasiánem v patách.

Vpadli do druhého patra. Opět šlo o jedinou prostornou místnost, ale tentokrát se schodištěm na protějším konci a s okny s výhledem pouze na řeku, nikoli na nádvoří. Hromádky slámy na podlaze naznačovaly, že jde o společnou ložnici těch Getů, kteří byli natolik důležití, že si mohli dovolit nespat venku. Sabinus a Vespasián se rozběhli k dalšímu schodišti. Zarazili se však, když se před nimi do prken v podlaze zaryly čtyři šípy. Okamžitě se stáhli a počkali, až k nim vyběhne z dolního patra Magnus se dvěma amforami v ruce a ostatní druhové.

„V dalším patře čeká uvítací výbor. Artebudzi, Sitalku a Bryze, pošlete nahoru pár šípů," rozkázal Sabinus. „Vespasiáne, my jdeme za nimi."

Artebudz, Sitalkés a Bryzos vykročili pomalu vpřed a střídavě stříleli tak, aby po schodišti vždy svištěl jeden šíp. Sabinus kráčel se svou amforou s olejem a Vespasián s pochodní. Drenis s dupáním vyběhl z dolního patra a za ním se táhl zápach spáleniny.

Když byli tři metry od schodiště, vyrazil Sabinus vpřed a vyhodil nahoru svoji amforu. Zmizela a seshora bylo slyšet, jak se roztříštila. Vespasián počkal, až nahoru vylétlo pár dalších šípů, a pak skočil kupředu a hodil za nimi svoji pochodeň. Žárem z pochodně se rozlitý olej vznítil téměř okamžitě. Plameny brzy zachvátily celou podestu ve třetím patře a mezerami mezi schody kanuly jako ohnivé slzy kapky hořícího oleje.

„Artebudz a Bryzos napřed s luky. Magnus, Sitalkés a Drenis za námi," zařval Sabinus a vytáhl sekyru. Všichni přikývli. Sabinus se obrátil k Vespasiánovi a usmál se. „Tohle je rozhodně zábavnější než lezení do důležitých zadků v Římě. Ale bude to bolet, bratříčku. Jdeme!"

Artebudz a Bryzos vyrazili po schodech nahoru a zmizeli v plamenech. Vespasián a Sabinus spěchali za nimi. V tu chvíli začali Gétové hořící olej zalévat proudy vody, která se vzápětí měnila v hustou, odporně páchnoucí páru. Ta spolu s plameny na několik okamžiků Vespasiána oslepila, ale tenhle stav se zlepšil, jakmile proběhl ohněm na podestu na opačném konci dlouhé chodby vedoucí zpět po celé šířce věže k dalšímu schodišti. Na každé straně z ní vedly v pravidelných rozestupech čtvery dveře. Obrátil se doleva a Sabinus doprava, když vtom mezi nimi prolétl šíp, a dávali si pozor, aby neuklouzli na hořícím oleji. Vespasián, s pocitem vděčnosti, že mu kalhoty chrání nohy před popálením, vzhlédl a ve světle plamenů viděl, jak Bryzos a Artebudz vypustili šípy na dva Gety v půlce chodby. Jeden se chystal vystřelit, druhý zakládal šíp. Další dva mu leželi mrtví u nohou s převrhnutými vědry. Oba šípy proklály střílejícího muže a srazily ho k zemi. Jeho střela se neškodně zabodla do dřevěného stropu. Vespasián se Sabinem se vrhli vpřed ve chvíli, kdy druhý Geta vystřelil. Proběhli kolem Artebudze, který se svalil na záda se šípem v hrudi. Geta neměl čas znovu vylovit z toulce šíp. Obrátil se, proběhl chodbou a skočil nahoru na schodiště. Zmizel s pronikavým výkřikem a lýtkem probodnutým dobře mířeným šípem z Bryzova luku.

Chodba byla prázdná, ale teď se začala plnit dýmem, jak olej dohořel a vznítila se dřevěná podlaha a schody, na kterých se objevili Magnus, Sitalkés a Drenis. Šaty na nich doutnaly a byli celí sežehnutí. Zvuk boje venku se blížil.

„Vypadá to, že je naši hoši vytlačují z hradeb," zvolal Sabinus. „Bryze, polij to schodiště na protější straně olejem. Jestli se někdo pokusí sejít dolů, zapal ho."

Magnus podal Bryzovi své amfory a Drenis pochodeň a Thrák spěchal vyplnit rozkazy.

„Dobrá, jdeme prohledat tyhle místnosti," pokračoval Sabinus. „Sitalku, vezmi si to lano od Artebudze."

„To je v pořádku, ponesu je," ozval se Artebudz a s bolestí se posadil. „Vypadá to, že nejsem mrtvý, jen potlučený." Zatáhl za šíp, který uvízl ve smotaném lanu. To mu spolu s tlustou getskou kazajkou zachránilo život.

„Máš ty ale štěstí," pronesl ohromeně Sabinus. „Ty a Sitalkés půjdete se mnou. Podíváme se do místností napravo. Vespasiáne, vezmi si Magna a Drenida a jděte na stranu k nádvoří. Budeme se střídat, abychom se nedostali do křížové střelby. Jdeme."

Horko požáru zesílilo, když Vespasián vykopl dveře nejblíže u schodiště a rychle se stáhl zpátky za stěnu, mimo dostřel. Kolem neprosvištěly žádné šípy, ale tah vzduchu od otevřeného okna posílil skomírající oheň a ten se znovu rozhořel s obnovenou silou. Drenis s připraveným lukem vběhl do místnosti.

„V pořádku!" zvolal o okamžik později. Přešli k následujícím dveřím. Za nimi Sabinova skupina rozrazila další dveře.

Než se obě trojice dostaly k posledním dveřím, dým, který postupně plnil chodbu, je donutil se sklonit, aby se jim snáze dýchalo. Přes prkna podlahy k nim stoupalo horko požáru ve spodních patrech.

„Kéž by byl Rhotekés za jedněmi z těchto dveří," pronesl Vespasián k Magnovi, když se chystal rozkopnout další, „nemám vůbec chuť jít do dalšího patra."

Bryzův výkřik ho zarazil v polovině kopnutí. Vespasián se obrátil a spatřil, jak ze zrzavého Thráka trčí šípy. Bryzos upustil pochodeň a klesl pod schody, na jejichž vrcholu se objevila chodidla a lýtka útočící skupiny Getů. Sitalkés, Drenis a Artebudz okamžitě začali vysílat k útočníkům jeden šíp za druhým. Přední se svalili z kluzkých schodů. Umírající Thrák se s posledním vypětím sil natáhl po pochodni a konečky prstů si ji přisunul k sobě. Vespasián a jeho druhové sledovali, jak se pochodeň kutálí pomalu a nevyhnutelně do jezírka oleje. Od hořícího dehtu začal olej syčet a čoudit, a pak, když dosáhl správné teploty, vyšlehly plameny, které obklopily Bryza a mrtvé Gety ležící kolem. Thrákovy výkřiky sílily s intenzitou ohně. Přeživší Getové, kteří nedokázali ohněm proběhnout, se stáhli, uvězněni v horním patře.

Vespasián, jemuž do nosu vnikl pach hořící lidské kůže a v hlavě mu zněly výkřiky umírajícího Bryza, vykopl poslední dveře. Drenis znovu vklouzl do místnosti jako první – a opět byla prázdná. Vespasián se vrhl k oknu a dovolil si rychle vyhlédnout ven. Na jižní a západní věž se valily z levého a pravého obléhacího stroje řady legionářů. Prostřední věž, nejblíže u brány, hořela. Muži, někteří v plamenech, někteří ne, se vrhali sami do ohnivé spouště. Něco se příšerně pokazilo. Na nádvoří ale Římané Gety rozdělili a obklopili po malých skupinách a z hradeb po schodech sbíhali noví legionáři, aby posílili své druhy, kteří se již pustili do zběsilých soubojů muže proti muži. Přímo dole dvě contubernia zaútočila na dveře věže. Vyšlehly plameny a legionáři, vedeni nezaměnitelnou postavou Caela, se okamžitě stáhli k vratům pevnosti.

Vespasián tušil, že si Caelus jde pro ně. Rozběhl se zpátky do chodby v okamžiku, kdy Sabinus prokopl poslední dveře. Ven vylétly dva šípy a jen těsně minuly Vespasiána, který tak tak stačil uhnout. Artebudz a Sitalkés vyskočili ze svých úkrytů po každé straně zárubní a opětovali střelbu. Uvnitř místnosti klesli k zemi dva Getové.

Sabinus se vrhl dovnitř. „Do Hádu!“ zařval. „Je pryč.“

Vespasián přiskočil k bratrovi u okna. Vedlo z něj napnuté chvějící se lano připevněné ke stropnímu trámu. Bratři vystrčili hlavu z okna. O tři metry níž se spouštěl getský válečník a pod ním, asi šest metrů nad zemí, rozpoznali Rhotekovu postavu, sotva zřetelnou v oranžové záři vrhané hořící obléhací věží.

„Rychle, tahejte,“ zařval Vespasián a popadl lano. Magnus a Sitalkés se připojili k bratrům. Po několika prudkých zatáhnutích se v okně objevil s očima vytřeštěnýma hrůzou getský válečník. Artebudz mu poslal šíp rovnou do otevřených úst. Muž zaječel a zřítil se k zemi. Lano najednou povolilo a oni všichni se svalili na záda.

„Ten neřád skočil,“ zařval Vespasián. Zvedl se, vyrazil k oknu a popadl lano. Bez zaváhání vyskočil ven a začal se spouštět dolů.

Vespasián rychle klesal. Lano ho pálilo v dlaních, ale tlusté kalhoty mu chránily nohy. Když míjel okno ve druhém patře, zasáhl ho poryv horka od požáru, který uvnitř zuřil. Zdola k němu doléhalo ržaní a řehtání. Koně Getů se ohněm a hlukem splašili a teď se hnali jako vlnící se černý oblak směrem k východu, po plochém terénu mezi říčním břehem a svahem vedoucím k hradbám pevnosti.

Vespasián dopadl na zem. Sabinus dorazil o okamžik později. Koně pod nimi pádili dál.

„Rhotekés se přes ně nemohl dostat," zavolal Sabinus. Mezitím se k nim připojili také Magnus a po něm Sitalkés. „Musel běžet podél hradeb, ale kterým směrem?"

„Od těch koní," odvětil Vespasián. „Až přeběhnou, přejde za nimi a zamíří k řece. Je to jeho jediná šance na útěk." Rozběhl se podél zdi, proti proudu koní, a zatím se na zem spustili také Artebudz a Drenis. Z oken věže nad nimi vyšlehly plameny.

Když se dostali ze stínu věže, hluk vřavy na nádvoří na opačné straně hradeb zesílil. Poslední koně se přehnali kolem a oni přešli přes ústí stoky. Napravo zahlédli tmavé obrysy mrtvých koní, kteří zapadli do odporně páchnoucí bažiny splašků a byli udupáni zbytkem stáda.

Po knězi nebylo nikde ani památky.

„Obejdeme to kolem močálů ke břehu řeky a pak se vydáme proti proudu," zavolal Vespasián a vyrazil doprava, po svahu dolů.

Dostali se do poloviny roviny na cestě ke břehu, když Vespasiána zastavilo zvolání.

„Tamhle jsou, chlapci, na ně." Caelus a šestnáct mužů, s nimiž se pokusil proniknout do věže, obešli západní hradbu, asi sto kroků od nich, a nyní se jejich siluety v záři hořící obléhací věže jako majáku hnaly po svahu směrem k nim.

„Střílejte za běhu!" rozkázal Vespasián. Vytáhl luk a nasadil šíp. Každý měl čas na vystřelení tří nebo čtyř šípů, než dorazili ke strmému břehu vedoucímu k řece. Jejich střely žádného z Caelových mužů nezasáhly, ale přinutily je zvednout štíty a zpomalit do poklusu, aby je dokázali rovně a pevně držet. Vespasián a jeho druhové se obrátili a stříleli na ně salvu za salvou, ale legionáři se stále blížili, s přilbami a okraji štítů ozářenými plameny, nezasaženi za hradbou štítů šípy, až byli téměř na dosah letícího *pila*.

„To stačí," zavrčel Sabinus, „je čas zmizet."

„Máš pravdu, bratře," souhlasil Vespasián, „zpátky ke..." Než mohl dokončit rozkaz, přerušil ho jiný hlas.

„Muži čtvrté centurie třetí kohorty Čtvrté Skytské, na můj rozkaz zastavit!"

Když za svými zády zaslechli dunivý mocný a nezaměnitelný hlas svého prima pila, postupující legionáři se třicet kroků od Vespasiána náhle zastavili.

Caelus se obrátil.

„Čelem vzad!" zařval Faustus.

S disciplínou utuženou roky bezpodmínečného plnění rozkazů, se obrátili od svých domnělých getských nepřátel k Faustovi, který vyběhl ze stínu. Caelus zařval a vrhl se na něj. Ruku s mečem měl napřaženou ke smrtícímu výpadu do podbřišku. V posledním okamžiku Faustus rychle ustoupil doleva, a když Caelus vyvedený z rovnováhy klopýtal kolem, jílcem svého gladia ho udeřil do zátylku. Napůl omráčený centurio se natáhl na zem. Faustus ho rychle zbavil zbraně a obrátil se ke zmateným legionářům.

„Tenhle mizera vás zneužil, aby sabotoval římskou misi," vyštěkl. „Tito muži patří k nám. Nedali jste jim jinou možnost, museli střílet. Tribune Vespasiáne, přiveď své muže sem."

Vespasián vedl své druhy k legionářům. Pak si sňal getskou čapku.

„Když jsem viděl, jak Caelus vede své muže zpátky branou, vytušil jsem, že jde po vás, tak jsem rychle uháněl sem," vysvětloval Faustus, zatímco legionáři, kteří poznali Vespasiána, si začali mezi sebou rozčileně mumlat.

„Děkuji ti, příteli," odpověděl Vespasián, „kněz nám ale bohužel upláchl, bude už teď pěkně daleko."

„No, byla to zlá noc pro všechny. Útok nestál za nic. Neuzavřeli jsme řádně vesnici a téměř tisícovka Getů prorazila obklíčení a podpálila obléhací věž, jakmile se dostala k hradbám. Pak ti neřádi pronikli ven vraty v obléhací hradbě a pobili přitom spoustu mých chlapců. Ale aspoň jsme se vypořádali s těmi zbývajícími a pevnost je naše."

„Pojď, bratříčku, měli bychom zmizet," upozornil Sabinus. „Ještě pořád máme nepatrnou šanci, že dostihneme Rhoteka, pokud se vydal ve člunu po řece."

Vespasián si povzdechl. Byl vyčerpaný, ale věděl, že i kdyby měli jen nepatrnou naději, musejí to zkusit. „Co uděláš s ním?" zeptal se tiše a pohlédl na Caela, který začínal přicházet k sobě.

„No, před muži jsem ho zabít nemohl," odpověděl Faustus zdušeným hlasem a klekl si nad Caela. „Jeden z nich by mohl mluvit a Poppaeus by mě obvinil z vraždy, takže ho vezmu zpátky do boje a tam s ním skoncuju."

Při divokém zaržání mnoha zvířat se oba obrátili. Vzduch naplnil dusot kopyt.

„Bohové! Koně se vracejí!" vykřikl Vespasián.

„Utvořte klín, štíty na obě strany," zařval Sabinus. „Pila vpřed!"

Zmatení legionáři, kteří pochopili, že se blíží nebezpečí, ale netušili jaké, se rychle seřadili kolem bývalých protivníků do formace ve tvaru písmene V, která se ježila pily. Ze tmy se vynořili první koně a hnali se jejich směrem.

V nastalém zmatku se Caelus chopil příležitosti. Vytrhl z pochvy svůj *pugio* a vrazil ho ze strany Faustovi do krku. Když mu z krční tepny vytryskla krev, Caelus vyskočil a pádil k pevnosti. Vespasián se za ním chystal rozběhnout, ale stačil jeden pohled doleva, směrem k temnému proudu zdivočelých zvířat vzdálenému už jen pár kroků, a zarazil se. Nechal k smrti odsouzeného centuriona běžet. Místo toho poklekl nad Faustem a bez úspěchu se snažil zastavit stříkající krev.

Stádo se dostalo k jejich klínovitému útvaru.

Okamžik před střetem přední koně spíš vycítili, než uviděli, pevnou naježenou překážku před sebou a uhnuli doleva a doprava. Zbytek následoval jejich příkladu a stádo klín obteklo jako řeka ostrov. V relativním bezpečí uvnitř klínu se Vespasián, ruce přitisknuté na Faustův krk, ohlédl po Caelovi. Ten vrhl zděšený pohled přes rameno, ještě přidal do kroku a vzápětí zmizel za náhle přerušeného výkřiku pod proudem kopyt.

Legionáři pevně stáli a stádo se valilo kolem nich. Země se chvěla tak, že museli povolit kolena, aby vstřebali pulzující nárazy. Ržání a dunění kopyt zdivočelých, pěnou zbrocených zvířat kolem bylo ohlušující, když se hnala ani ne na délku paže od štítů. Jakýsi prastarý instinkt je držel v těsné vzdálenosti od hrotů pil.

Nakonec se vrchol klínu vynořil z pádícího stáda a poslední zvířata proběhla po obou stranách, načež se vzápětí oba proudy znovu spojily, jako by mezera mezi nimi nikdy neexistovala.

Byli volní.

Ještě okamžik stáli bez hnutí.

„Do Hádu! Myslím, že jsem se posral," pronesl Magnus chraplavým hlasem, „ne že by to někdo poznal přes ty páchnoucí hadry. Jak je na tom Faustus?"

Vespasián pohlédl dolů na Fausta a ten se pousmál. „Říkal jsem vám, že mě ti koňáci nedostanou," zašeptal. „Můj Pán mě očekává."

Zrak se mu zakalil a jeho tělo znehybnělo. Vespasián mu zakrvácenou dlaní zatlačil oči a vstal. „Odneste centuriona Fausta s poctami do tábora," poručil legionářům, „a cestou seškrábněte tam tu hromadu," ukázal k potlučené krvavé změti, která zbyla z přítelova vraha.

Omámení legionáři neuspořádaně zasalutovali a vyzdvihli si svého prima pila na ramena. Sabinus se dotkl Faustovy hrudi, zamumlal pár nesrozumitelných slov a muži pomalu odkráčeli.

Zatímco sledoval, jak přítele odnášejí pryč, zalétl Vespasiánův pohled k hradbám pevnosti. Nebyli tam už žádní Getové. Potloukaly se tam malé oddíly legionářů s nenuceností vojáků, kteří přežili útrapy bitvy a nemají se teď čeho obávat. Pak se objevila malá osamělá postava a pohlédla směrem k řece. Ve světle plápolajících ohňů se zaleskla přilba s vysokým chocholem a zazářil karmínový plášť. Vespasián věděl, že je to Poppaeus. Generál zvedl gladius a zahrozil jim. Jestli je viděl, nebo ne, to bylo už v tu chvíli Vespasiánovi jedno.

„Jdeme," pronesl a začal klopýtat k řece.

Nějakou chvíli jim trvalo, než našli místo, kde zanechali ve člunu Varina a jeho druhy.

„Varine," zavolal tiše Vespasián.

Z rákosí se vynořila příď. Lucius a Arruns veslovali a Varinus navedl člun kormidlem ke břehu.

„Možná máme to, co hledáte, páni," uculoval se Varinus, když Vespasián a Sabinus nastoupili.

„Cože?" zeptal se Sabinus nepřítomně.

„No, pozorovali jsme věž a pak po nějaké době jsme zahlédli v oknech plameny. Potom se najednou v jednom okně objevilo lano a po něm začali slézat dva muži. Jednoho z nich někdo vtáhl dovnitř, ale ten druhý skočil. Pak jste začali sjíždět dolů vy. Tak jsem si řekl, že trochu upravím své rozkazy, a s Luciem jsme se vyplížili na břeh. Netrvalo dlouho a dostihli jsme ho, zrovna když se chystal nasednout do malého člunu, schovaného kousek odsud po proudu."

Vespasián náhle ožil. „Zabili jste ho?"

„No, říkal jsem si, že když jste se tolik snažili ho najít, měl bych to potěšení asi přenechat vám," odvětil Varinus a odhrnul kus voskované látky u svých nohou. Pod ní ležel se spoutanýma nohama a rukama kněz Rhotekés a oči mu plály záští.

„Ty!" odplivl si, jakmile poznal Vespasiána. „Měl bys být mrtvý. Poslal jsem přece muže, aby vykonali dílo bohů a zabili tě," zavrčel a vycenil přední zuby vypilované do špičky.

Vespasián mu vrazil pěst do obličeje. „Tohle je za všechny ty chlapce, které se ti podařilo zabít místo mě." Rozpřáhl se a udeřil omráčeného Rhoteka znovu. „A tohle je za Decima Falena."

Vespasián cítil, jak ho kdosi popadl za zápěstí a zabránil mu v další ráně.

„Myslím, že by byla škoda utlouct ho k smrti, pane," pošeptal mu Magnus do ucha, „zvlášť po všech těch potížích, co už nás potkaly."

„Máš pravdu," odpověděl Vespasián a několikrát se rychle nadechl. Vytrhl ruku z Magnova sevření, pohlédl na bezvládné Rhotekovo tělo a plivl mu do zakrvácené tváře. „Ale jak já toho hajzla nenávidím."

KAPITOLA VII

MALÝ ČLUN KLOUZAL PO PROUDU Dunaje s pomocí západního větříku. Kolem obléhací hradby a hlavního římského tábora přímo za ní mířil k slabé předjitřní záři na východní obloze. Lucius a Arruns rovnoměrně veslovali a Varinus u kormidelního vesla udržoval směr co nejblíže u břehu, aby se vyhnul pozornosti dunajské flotily pohupující se nalevo od nich jako slabé stíny v šeru. Vespasián a jeho druhové byli příliš unavení na to, aby dokázali něco jiného než jen sedět a zírat do prázdna. Skličovaly je vzpomínky na Fausta, Bryza a Zila.

Rhotekés, teď nejen spoutaný, ale také s roubíkem v ústech, ležel na dně člunu. Už před nějakou dobou se probral, ale Magnus ho znovu omráčil, když už je jeho svíjení se a sténání začalo unavovat. Kolem něj se přelévala voda.

Po chvíli je zaujal drobný nažloutlý světelný bod v dálce na břehu.

„To by měli být Faustovi muži s našimi koňmi," probral se Vespasián z dřímoty. „Zamiř rovnou k nim, Varine."

„Jistě, jistě, trierarcho!"

Vespasián obrátil oči v sloup a znovu nechal tohle porušení disciplíny bez povšimnutí. Varinus tím, že si upravil jeho rozkazy, udělal pro jejich věc víc, než si vůbec dokázal představit.

Faustovy muže naštěstí napadlo čekat u části říčního břehu, která byla nízká a bez rákosí. Člun k nim doklouzal a zlehka najel na břeh. První ranní ptáci začali zpívat v očekávání nového dne, když první paprsky slunce, stále ještě ponořeného za obzorem, zbarvily mraky vysoko na obloze karmínovými a indigovými odstíny.

„Optio Melitus se hlásí, pane, s vašimi koňmi na rozkazy prima pila Fausta." Upravený mladý optio vysekl pozdrav a mírně zbledl nad puchem vycházejícím z getských šatů, když Vespasián vystoupil z člunu jako první, následován Sabinem a ostatními.

„Děkuji, optione," odpověděl Vespasián a unaveně opětoval pozdrav. „Ty a tvoji muži jste odvedli dobrou práci," dodal a kývl na dva legionáře, kteří stáli v pozoru za Melitem. „Musím vám s lítostí sdělit, že Faustus zahynul, takže si dávejte pozor, až se vrátíte zpátky do tábora; může dojít k... no, důsledkům."

„Faustus je mrtvý?" vykřikl Melitus. „To je ale opravdu nepříjemné. Teď se primem stane centurio Viridio a to je svinský dobytek, nejen dobytek, jako byl Faustus."

Varinus a jeho druhové vyložili věci a nehybného kněze, zatímco jeho vyčerpaní únosci shodili své odporné převleky a vykoupali se v ledové řece. Důkladně se drhli navzájem ve snaze odstranit všechny zbytky getského puchu, ale úspěch slavili jen částečný.

Nakonec, už ve svých vlastních šatech a posilněni studenou vodou, chlebem, klobáskami a sýrem, které jim přivezl Melitus i s dvěma měchy celkem slušného vína, přehodili spoutaného Rhoteka přes jednoho koně. Zásoby naložili na dva zbývající, které legionáři přivezli pro Bryza a Zila, a připravili se k odjezdu.

„Buďte zdrávi, chlapci," zavolal Magnus na Varina a jeho druhy, kteří nasedli zpátky do člunu, „a s tebou, Lucie, se uvidím v Římě, a pak navštívíme stáje zelených."

Lucius se usmál. „To se napřed do Říma musíme oba vrátit," odpověděl a vyrovnával člun, aby mohl nastoupit také Melitus a jeho dva muži. „Ale pokud se na nás Fortuna usměje a zvládneme to, pak nám a zeleným jistě bude přát taky v cirku."

Odrazili od břehu, obrátili člun a začali veslovat proti proudu. Západní vítr zesílil, přesto brzy zmizeli v jitřním šeru.

Vespasián pobídl koně a vyrazili cvalem podél řeky k východu. Magnus jel vedle něj a vedl za uzdu knězovo zvíře.

„Slušní hoši, řekl bych, pane," poznamenal po chvíli družného mlčení.

„Záleží na tom, co myslíš slušností," odpověděl Vespasián, „ale ano, velmi dobře posloužili našemu účelu, a kdyby to bylo na mně, udělal bych z Varina optiona za iniciativu, kterou v noci projevil."
„To bys jen marnil čas, pane. Už to zkoušel dvakrát a nevyhovovalo mu to, jestli mi rozumíš."
„Nechceš spíš říct, že on nevyhovoval?"
„No, jo, myslím, že by se na to dalo dívat i takto. Ovšem legie mu svědčí, jen co je pravda."
„To rozhodně." Vespasián se rozesmál snad poprvé za celou věčnost. Slunce vyšlo nad obzor a zalilo mu tvář svěží teplou září. „V každém případě doufejme, že se tvůj kamarád Lucius v pořádku dostane domů, a pak můžete strávit výborný den tím, že si budete vyprávět vozatajštinou, nebo jak se ten oficiální jazyk lidí z cirku nazývá."
Magnus se zamračil. „Tak teď mluvíš úplně z cesty, pane. Tvůj problém je v tom, že nemáš ani páru o tom, jak je člověk jako Lucius drahocenný a jak moc se vyplatí do něj investovat, prokazovat mu službičky. Uděláš mu, co mu na očích vidíš, a tipy se jen pohrnou." Ohlédl se přes rameno za člunem, který odvážel jeho potenciální zlatý důl, a pak se prudce obrátil zpátky. „Do Hádu! Pane, podívej se!"
Vespasián se otočil v sedle a zbledl. Zhruba s kilometrovým odstupem se hnalo jejich směrem osm birém a dvě triéry říční flotily. Veslaři zabírali, do napjatých plachet navíc vál osvěžující vítr. Ve zlatých paprscích ranního slunce, které ozařovaly štíhlé dřevěné trupy plavidel, by na ně byl překrásný pohled, kdyby nepředstavovala takovou hrozbu. Ostré hvizdy fléten se nesly z dálky přes vodu.
„Sabine, ohlédni se!" zvolal Vespasián.
Jeho bratr se obrátil. „Bohové! Poppaeus za námi poslal loďstvo. Ten syčák se prostě nevzdá. Dobře, tak nebudeme čekat až na ohyb řeky. Odpojíme se od ní hned."
„Podle mě to nic nevyřeší," vložil se do hovoru Sitalkés a ukázal k oblaku prachu asi šest kilometrů jižně.
„Římané?" zeptal se Vespasián.
„Ne, za legionářským jízdním oddílem by nikdy nezůstalo takové mračno prachu, nikdy jich nejede víc než sto dvacet," namítl Sitalkés.

„Těchto musí být tak pětkrát až šestkrát víc. Musí to být ti, co v noci utekli. Getové."

„Ti po nás nemůžou jít, nemají tušení, že jsme tady," upozornil Magnus.

„Na tom nezáleží, míří naším směrem, příteli," odvětil Sitalkés, „a já si nedělám iluze o našich šancích, jestli se setkáme."

„Musíme je objet kolem řeky," zavolal Vespasián a pobídl koně do trysku.

Otřesy a poskakováním při drsné jízdě se Rhotekés znovu probral a jeho zápas a zdušené kletby byly slyšet i přes dunění kopyt.

Po necelém půl kilometru začal být terén hrbolatější a koně museli zpomalit do lehkého cvalu. I touhle rychlostí se vzdalovali od římského loďstva, ale oblak prachu za Gety se přibližoval. Vyjeli na kopec a asi o tři kilometry dál spatřili mohutnou lýsimachovskou pevnost Axiopolis.

„Tam se řeka stáčí k severu," zavolal Vespasián na Sabina, když ujížděli po svahu dolů. „Moc se mi tam kněze brát nechce. Poppaeus neví jistě, že ho máme, ale určitě má v pevnosti agenty, kteří mu dají vědět. Co myslíš, že bychom měli udělat?"

„Opatrně pevnost objet a pokračovat přímo," odpověděl Sabinus. „Tak setřeseme flotilu a budeme se muset vypořádat jen s Gety."

„Jo, taky bych řekl," poznamenal Magnus.

Při tupé ráně a následném zaržání Rhotekova koně, který se náhle vzepjal, všichni zastavili. Knězi se podařilo rozvázat provaz, jímž měl pod koňským břichem připoutaná zápěstí ke kotníkům, a teď poskakoval, pořád ještě se spoutanýma nohama, opačným směrem.

„To je ale pitomec!" vykřikl Magnus a seskočil z koně. Uháněl zpátky a vrhl se na Rhoteka. Srazil ho k zemi a uštědřil mu drtivou ránu pravým hákem. Knězovo tělo ochablo, pod roubíkem mu prýštila krev a na levé tváři se mu objevila další podlitina.

Sitalkés běžel za Magnem, aby mu pomohl zvednout nehybného zajatce zpátky na koně, který odmítal klidně stát, poskakoval sem a tam, frkal a potřásal hlavou. Snažili se protáhnout provaz pod břichem zvířete.

„Pospěšte si!" pobízel je Sabinus. „Lodě se blíží."

Hvizd fléten na řece nabral na tempu. Všech deset lodí zrychlilo ve snaze dostihnout pronásledované, než je řeka ponese jinam. Bylo jisté, že veslaři takovou námahu vydrží ještě maximálně několik stovek záběrů a pak odpadnou. Lodě byly v tu chvíli necelý tři čtvrtě kilometr od nich. Vespasián viděl, jak osádky balist nabíjejí zbraně, v jejichž dostřelu se brzy ocitnou.

Getská horda už se teď na jihu dala rozpoznat pod mračnem prachu jako tmavá skvrna na zemi.

„Hotovo," zvolal po chvíli Magnus, když se Sitalkem konečně utáhli uzel a zamířili zpátky ke svým koním.

Z řeky, asi pět kroků od břehu, vytryskly dva gejzíry vody a zahalily je jemnou tříští.

„Bohové, jsme na dostřel!" zařval Sabinus a obrátil se k odjezdu. Při dalším zahvízdání těsně nad jejich hlavami Magnus vzhlédl. Okamžitě se vrhl na Sitalka a srazil mohutného Thráka k zemi. Na místo, kde ještě před chvílí stál, dopadl kámen a s poskakováním pokračoval dál. Jen tak tak minul koně se zásobami, kterého vedl Artebudz.

„Už jsem zapomněl, jak snadno jdeš k zemi, příteli," zažertoval Magnus a vstal.

„Myslím, že teď jsme vyrovnaní, Římane," ušklíbl se Sitalkés, „ale taky ti teď už dlužím dva pády."

Spěchali ke koním, zatímco ostatní vyrazili na další cestu. Magnus přehodil nohu přes hřbet svého koně, ale ten náhle bolestně zaržál a podklesl pod ním. Zadek zvířete se změnil ve změť rozervaného masa a roztříštěných kostí. Po zemi se kutálel zakrvácený kámen asi dvakrát tak velký jako mužská pěst.

„Vezmi si tohohle," nabídl Artebudz Magnovi otěže koně se zásobami. Z řeky se zvedl další chochol vody. Magnus nepotřeboval pobízet dvakrát. S otěžemi knězova koně v ruce se rozběhl k čerstvému zvířeti, vyhoupl se na ně, pobídl je a rozjel se za svými druhy. Zraněný kůň zůstal bezmocně ležet na zemi, bil kopyty a naříkal.

Vespasián pohledem přes rameno zkontroloval, jestli je jejich druh následuje. Do země udeřily další dvě střely, vyvrhly na kličkujícího Magna drny a hlínu. Po dopadu spousty kamenů na hladinu blízko břehu se vzduch naplnil jemnou vodní mlhou. Promočila jim vlasy a šaty a vytvořila na obloze malé duhy, které se klenuly před nimi, zatímco pobízeli koně do plného trysku.

Střely začaly dopadat stále dál od nich, neboť vyčerpaní veslaři, svobodní muži, žádní otroci, které by bylo možno ubičovat třeba k smrti, zmírnili tempo neschopni vydržet bez zhroucení. Vespasián znovu zpomalil koně do cvalu, který udržoval dalšího přibližně půl kilometru. Řeka se začínala stáčet k severu a oni se odpojili od břehu, aby mohli projet k jižní části Axiopole. Getové napravo už byli vzdáleni přibližně jen dva kilometry.

„Mění směr," zvolal Sitalkés do bušení kopyt.

„Cože?" nerozuměl Vespasián.

„Getové... změnili směr. Stáčejí se doleva. Vypadá to, že míří k ohybu řeky – projedou za námi."

„To je dnes první dobrá zpráva," podotkl Magnus a snažil se vytáhnout si zpod odřeného zadku zvlášť nepohodlný pytel s nasoleným vepřovým.

Dorazili k vrcholu ohybu. Když se podívali k severu, Vespasián zalapal po dechu, protože pochopil, proč Getové změnili směr. Řeku, širokou v tom místě přes pět set kroků, posévaly barevné plachty. Getská flotila opustila bezpečí domovských přístavů na sever od provincie Scythia Minor, které ještě nedobyly římské legie, a vyplula na jih na pomoc obklíčenému vojsku nájezdníků.

„Bohové, naši chlapci ve flotile je nevidí, schovávají se za ohybem," vykřikl Vespasián, když všichni zpomalili, aby si vychutnali ten úchvatný pohled.

„Koho myslíš těmi ‚našimi chlapci'?" zavrčel Magnus. „Ty hajzly, co po na nás právě stříleli?"

„Stejně s tím nemůžeme nic udělat," poznamenal Sabinus. „Pokud se pokusíme lodě varovat, začnou na nás znovu střílet, tak ať si tihle námořníci vyřeší svoje problémy sami." Sabinus, podobně jako většina Římanů, kteří sloužili v legiích, neskonale pohrdal loďstvem, jež považoval jen za vzdáleně spřízněné s vojáky.

„Nejspíš máš pravdu," přitakal Vespasián. „Vypadneme, dokud ještě můžeme."

Minuli jižní část Axiopole směrem na jihozápad a začali stoupat na horský hřbet, který přinutil Dunaj změnit směr na sever od své východní trasy. Na vrcholku se zastavili a pohlédli z ptačí perspektivy na dění dole.

Getští válečníci dojeli ke kraji řeky a začali střílet po zaskočené římské flotile. Části řeky zcela zahalily rychle se pohybující mraky – salvy getských šípů –, které dopadaly na paluby římských lodí, kosily střelce a námořníky a vyvolávaly zkázu mezi nechráněnými veslaři v birémách. Navzdory ztrátám opětovaly římské lodě palbu. O přítomnosti getské flotily asi tři čtvrtě kilometru dál za ohybem řeky v tu chvíli ještě nikdo z Římanů neměl tušení. Vespasián viděl, jak řady jezdců kosily smrtící střely z balist. Ale Getové nepřestávali pálit šípy salvu za salvou do tří nejbližších lodí, které v tu chvíli už nedokázaly kvůli ztrátám mezi veslaři manévrovat. Vítr, který postupně sílil, přinášel volání a výkřiky. Dvě triéry a pět zbylých birém se obrátilo proti getské jízdě na břehu. V plné rychlosti pálily a mířily k zasaženým lodím a vystavily se zcela nekryté prvním triérám getské flotily, které vyjely ze zákrutu. Při spatření Římanů zrychlily na útočnou rychlost, vzduch prořízly rychlé ostré hvizdy. Balisty na hradbách Axiopole na ně zahájily palbu, když proplouvaly pod nimi. Bílé výbuchy posévaly vodu kolem getské flotily, ale ani v nejmenším útočníky nezastrašily. Getské lodě mířily na Římany, kteří lapeni mezi manévry se k nim nedokázali obrátit.

Hvizdy flétny zrychlily do téměř soustavného skřípotu a přední getská plavidla vtrhla mezi římské loďstvo. Dvě napadla jednu triéru z boku, sevřela mezi sebou její příď a záď, zatímco další si to namířila do vesel na levoboku, polámala je jako větvičky a veslaře s pochroumanými zády a rozdrcenými lebkami vystřelila ze sedadel. Zvuk fléten zanikl v praskotu dřeva, když dvě krajní getské lodě zabraly zpátky, aby se vyprostily ze zničeného římského plavidla. Do bezmocného římského loďstva se pustila druhá vlna getské flotily a Vespasián obrátil koně.

„Myslím, že jsem už viděl dost. S jistotou vím, že bych se nerad připletl k nějaké námořní bitvě,“ potřásl hlavou.

„Dnes překročí Styx spousta dobrých hochů,“ zabručel Magnus. Zamířil za ním a táhl za sebou koně s Rhotekem. „A to všechno jen kvůli tomu, že se Poppaeus snaží umlčet jednoho muže.“

„Nebo naopak proto, že my ho chceme udržet naživu,“ zdůraznil Sabinus. „Ale nedělal bych si s tím starosti. To, kdy člověk zemře, je v Mithrových rukou, a my s tím nic nezmůžeme.“

Vespasián neměl chuť pouštět se s bratrem do teologických diskusí, proto raději pobídl koně do cvalu a vyrazil z kopce na pláň, která se táhla až k Černému moři a přístavu Tomis.

Vespasián a jeho druhové dojeli k branám města dvě hodiny po soumraku promrzlí na kost. Vítr zesílil do rychlosti bouře, rozehnal mraky a teplota pod jasnou hvězdnou oblohou prudce klesla. Pohled na uniformu vojenského tribuna stačil strážím u brány, aby otevřely, a oni projeli na širokou ulici slabě ozářenou měsícem, která vedla přímo k přístavu, hlavnímu důvodu existence města. Budovy na obou stranách byly chatrné a celé město působilo zanedbaně. Své lepší dny už mělo za sebou.

„To je ale díra," utrousil Magnus při pohledu na pár žebráků v hadrech, kteří na ně zírali z jedné boční uličky.

„Proto sem lidé odcházeli do vyhnanství," podotkl Sabinus. „Básník Publius Ovidius Naso zde strávil poslední roky života, chudák."

„Kdysi to byl mocný přístav Odrysů," promluvil zasmušile Sitalkés, „dokud Římané nedobyli severní část Thrákie a neudělali z ní provincii Moesie. Pak nastal úpadek, protože přístav tady je k ničemu a my využíváme přístavy ve zbytku našeho království."

„Z čeho tady ale potom lidé žijí?" nechápal Artebudz.

„Stále ještě obchodují s bosporským královstvím na severu a kolchidským královstvím na východě, ale to je tak všechno. Takže se hlavně věnují rybolovu a pirátství, ale k tomu se radši moc nehlásí."

„Já myslel, že Pompeius Veliký moře od pirátů vyčistil," namítl Vespasián.

„Černé moře ne," odplivl si Drenis. „Šlo mu jen o ochranu drahocenných obchodních a obilných tras ve vašem moři. Spousta pirátských posádek se prostě jen přemístila na sever do Černého moře."

„V Egejském moři pořád ještě nějací zbyli," informoval je Sabinus. „Mezi těmi ostrovy se najde spousta skrýší. Cestou sem piráti moji loď pronásledovali, když jsme se plavili kolem jižního výběžku Řecka. Nebýt našich dobrých lučištníků, dostali by nás, ale jejich nadšení zchladlo, když přišli o deset nebo dvanáct mužů posádky včetně kapitána, jakéhosi odporného zrzavého obra. Mohl klidně patřit k tvému národu, Sitalku.

Nezapomeňte ale, že ne všichni piráti jsou špatní; kilíkijští piráti přinesli přibližně v době Spartakova povstání do říše uctívání Pána Mithry."

„Kdo by si to byl pomyslel, pirátští uctívači Mithry," zasmál se Vespasián. „To nejspíš vyrábějí světlo z bouřkového počasí."

„Nesměj se, bratříčku," zarazil ho vážně Sabinus. „Pán Mithra rozdává světlo všem lidem rovným dílem, dobrým i zlým, věřícím i nevěřícím. Nikoho neodsuzuje, protože zemřel, aby nás vykoupil a byl po třech dnech vzkříšen, aby nám ukázal, že i smrt lze porazit."

„Nevšiml jsem si, že by ji Faustus porazil," podotkl Magnus.

Sabinus se na něj zamračil. „Smrt není jen fyzická."

Vespasián raději polkl uštěpačnou poznámku, když spatřil hloubku přesvědčení v bratrově tváři.

„To vypadá na naši loď," řekl Sitalkés, aby rozptýlil napětí. Na stěžni mohutné baňaté měsícem ozářené quinquerémy pohupující se na silně se vzdouvajícím moři, pleskala ve větru na stěžni thrácká královská standarta.

S úlevou, že teologická debata skončila, spěchali po opuštěném molu ke střeženému můstku quinquerémy.

„Sitalku, ty starý neřáde," zvolal kapitán stráže, když se přiblížili. „Nečekali jsme, že dorazíte včas. Ale stejně v tomhle počasí nikam nemůžeme."

„Podle mě to nejlépe posoudí kapitán, Gaidre," odpověděl Sitalkés. Sesedl a poplácal strážného po rameni. „A copak že si suchozemský tvor jako ty myslí, že může rozdávat rozumy o plavbě?"

„Už nejsem žádný suchozemský tvor, jsem námořník a rozumy o plavbě můžu rozdávat zasvěceně. Vycházím z té spousty modliteb, které vypadávají z našeho starého, a je jich čím dál víc, protože vítr sílí," ušklíbl se Gaidrés. „Pojďte na palubu a poslechněte si je sami. Uvažte koně, pošlu někoho, aby je nakrmil. Postaráme se o ně ráno."

„Tohle počasí se bude dál zhoršovat," řekl kapitán Rhaskos s pohledem k noční obloze nad stěžněm, na které se začaly shlukovat mraky. „Tenhle vítr nás varuje před Zbelthurdovým hněvem. Přichází. Jede po nás hodit svými hřeby z blesků a brzy uslyšíme hromové dunění kopyt jeho mocného koně i vytí jeho věrného psa."

„Chceš říct, že přijde bouře?“ otázal se nejistě Vespasián. Kolik řečí o bozích bude muset ještě za jeden večer vystát?

„Ano, když se Zbelthurdos hněvá, obvykle následuje bouře,“ přitakal Rhaskos a poškrábal si husté šedé vousy, které vzhledem ke krátce zastřiženým šedým vlasům budily zvláštní dojem, že má hlavu vzhůru nohama. „Musíme si ho usmířit. Připravím oběť; jeden z vašich koní by na to měl stačit.“

„Neobětuješ přece naše koně svým bohům,“ pronesl kategoricky Sabinus. „Jsou…“

„Jsou majetkem vojska,“ rychle doplnil Vespasián, než jeho bratr stačil někoho urazit tím, že by pohanil kvůli Mithrovi thrácké bohy.

„Můj patří královně,“ ozval se Sitalkés. „Určitě by ji potěšilo, že ti ho může nabídnout jako oběť.“

Vespasián si tím tak jistý nebyl, ale věděl už, jaké důsledky má, pokud člověk urazí thrácké bohy, proto si pochyby nechal pro sebe. Rhaskos vypadal potěšeně. „Dobrá, tak dohodnuto. Máte zajatce, pokud vím.“ Obrátil se ke svíjejícímu se Rhotekovi na palubě mezi Magnem a Artebudzem. „Královna mě požádala, abych pro něj vybudoval zvláštní celu. Najdete ji na palubě veslařů. Gaidrés vás doprovodí dolů, byl přidělen s deseti svými muži jako zajatcova stráž.“

„Drenis a já, hm… vybereme koně,“ oznámil Sitalkés Vespasiánovi. Ten se obrátil, aby následoval Gaidra, a souhlasně přikývl. Sabinus si odfrkl.

Přešli za Gaidrem asi padesát kroků po palubě mohutné lodi. Magnus a Artebudz mezi sebou vlekli spoutaného kněze. Paluba jim pod nohama praštěla a pohupovala se a kolem chvějících se vzpěr přidržujících stěžeň hvízdal vítr. Než dorazili k poklopu skrývajícímu vchod do útrob plavidla, oba bratři už začínali pociťovat neblahé účinky pobytu na moři. Začali sestupovat po žebříku na palubu veslařů a do nosu je udeřil zápach lidských výkalů a moči.

„Smrdí to tady, jako bychom byli zase ve sračkách, pane,“ poznamenal Magnus ze žebříku, když podal vzpouzejícího se Rhoteka dolů Artebudzovi a Sabinovi.

Vespasiánovy oči přivykly slabému světlu několika olejových lamp a v šoku otevřel ústa, když rozpoznal řady veslařů, kteří spali na veslech, k nimž byli připoutáni. Thrákové na rozdíl od Římanů používali k pohánění svých lodí otroky.

„Jak tady dole udržujete disciplínu?" zeptal se ohromeně Gaidra.

Gaidrés pokrčil rameny. „Jsou připoutaní za ruku a za nohu a nikam nemůžou. Kromě toho všichni vědí, že když budou dělat potíže, poletí přes bok lodi a my je nahradíme jedním z rezervy, kterou si držíme ve spodní části lodi."

„Ano, ale pokud má otrok jen tak málo, proč žít, nemá co ztratit. Právě proto my používáme svobodné muže. Můžeš jim věřit, že všichni budou zabírat společně a nepokusí se sabotovat loď. Protože když zůstanou naživu, dočkají se po šestadvaceti letech služby občanství."

„Podívej, mě se neptej, já jsem jen námořník. Nevím, proč a nač. A nemám s těmihle darebáky ani žádný soucit. Spousta z nich jsou zajatí piráti, kteří teď okoušejí to, čím sami častovali druhé."

„Chápu," zabručel Vespasián a nevěřícně se rozhlížel. „Jen mám obavy o bezpečnost na lodi poháněné otroky, kterým nezáleží na tom, zda budou žít, nebo zemřou."

„Není divu, že jste se nikdy nestali námořní mocností," podotkl Sabinus. „Musíte si pořád dělat starosti s tím, co se děje dole s otroky, místo abyste se soustředili na vítězství v bitvě."

„No, takhle se to dělalo odjakživa a já se neptám. Pojďte, cela je tady." Gaidrés otevřel jakási dvířka, sklonil se a vstoupil dovnitř.

Vespasián a Sabinus ho následovali do malé páchnoucí kajuty. Ve slabém měsíčním svitu proudícím dovnitř přes mříž v horní palubě rozpoznal Vespasián železnou klec, krychli o straně metr a půl.

„Přiveďte ho sem, Magne. Artebudzi, podej jednu z těch olejových lamp," poručil, když Gaidrés začal chrastit klíčem.

Za pomoci malého množství světla vrhaného lampou se Gaidrovi podařilo vsunout klíč do zámku a dveře klece se otevřely. Uvnitř byla pouta a železa na nohy připevněná ke kleci těžkými řetězy.

„Vytáhnu mu ten roubík," varoval Vespasián Magna a Artebudze, kteří oba kněze pevně svírali. „Pozor na jeho zuby. Jsou pěkně ostré."

Jakmile byl roubík venku, Vespasiánovi potřísnily obličej hleny. Praštil Rhoteka do břicha, až mu hlava přepadla dopředu. Silné paže Magna a Artebudze knězi zabránily v pádu.

„A teď dobře poslouchej, ty malá hnido," zavrčel Vespasián, „můžeme to udělat po dobrém, když se nebudeš bránit, zatímco tě budeme dávat do okovů. Nebo po zlém, což znamená, že se probereš s další prasklinou v lebce."

Rhotekés lapal po dechu a zvedl hlavu. Mazané oči mu plály nenávistí. Zkřivil lasiččí obličej do úšklebku, vycenil opilované žluté přední zuby. Ústa měl nesouměrná, nikdy se mu nezhojila poté, co mu je o čtyři roky dříve Asinius prořízl.

„Je mi jedno, jak to uděláš, Římane," zasyčel. „Je to všechno marné, žádný z nás se nedostane do Říma. Vy, protože cestou všichni zhebnete, a já, protože moji bohové mě přivedou živého zpátky do Thrákie, bez toho abych někdy vůbec do toho vašeho prokletého města vkročil. To předpovídám ve jménu Zbelthurda, jehož hněv jste na sebe přivolali tím, že jste se mě zmocnili. Proklínám tuhle plavbu jeho jménem. Tahle loď do Říma nikdy nedopluje."

Vzduchem projelo ostré zaržání, které náhle ustalo, a téměř vzápětí následovalo zadunění, jak na zem dopadlo těžké tělo.

Rhotekovo vrčení přešlo v křivý jízlivý úsměv. „Zbelthurdos slyšel moji kletbu. Ale k tomu, abyste urážku mých bohů odčinili, budete potřebovat víc než jednoho koně. K tomu musíte prolít římskou krev."

Vespasián udeřil kněze pěstí do obličeje a zlomil mu nos. Nehybný Rhotekés zůstal viset podpírán Magnem a Artebudzem.

„Tak tedy po zlém," dodal Vespasián a prošel kolem Sabina ven z kajuty.

ČÁST III

EGEJSKÉ MOŘE

ČERVEN ROKU 30 PO KR.

KAPITOLA VIII

BYLO HORKO, VEDRO K ZALKNUTÍ. NeváI ani ten nejslabší vánek, který by přinesl špetku úlevy, když se quinqueréma plavila kolem východního pobřeží ostrova Euboia. Slunce v nadhlavníku se opíralo do lodi, rozpalovalo dřevěnou palubu, takže po ní bosá posádka nebyla schopna projít a musela se držet pod velkou markýzou, kterou vztyčili na zádi lodi. Ne že by mělo mužstvo nějak moc práce. Nemohli vytáhnout plachty, protože nevál vítr. A tak tomu bylo od chvíle, kdy vypluli z Tomidy.

Už dvanáct dní se o pohyb lodi starali pouze otroci, záběr po záběru, za vytrvalého dunění bubnu – kterému Thrákové dávali přednost před římskou flétnou – deset hodin denně, ve výhni, která panovala na veslařské palubě. Jediného spočinutí se jim dostávalo během dvou hodin v temnotě podlodí, než je znovu vrátili do utrpení jejich jednoúčelové existence. Existovali v tomhle soumračném světě, uzavřeni v dřevěném vězení, připoutáni k veslům, jež vymezovala smysl jejich života, vykonávali potřebu do kbelíku, který jim přinášeli k jejich místu, a jedinou změnu během otupujícího dne bylo švihnutí bičem přes ramena, když dozorce usoudil, že jejich úsilí je nedostatečné.

Puch z tohoto pekla na zemi stoupal vzhůru k Vespasiánovi a jeho druhům, kteří seděli pod markýzou. Potili se v horku, jež je pronásledovalo od okamžiku, kdy se bouře a vysoké vlny, kvůli nimž skoro dvacet dnů odkládali odplutí z Tomidy, náhle přes noc utišily poté, co Rhaskos obětoval koně Drenida a Artebudze. Příští den ráno se mraky rozplynuly a od té chvíle je bez ustání spalovalo slunce, jehož žár sílil s každým kilometrem, který urazili dál na jih.

Jejich život na lodi byl stejně otupující, ovšem na vině nebyla neustálá práce, ale naopak nuda. Od úsvitu, kdy vypluli, neměli po celých deset hodin, než zakotvili na noc, absolutně nic na práci, jen pozorovali ubíhající pobřeží a občas prohodili pár slov. Úlevu od jednotvárnosti jim poskytovaly večerní lovecké výpravy v kopcích bohatých na zvěř nad zátokami a průlivy, kam se uchylovali na noc.

Největším problémem se stalo shánění pitné vody. Přestože Rhaskos znal dobře pobřeží a vždy se mu podařilo zakotvit na noc poblíž nějakého vodního toku, loď nevezla dostatek sudů, aby mohla dodat vyprahlým otrokům „palivo", které při vysilující lopotě potřebovali. Navzdory častým zastávkám i přes den, aby nabrali nové zásoby vzácné kapaliny, jí nikdy nebylo dost a otroci začali slábnout. Každý den vyhodili do moře dva nebo tři, kteří byli buď mrtví, nebo už tak zesláblí, že nebyli k žádnému užitku.

„Tamhle je další nebožák," poznamenal Magnus, když přes zábradlí přehodili nejnovější špínou pokryté tělo. Slabý výkřik naznačil, že tenhle nebyl ještě docela mrtev.

„Pokud budeme tímhle tempem pokračovat dál, nezůstane nám žádný, abychom přepluli do Itálie," podotkl Vespasián, který si spočítal, že čím více otroků zemře, tím více práce budou zbylí nuceni odvést, čímž se naopak zvýší úmrtnost. „Potřebujeme vítr."

„Nikdy jsem nezažil, že by bylo tak dlouho bezvětří," zasténal Rhaskos ze svého místa vedle kormidelních vesel. „Každý večer obětuji bohyni Matce Bendidě, ale ona mým modlitbám nenaslouchá, třebaže v minulosti ke mně vždy byla milostivá. Začínám si dělat starosti, že je tahle plavba prokletá."

Magnus zvedl obočí a pohlédl na Vespasiána, který zachoval kamenný obličej. Nikdo z nich se o Rhotekově kletbě nezmínil. Všichni ji považovali za teatrální gesto zoufalého muže v úzkých a pustili ji z hlavy. Ale tohle zvláštní počasí, které trvalo od chvíle, kdy vypluli, podněcovalo pověrčivé myšlenky, a starosti zesiloval ještě hlas kněze, který si ve své kleci neustále bručel něco v podivné řeči, které Sitalkés ani Drenis nerozuměli. Jen Sabinus viděl kladnou stránku možné kletby na jejich plavbě, když se o ní předchozího večera bavili. Tohle úplné bezvětří znamenalo, že si dokázal udržet obsah žaludku, ačkoli by ho měl spíš rozsévat po celém Egejském moři.

Znovu se jich zmocnila malátnost, na kterou si zvykli. Mysl jim otupoval monotónní zvuk bubnu. Hleděli bezmyšlenkovitě na hory Euboie, zatímco loď sledovala křivku ostrova a začala se stáčet na východ k mysu Kafereas.

Z líných myšlenek je vytrhlo volání jednoho z dozorců otroků v průlezu na přídi lodi.

„Kapitáne, podívej se na tohohle," zavolal muž a vytáhl z veslařské paluby ochablé tělo.

Dozorce vlekl muže přes celou loď a pak ho obrátil, aby si ho mohl kapitán prohlédnout.

Obličej pod slepenými dlouhými černými vlasy a vousy byl sotva vidět, ale trup mu pokrývala tmavě červená vyrážka.

„Bohové nad námi," vykřikl Rhaskos, „horečka otroků. Kolik dalších dole má příznaky?"

„Tři, kapitáne, ale pořád dokážou veslovat."

„Okamžitě je hoďte přes palubu."

Dozorce se rozběhl vykonat rozkaz, zatímco dva muži z posádky zvedli nakaženého otroka přes zábradlí. O několik okamžiků později se z poklopu ozvalo volání a ven vytáhli tři vzpouzející se a ječící muže a vlekli je k přídi. Protože byli pořád až příliš živí, připevnili ke každému z nich těžký řetěz a pak je hodili přes palubu, kde zmizeli ve vodě vířící pod trupem.

„To je konečný důkaz," pronesl Rhaskos. „Ulpívá na nás kletba a nepochybně je to kvůli tomu knězi. Urazili jsme bohy tím, že jsme ho vzali na palubu."

Vespasián přistoupil k Magnovi se Sabinem. „Myslím, že bychom mu to měli říct," zašeptal.

„A k čemu?" zeptal se Sabinus. „Přece těm nesmyslům nevěříš?"

Než mohl Vespasián odpovědět, ozvalo se klepání vesel a loď se stočila na pravobok, až muži u obou kormidelních vesel upadli na zem.

„Na nohy, kormidelníci, upravte kurz," vyštěkl Rhaskos a pomáhal mužům vstát.

Z veslařské paluby pod nimi se ozývalo volání doprovázené práskáním bičů a chřestěním řetězů.

Poklopem vyskočil dozorce a přeběhl po palubě k Rhaskovi.

„Kapitáne, otroci poškodili vesla a odmítají veslovat," oddechoval.

„No, tak je bičujte tak dlouho, dokud zase nezačnou," zařval Rhaskos, až mu hlas přeskočil.

„To děláme, ale k ničemu to není."

„Tak pár z nich hoďte přes palubu jako ponaučení pro ostatní."

„Právě o to jde, pane, říkají, že když teď propukla horečka otroků, stejně je tam postupně naházíme všechny, tak jaký má smysl dál veslovat?"

„Pro lásku Matky Bendidy, nemůžou nás takto vydírat!" hromoval Rhaskos. „Vezměte tři vůdce, jednoho z nich vhoďte do podlodí a dalším dvěma před ostatními vypíchněte oči. Brzy jim dojde, že k veslování nepotřebují vidět."

„Ano, pane, to je dobrý nápad," prohlásil dozorce a obrátil se k odchodu.

„A řekni jim, že nikoho dalšího s horečkou otroků přes palubu nehodíme, dokud nebude mrtvý," zavolal za ním Rhaskos.

„Je to moudré?" zapochyboval Sabinus. „Nerozšíří se to mezi nimi, až nezbude žádný, který by vesloval?"

„Za dva dny ne," vyštěkl Rhaskos, „a přesně to potřebujeme, abychom se dostali do Amfiaráovy věštírny v Oropu na pobřeží Atiky."

„Co je to?" zeptal se Vespasián.

„Je to svatyně zasvěcená léčení a předpovídání budoucnosti," vysvětloval Rhaskos s bázní v hlase. „Už jsem tam kdysi byl kvůli vyléčení, a abych se zeptal na výsledek jedné plavby. Tam dostaneme radu, jak překonat kletbu spočívající na lodi a jak zastavit horečku otroků, tím jsem si jistý."

Hovor přerušila řada hlasitých zaječení. Znovu se ozval buben a loď se vydala na cestu.

„Kdo je vlastně ten Amfiaráos?" zeptal se Magnus Rhaska, když kráčeli po strmé stezce z kotviště ve třpytivé zátoce. „Pokud je to bůh, nikdy jsem o něm neslyšel."

„Není to bůh. Je to polobůh, jeden z Hrdinů," odvětil Rhaskos. Sundal si široký slamák a otřel si pot z čerstvě vyholené hlavy. „Byl to argoský král a měl ho ve velké oblibě řecký bůh Zeus, který podle některých je náš Zbelthurdos. Obdařil ho věšteckou mocí. Přesvědčili ho, aby se účastnil nájezdu proti Thébám, který vedl Polyneikos, jeden z Oidipových synů, ve snaze vyrvat království svému bratru Eteoklovi, jenž porušil slib a odmítl se s ním rozdělit o korunu poté, co se jejich otec zabil. Během bitvy, když se ho pokusil zabít Poseidonův syn Periklymenos, Zeus vrhl svůj hromový šíp, země se otevřela a pohltila Amfiaráa i jeho válečný vůz, a byl tak zachráněn před smrtí smrtelníka, aby mohl navždy používat moc, kterou ho obdařil Zeus."

„Jak z nás sejme předpovídání budoucnosti tu kletbu?" zeptal se Vespasián.

„Takže souhlasíte, že jde o kletbu?" odvětil Rhaskos.

Vespasián pohlédl na Sabina vedle sebe a ten jen pokrčil rameny. „Neuškodí, když mu to povíme, pokud chce věřit všem těm nesmyslům."

„Povíte co?"

„Rhotekés proklel naši plavbu, když jsme ho přivedli na palubu," přiznal Vespasián.

„Proč jste mi to, ve jménu všech bohů, neřekli?" zvolal Rhaskos. „Mohl jsem, dokud jsme byli v Tomidě, sehnat kněze, aby přišel a podnikl protiopatření."

„Protože jsou to nesmysly, proto," odpověděl rozhodně Sabinus.

„Nesmysly! Copak jste si nevšimli vší té smůly, co nás na plavbě potkala? To je důkaz, že o žádné nesmysly nejde."

„Nebyli jsme přece jediní, komu se to stalo," namítl Vespasián. „Každou loď v Černém moři zasáhly ty bouře a každou v Egejském moři zase bezvětří. Proč si myslíš, že je to počasí určeno jen nám?"

„Protože vezeme toho kněze. Má u bohů velký vliv a může je požádat o pomoc."

„No, já mám u svého boha Mithry taky nějaké slovo a zatím je jeho vliv největší," podotkl Sabinus. „Než jsme vypluli z Tomidy, modlil jsem se k němu a on mě vyslyšel. Kvůli mně udržuje moře klidné a mně nebylo ani jednou špatně."

„Věřte si, čemu chcete," mávl Rhaskos rukou, „ale pokud jste slyšeli toho kněze pronést kletbu, můžu přísahat na to, že jsme prokletí, a mám v úmyslu s tím skoncovat."

„To nám přece nemůže nijak uškodit, ne?" pohlédl Magnus z jednoho na druhého, upřímně zmatený jejich hádkou. „Myslím, že pokud nějaká kletba existuje, můžeme se jí zbavit, a pokud neexistuje, prostě se trochu víc pomodlíme."

„Když se začneš modlit za vítr a mně bude celou cestu zpátky do Ostie zle, osobně se postarám o to, aby tě proklel každý bůh, který je ti drahý," varoval Sabinus, když se pěšina stočila do cedrového lesa vonícího pryskyřicí.

Po pár kilometrech soustavného stoupání v příjemném stínu sladce vonících stromů les náhle skončil a oni se ocitli v rokli mezi dvěma strmými kopci. Před nimi na západním svahu byla Amfiaráova svatyně. Byl to dlouhý úzký komplex, jemuž dominovalo divadlo zaříznuté do úbočí. Všude panovala uspávající atmosféra. Nečetní lidé, které Vespasián zahlédl, se buď velmi pomalu procházeli, nebo leželi ve stínu krytého sloupořadí vedoucího od chrámu přímo před nimi. Jediné, co bylo kolem slyšet, byly monotónní cikády a truchlivé bečení asi tuctu beranů v ohradě přímo za svatyní. Vzduchem se nesla silná vůně pečeného skopového.

„Nezdá se, že by se tu toho moc dělo," poznamenal Vespasián a potlačil zívnutí.

„To proto, že Hrdina hovoří k prosebníkům v jejich snech," vysvětloval Rhaskos. „Obětuješ berana, položíš své otázky kněžím a pak jdeš spát na beraní rouno a čekáš na odpověď."

„Chceš říct, že kněží nedělají nic?" posmíval se Sabinus.

„Jsou prostředníky, pojedí část obětiny, a při tom předají otázku nebo žádost o vyléčení Hrdinovi."

„Aha, takže přece jen něco dělají, jedí každý den skopové," zasmál se Sabinus. „Příjemná práce, pokud ji seženeš."

Rhaskos se na Sabina zamračil. „Tohle je velmi staré a posvátné místo. Nemusels sem chodit, ale když už jsi tady, měj v úctě víru druhých. Já teď půjdu koupit a obětovat berana. Můžete se ke mně přidat, jestli chcete."

Beran byl samozřejmě ohavně předražený, pastýř si byl dobře vědom, že po prosebnících, kteří se dopustili té chyby, že přijeli bez vlastního berana, může žádat cokoli. Po spoustě smlouvání a několika stěží skrývaných Magnových výhružkách týkajících se pastýřova bezpečí po setmění, zvíře nakonec koupili a vešli do chrámu.

Chladivému interiéru dominovala obrovská mramorová socha Amfiaráa, sahající skoro až ke stropu. U její základny stálo sedm hořících svícnů. Pod každým seděl jeden vykrmený kněz. Před sochou bylo topeniště naplněné rozžhavenými uhlíky a zakryté roštem. Vedle se nacházel zakrvácený oltář s položeným nožem. Na zdech visela spousta roun z dřívějších obětování.

„Přistupte, prosebníci," pronesl nejstarší kněz, jakmile vstoupili, a zvedl se z prostřední židle. „Mé jméno je Antenor, velekněz Amfiaráův. A jak zní vaše?"

Rhaskos přivedl berana k oltáři a sklonil hlavu. „Rhaskos."

„Pověz mi, Rhasku, co chceš vědět od Amfiaráa a jaké léčení do něj požaduješ?"

„Na moji loď byla ve jménu Zbelthurdově vložena kletba. Chci vědět, jak mohu ochránit svoji posádku, abychom dokončili plavbu, a hledám léčbu pro své otroky, kteří trpí horečkou."

„Předáme tvé požadavky. Učiň oběť, Rhasku."

Rhaskos se obrátil k Vespasiánovi, Sabinovi a Magnovi a posunkem naznačil, že by mu mohli pomoci zvednout berana na oltář. Když přistoupili blíž, všiml si Vespasián, že Antenor soustředěně pozoruje nejprve jeho a poté Sabina.

„Kdo jsou tito muži, Rhasku?"

„Cestují na mé lodi. Jsou zde, aby se stali svědky moci Hrdiny, ne kvůli tomu, aby sami obětovali."

„Vy jste bratři?"

„Ano," odpověděl přezíravě Sabinus, na kterého neučinil postřeh starého kněze žádný dojem. I při zběžném pohledu na ně byla patrná sourozenecká podoba.

„Odkud plujete?"

„Z Tomidy v Černém moři," odvětil Vespasián a svíral beranovi, kterého proti jeho vůli zvedali na oltář, rohy.

„A plujete na západ?“ pokračoval Antenor ve vyptávání. Přistoupil k oltáři a celou dobu z bratrů nespouštěl oči.

„Do Ostie, ano,“ přitakal Vespasián, zatímco se Sabinem přemáhali vzrůstající intenzitu beranova odporu.

Kněz přikývl, jako by byl spokojen s tím, co slyšel, a pak obrátil pozornost zpět k Rhaskovi. „Ve jménu pravdy a léčení přijmi tohoto berana, mocný Amfiaráe.“

Rhaskos uchopil obětní nůž a švihl s ním beranovi přes krk. Na oltář vystříkla krev. Zvíře obrátilo oči v sloup a jeho zadní nohy divoce zakopaly, jak se snažilo vzdorovat smrti. Kopání postupně ustalo a beran klesl na kolena. Pak se svalil do jezírka vlastní krve, která se mu vpíjela do rouna.

Ostatních šest kněží přistoupilo, každý s nožem v ruce, a začali stahovat oběť z kůže.

Po chvíli práce zůstalo neporušené rouno. Antenor souhlasně přikývl a obrátil krvavě rudou mršinu na záda. Převzal od Rhaska obětní nůž a rozřízl staženému beranovi břicho. Několika ostrými řezy vyňal játra a položil je na okraj oltáře. Znovu souhlasně přikývl – znamení byla evidentně dobrá –, ale pak ho něco zaujalo a on játra převrátil, zvedl je, zadíval se na ně a poté pohlédl na Vespasiána se Sabinem.

„Zůstaňte ještě chvíli,“ oslovil bratry a odložil játra. Obrátil se k Rhaskovi. „Teď spi, Rhasku, zatímco pojíme část oběti. Amfiaráova odpověď k tobě přijde v tvém snu. Nezapomeň si ji dobře zapamatovat.“

Rhaskos se uklonil. Pak popadl rouno a obrátil se k odchodu. Šestice kněží se zatím pustila do berana svými noži. Dělili ho a házeli kusy masa na rošt. Tuk se škvařil a prskal, když odkapával na dřevěné uhlí.

„To, co vám chci sdělit, je určeno pouze vám dvěma,“ pronesl Antenor, jakmile Rhaskos odešel.

Vespasián pohlédl na Magna a ten se usmál. „Stačí jen naznačit, pane. Počkám na vás venku.“

Zatímco se Magnovy kroky rozléhaly chrámem, starý kněz obešel oltář a vzal oba bratry za bradu, každého jednou rukou, a zavřel oči. Vespasián pohlédl kradmo na Sabina, který vypadal stejně zmateně, jako se právě cítil on sám.

Nakonec je kněz pustil a otevřel oči. „Je to, jak jsem si myslel, když jsem vás poprvé spatřil," pronesl, „a játra to potvrdila."

„Potvrdila co?" Sabinus si třel bradu.

„Po staletí čekáme, až budeme moci předat proroctví dvěma bratrům, kteří se plaví ze severu k západu na prokleté lodi a předstoupí před Hrdinu jako svědci, ne prosebníci. Jsem si jistý, že těmi dvěma bratry jste vy." Obrátil se ke kněžím shromážděným kolem skopové pečeně. „Leto, přines svitek."

Mladší kněz zmizel někde v zákoutích chrámu a za okamžik se vrátil s bedýnkou. Antenor zvedl víko a vytáhl jakýsi starobylý pergamenový svitek.

„Toto je záznam Amfiaráových proroctví," rozvinul svitek. „Každé obsahuje popis osoby nebo osob, kterým musí být sděleno. Pouze velekněz si smí svitek přečíst, aby jeho obsah nevyzradily neopatrné jazyky mladých."

Jeho druhové za ním se začali vracet na svá místa a každý žvýkal kus skopového.

„Během věků byla přečtena všechna proroctví mimo sedmi," pokračoval Antenor. „Pokud se oba rozhodnete mě vyslechnout, přečtu vám to, které se vás týká."

Už od okamžiku, kdy ve svých patnácti letech tajně zaslechl, jak se jeho rodiče baví o znameních, která obklopovala jeho narození, a o příznivém proroctví s nimi souvisejícím, toužil Vespasián poznat jeho přesný obsah. Pohlédl na Sabina, který, jak věděl, byl jako pětiletý při tom, když k proroctvím došlo, ale byl vázán přísahou, že mu je nikdy neodhalí. Jejich otec Titus zavázal oba bratry ještě k další přísaze, větší, před všemi bohy včetně Mithry – jediného boha, kterého Sabinus skutečně ctil –, díky níž měl možnost vyzradit Vespasiánovi jednou v budoucnosti obsah proroctví. Snad ta chvíle teď nastala.

„Já jsem ochotný proroctví vyslechnout," řekl. „Co ty, Sabine?"

Sabinus váhal. „Vědět příliš mnoho z budoucnosti může být nebezpečné."

„To jsem netušil, že teď, když se šťastně hřeješ v Mithrově záři, tolik dáš na mysteria starých bohů," neodpustil si Vespasián sarkasmus. „Proč se bojíš něčeho, v co už nevěříš?"

„Nepopírám existenci starých bohů, bratříčku. Jen popírám jejich nadřazenost nad mým bohem, Mithrou. Proroctví před jeho příchodem mohou být závažná a měla by se přijímat s opatrností. Já je raději slyšet nechci."

Vespasián zklamaně zasupěl. „Dobrá, když je nechceš slyšet, tak budiž. Přečti je jen mně, Antenore."

„Mohu je přečíst pouze oběma dvěma společně, nebo vůbec ne," odvětil starý kněz.

„Tak v tom případě vůbec ne," prohlásil Sabinus a obrátil se k odchodu.

„Sabine!" zvolal Vespasián a v hlase měl tak velitelský tón, že se jeho bratr zarazil. „Já je potřebuju slyšet. A ty to pro mě uděláš."

„Proč bych měl, bratříčku?" opáčil stejně silným hlasem Sabinus a obrátil se k němu.

„Protože já mám stejné právo je vyslechnout, jako ty odmítnout, ale pokud nebude vůbec přečteno, nikdy se nedozvíme, kdo z nás měl pravdu. Takže pokud teď odejdeš, přísahám ti, Sabine, že všechno zlo, kterého ses na mně dopustil během našich životů, nebude nic ve srovnání s tím, které na mně spácháš dnes, a já si až do hrobu ponesu ve svém srdci zášť vůči tobě."

Při pohledu na plamen ve Vespasiánových očích se Sabinus zarazil a zamyslel se. Vespasián viděl, že bratr svádí těžký vnitřní boj. Nevzdoroval jen z paličatosti. Upřímně se bál.

„Z čeho máš strach, Sabine?" zeptal se Vespasián.

Sabinus se na bratra zamračil. „Že zůstanu v pozadí."

„Za kým? Za mnou?"

„Jsem starší bratr."

„Věk nemá s tímhle nic společného, Sabine, ani ambice žádného z nás. Je naší povinností pozvednout v rámci Říma slávu našeho rodu a v tom jsme si oba rovni. Ať už v tom proroctví stojí cokoli, je to určeno nám oběma a my bychom je měli vyslechnout kvůli rodu Flaviů."

„Jak si přeješ, Vespasiáne," souhlasil konečně Sabinus. „Doufejme, že se mýlím a že jen to jen snůška blábolů."

„Děkuji, bratře."

„Pokud jste se rozhodli, přečtu je vám oběma," pronesl mírným tónem Antenor. Ostatní kněží za ním seděli netrpělivě na židlích a okusovali kosti.

„Ano, Antenore," souhlasil Vespasián.

Sabinus jen zavrčel.

Antenor zvedl svitek a přečetl jej nahlas:

„Dva tyrani rychle padnou, záhy po nich další,
na východě král vyslechne pravdu od bratra.
Se svým darem stopy lva pískem měl by sledovat,
aby získal od Čtvrtého příštího dne západ."

Vespasián se zamračil a pohlédl na Antenora. „A co to znamená?"

„To ti nemohu povědět." Starý kněz svinul svitek a vložil jej zpátky do truhlice. „My tyto věci nevykládáme, jsme..."

„Pouze zprostředkovatelé?" dobíral si ho Sabinus.

Antenor se na něj blahosklonně usmál. „Přesně tak. A teď, pokud mě omluvíte, svoji povinnost vůči vám jsem splnil a musím se vrátit k Rhaskovi. Musím pojíst jeho skopové."

„Děkujeme ti." Vespasián se obrátil k odchodu.

Sabinus kývl hlavou a následoval ho. „Poprvé opravdu s radostí připouštím, že jsi měl pravdu, Vespasiáne, v tom proroctví nebylo nic, čeho by bylo třeba se obávat, neuškodilo je vyslechnout a tomu starému bláznovi to udělalo radost, protože si teď myslí, že splnil svoji povinnost vůči svému bohu, nebo co vlastně ten Amfiaráos je."

„Doufal jsem, že k tomu budeš schopný něco dodat, Sabine."

„Co jako?"

„To proroctví při mém narození. Vím, že o něm víš."

„V tom případě ovšem víš i to, že mám zakázáno o něm mluvit."

„Ne, pokud se budeš řídit otcovou přísahou."

„Jenže ta platí jen v případě, že jeden z nás nebude schopen pomoci druhému kvůli předchozí přísaze, a já v tuhle chvíli nemám pocit, že bys potřeboval pomoc."

„Musí být přece něco, co mi můžeš povědět."

„Hele, byl jsem tehdy úplně malý, moje vzpomínky jsou jen matné. Můžu ti říct jen to, že se nejednalo o žádné proroctví jako takové, ale spíš o znamení, která vyvolala ten rozruch."

„Jaká?"

„To už ti říct nemůžu, na to se právě vztahuje ta přísaha. A vůbec, byly mi tehdy čtyři. Skoro si je nepamatuju a nechápal jsem je – stejně jako jsem teď nerozuměl proroctví, které tys tolik lačnil slyšet. Žádná z těchhle věcí nedává nikdy smysl, pokud se na ně nedíváš zpětně, a k čemu pak vlastně jsou?"

„Jenže v tom si to právě odporuje. Nejde o zpětný pohled, ale o předpověď, takže musíš přijít na to, jak je vyložit," namítl Vespasián, když vyšli do ostrého poledního slunce. „Jediná věc, která se nějak na nás vztahuje, je asi ta ‚pravda od bratra'. Pověděl bys mi pravdu, kdybych byl král z Východu?"

„Rozhodně bych ti neřekl, co bys chtěl slyšet, pokud ti jde o tohle. A vůbec, nemám pocit, že by se některý z nás měl stát králem z Východu. A pokud jde o ty tyrany, co jsou zač?"

„Možná se Seianus přece jen stane imperátorem a ti ostatní tři jsou jeho nástupci."

„Ale jaký by za těchto okolností mělo to proroctví pro nás smysl? Byli bychom mrtví jako tihle." A Sabinus ukázal na dlouhou řadu soch, které lemovaly pěšinu ke sloupořadí.

„No, jsem rád, že jsem si je vyslechl, přestože, jak se zdá, nedává žádný smysl," zabručel Vespasián.

„Tak o co šlo?" vyzvídal Magnus ze stínu kolonády.

„Podle všeho o nic," odpověděl Sabinus.

„Kde je Rhaskos?" zeptal se Vespasián.

Magnus se usmál a ukázal na spící postavu opodál. „Šel přijmout zprávu."

Sabinus se podíval tím směrem – a zůstal nevěřícně zírat. Směrem k nim kráčel mohutný zrzavý muž s jedním okem.

„Co se děje?" zeptal se Vespasián. „Vypadáš, jako bys právě spatřil ducha."

Sabinus se odvrátil, když je muž míjel, a počkal, až byl z doslechu.

„Přesně to jsem opravdu viděl."

„O čem to mluvíš?" nechápal Vespasián. Jako by jeho bratr mluvil z cesty.

„Ten chlap." Sabinus ukázal za postavou, která zamířila z komplexu na pobřeží. „Vzpomínáte, jak jsem vám vyprávěl o útoku pirátů cestou sem?"

Vespasián s Magnem přikývli.

„No tak to byl ten kapitán. Měl by být mrtvý. Ty lodě byly od sebe jen třicet kroků. Viděl jsem, jak ho šíp zasáhl hluboko do levého oka."

Na Magna to nijak nezapůsobilo. „Musel ses zmýlit. Nejspíš měl bratra."

Sabinus zavrtěl hlavou. „Ne, byl to on, jasné? Viděli jste přece, že mu schází levé oko."

„Tak musel přežít," usoudil Vespasián. „A jeho posádka ho sem dovezla na léčení."

„Nemohlo to být asi daleko odsud," připustil Sabinus. „Jen pár dnů cesty. Ale i kdyby přežil plavbu, viděl jsem během pobytu v Africe dost podobných zranění a vím, že není žádný způsob, jak by ho mohli vyléčit."

„Třeba tady přece jen působí nějaké mocnější síly," pronesl Magnus s vážností v hlase.

„Myslíš, jako že působí na něčí oko?" pronesl uštěpačně Vespasián.

„Nesměj se, Vespasiáne," pokáral ho Sabinus tiše. „Pokud umí vyléčit muže, který by měl být mrtvý, musí tady existovat nějaká opravdová síla, síla starší než Mithra, a měli bychom ji brát vážně."

KAPITOLA IX

NEŽ SE VRÁTILI K LODI, schylovalo se už k večeru a na vyplutí bylo pozdě. Rhaskos prospal většinu odpoledne, ale po probuzení nevypadal odpočatý. Jakou odpověď dostal od Amfiaráa, jim odmítl prozradit. Sdělil jen, že k němu ve snu Hrdina promluvil a že teď uvažuje nad smyslem jeho sdělení. Třebaže ještě dopoledne jim celá situace připadala zábavná, nyní i Sabinus hovořil s Rhaskem vážně. Ne proto, že by snad uvěřil v kletbu, ale protože ho zajímalo, jestli horečka otroků po Amfiaráově zásahu zmizí.

Po mírné noci, kterou proležel na otevřené palubě pod hvězdnou oblohou, se Vespasián probudil za tyrkysového svítání osvěžený. Ukolébal ho něžný zvuk vody šplouchající o trup, ale ten teď vystřídalo cosi pronikavějšího. Vlny lámající se o skalnatou zátoku. Cítil, jak se loď pod ním pohupuje a okamžitě se posadil. Do tváře mu vál chladný vítr.

Všude kolem něj loď ožívala. Polovina mužů ze čtyřicetičlenné posádky uvazovala hlavní a příďovou plachtu na ráhna a pak je svinuli připravené k vytažení na stěžně, zatímco zbytek se chystal vytáhnout přední a zadní kotvu. Rhaskos pobíhal po palubě jako vzrušený pes, po každém štěkal a cenil zuby a vrčel při nejmenší chybě nebo známce ulejvání – taková byla jeho touha co nejrychleji vyrazit na cestu.

„Co na to říkáš, pane?“ zeptal se Magnus a podal Vespasiánovi tlustý plátek studeného vepřového a pohár vína silně naředěného vodou. „Tak vítr... Kdo by si to jen pomyslel? Je to vskutku divné místo.“

„Včera bylo vůbec divné to, čeho jsme byli svědky,“ přitakal Vespasián a ukousl si kus vepřového. „Kde je Sabinus?“

„No, má teď hodně práce a nejspíš se k nám při snídani nepřipojí," odpověděl Magnus a ukázal k přídi.

Vespasián se obrátil a spatřil, jak se bratr zmítaný křečemi naklání přes zábradlí.

Po řadě hlasitých Rhaskových rozkazů pronesených přes hlásnou troubu začali muži u přední kotvy tahat za lano. Když se kotva – malý balvan – objevila nad hladinou, započal bubeník udávat monotónní rytmus a otroci zabrali do vesel pozpátku. Mohutná quinqueréma se zlehka odpoutala od okraje zálivu, pak s tím, jak se zadní kotevní lano napjalo, se začala otáčet, až byla souběžně s břehem, a Rhaskos znovu zavelel do své trouby. Muži u zadní kotvy zabrali a kotva se zvedla ze dna. Otroci na veslařské palubě všichni současně změnili směr veslování a loď začala klouzat vpřed. Jakmile zajistili kotevní balvan na palubě, zazněly další rozkazy a mužstvo u hlavní plachty začalo zvedat ráhno nahoru. Když bylo ve správné poloze, šest mužů vylezlo po provazovém žebříku na stěžeň. Pak se rozestoupili, tři na každé straně, na nášlapném laně pod ráhnem. Na další Rhaskův signál uvolnili smyčky a rozvinuli plachtu, která zapleskala ve větru a napjala se. Tempo bubnování se zvýšilo a Vespasián cítil, jak loď prudce vyrazila vpřed.

„Díky Matce Bendidě za tenhle vítr," zavolal Rhaskos k obloze, zatímco se posádka vydala rozvinout příďovou plachtu.

„Neměl bys spíš děkovat Amfiaráovi?" namítl Vespasián a přistoupil k němu mezi kormidelní vesla.

„Ne, tohle je Bendidino dílo," odvětil Rhaskos a zavolal do hlásné trouby další rozkazy.

Na přední stěžen vytáhli ráhno a záhy už se rozvinula i tato plachta a loď opět zvýšila rychlost. „Kde bereš tu jistotu, že nešlo o Amfiaráův zásah?" pokračoval Vespasián, když se Rhaskos přestal zabývat jen otázkami plavby.

„Protože ten sen, který mi seslal, byl tak zvláštní, že mu nerozumím, a proto jsem ještě neudělal, co mi poradil."

„Pořád tedy věříš, že je loď prokletá?"

„Nepochybně."

„Tak jak to, že máme vítr?"

Starý kapitán se usmál. V oku se mu samolibě zablýsklo. „Protože zatímco jsem sám komunikoval s Hrdinou, nechal jsem svoji posádku pro jistotu obětovat Bendidě pod stěžněm třetího vůdce vzpoury. Rozsekli jeho tělo na poloviny a každou položili na jednu stranu lodi, pak mezi nimi prošli s plachtami, aby je i sebe očistili. Makedonci dělají totéž se psem, ale podle nás má člověk větší moc."

Vespasián zvedl nepatrně obočí. Rhaskův náboženský zápal už ho přestával udivovat. „No, podle všeho to zabralo," usoudil, „ale co ta horečka otroků, zmizela?"

„Ne, v tomhle směru jsme pořád prokletí. Už ji dostala více než čtvrtina."

„Tak proč neuděláš to, co ti ve snu poradil Amfiaráos?"

Rhaskos smutně zavrtěl hlavou. „Protože mi to připadá hrozně divné a byla by to sebevražda."

„Sebevražda?"

„Ano. Možná bych měl Hrdinovi víc věřit, ale prostě nemám silu, abych udělal to, co mi poradil." Pohlédl omluvně na Vespasiána. „Ve snu jsem totiž vzal otroka za ruku a místo vesla jsem mu do ní vložil meč."

Vítr ani údery bubeníka neztrácely na intenzitě. Den pokračoval. Extrémní vedro s příchodem větru zesláblo a podmínky na palubě se výrazně zlepšily. Na palubě veslařů se však horečka postupně šířila a dozorce byl nucen opustit nejnižší úroveň po třiceti veslech na každé straně, poháněných vždy jedním otrokem, a nechal pracovat pouze prostřední a horní řady, obě ovládané vždy dvojicemi mužů. Rhaska výsledná ztráta rychlosti hnětla a neustával naléhavě vzývat různé bohy.

Asi po kilometru a půl na moři minula loď Marathonský záliv a pokračovala kolem pobřeží Atiky. Po dvou dnech přepluli Saronský záliv k Peloponésu a prokličkovali mezi početnými obchodními plavidly, která mířila k přístavu Pireus na jedné z nejrušnějších lodních tras na světě.

Časně ráno pátého dne se přiblížili k průlivu mezi jižním výběžkem Peloponésu a ostrovem Kythérou. Vespasián a Magnus se opírali o zábradlí na přídi a pozorovali ubíhající vyprahlé pobřeží. Bylo tak jasno, že i na tu dálku rozpoznali jednotlivé stromy na kopcích. Sabinus se k nim připojil. Vypadal bledý a stěží se držel na nohou, přestože už několik dní nezvracel.

„Už brzy přeplujeme k Itálii," poznamenal Vespasián a zadíval se na pár vzdálených obchodních lodí asi pět kilometrů před nimi. „Co se stane, až dorazíme do Ostie?"

„Musíme kněze odvézt k Antonii," odpověděl Sabinus unaveně a opřel se o zábradlí, „a pak budeme čekat."

„Na co?" ozval se Magnus.

„Až nám Macro sdělí, jak a kdy máme dopravit Rhoteka na Capri."

Magnus se zatvářil znepokojeně. „Tak moment, v té větě jsou hned dvě věci, které se mi nelíbí. Macro a Capri. Proč o nich slyším poprvé až teď?"

„Ano, Sabine," přidal se Vespasián, stejně zneklidněný, „proč jsi nám dosud neřekl o Macronově účasti?"

„Aha, takže on ti pověděl, že máme vzít Rhoteka na Capri, ale ty ses mi o tom neráčil zmínit, je to tak?" urazil se Magnus.

„To proto, že ty tam jet nemusíš."

„A ty jedeš?"

„Ano."

„No tak v tom případě já taky. A co s tím vším má společného Macro?"

„Antonia ho využívá k tomu, abychom se dostali k Tiberiovi," vysvětloval Sabinus. „Na oplátku vychválí jeho věrnost imperátorovi a doporučí ho jako náhradu místo Seiana. Jde o spojenectví založené na vzájemné užitečnosti."

„Mně to tedy příliš užitečně nepřipadá," zavrčel Magnus. „Když jsme se naposledy setkali s Macronem, snažil se nám zabránit v odjezdu z Říma. Já se mu pokusil useknout hlavu a on nechal Vespasiánovi v noze dýku."

„Magnus má pravdu, Sabine. A dobře si nás oba prohlédl."

„Ano, a pochybuju, že ho potěší, až si nás dva dobře prohlédne znova, jestli mi rozumíš."

„Víte, nemyslím si, že Antonia změní plány jen proto, že vy dva jste kvůli rozdílným názorům měli rozmíšku s Macronem," uzavřel Sabinus. „V každém případě teď spolupracuje s námi, takže jsem si jistý, že rád hodí minulost za hlavu – tedy pokud ho pěkně odprosíte a vrátíte mu dýku," dodal a pousmál se.

„Moc vtipné, Sabine," vyštěkl Vespasián, „ale já nemám v úmyslu se k němu přiblížit."

„Možná nebudeš mít na vybranou," pronesl Magnus temně a oddupal na druhý konec lodi, kde pod markýzou seděli Sitalkés, Artebudz a Drenis.

Vespasián ztěžka polkl. Představa, že se setká tváří v tvář s Macronem, se mu nezamlouvala, ale zdálo se to nevyhnutelné. Uvažoval nad problémem a znovu se zadíval na dvě vzdálené lodi. Se zájmem sledoval, jak jsou nuceny se natáčet po větru a křižovat v úzkém průlivu mezi ostrovem a pevninou. I při své snížené rychlosti se na ně quinqueréma dotahovala, protože s pomocí vesel plula přímo.

„Máš pro mě v rukávu ještě nějaká další překvapení, Sabine?" zeptal se po chvíli. „Bylo by docela dobré o nich vědět, dokud mám čas o nich uvažovat."

„Pověděl jsem ti všechno, cos potřeboval v danou chvíli vědět," poznamenal Sabinus nedůtklivě.

„Ne, prozradils mi vždycky jen to, cos považoval za nutné. Pokud máme spolupracovat, musíme si říct opravdu všechno, protože s omezenými informacemi není možné učinit správné rozhodnutí. Nevěděls o tom, že jsme zkřížili cestu Macronovi, takže jsi nepovažoval za důležité povědět mi, že máme teď společné zájmy."

„Měl jsi mi v prvé řadě sdělit, že jste na něj narazili."

„Snažil se mě před čtyřmi lety zatknout na Aemiliánově mostě. Považoval jsem ho tehdy jen za dalšího pretoriána, který koná svoji povinnost. Zmínil bych se o něm, kdybych věděl, že mezitím změnil strany."

„Tak jsem ti to řekl teď. Je v tom takový rozdíl?" vyštěkl Sabinus, který nesnášel, když mu mladší bratr dělal kázání.

Vespasián se snažil ovládnout. „Už jen fakt, že se Macro dostal až do současného postavení v pretoriánské gardě, naznačuje, že je to nelítostný ambiciózní muž a rozhodně jen tak něco neodpouští. Bude se mi chtít pomstít, když mě uvidí a pozná, o tom není pochyb. Otázka je, zda jeho touha po pomstě nenaruší plán, jehož cílem bude dostat Rhoteka před imperátora."

„Byl by blázen, kdyby k tomu došlo."

„To si možná myslíš ty, ale pýcha zaslepuje. Tehdy se mou zásluhou vyválel nedůstojně v prachu. Třeba soudí, že taková urážka jeho důstojnosti je nesnesitelná, a využije první příležitost k tomu, aby mi vrazil nůž mezi žebra, jen aby se cítil lépe, i kdyby tím měl ohrozit všechno ostatní."

Sabinus se s tím mužem setkal a uvědomoval si, že bratrův názor nemusí být vůbec scestný. „Možná máš pravdu," připustil. „Budeme se muset pokusit ho držet od tebe dál."

„Jak to chceš udělat?"

„Uvidíme, ale mrzí mě, že jsem ti o něm neřekl dřív, Vespasiáne."

„Máš ještě nějaká další překvapení, Sabine?"

Než mohl Sabinus odpovědět, přerušilo jejich hovor zvolání přední hlídky.

„Kapitáne! Smrt před námi."

Vespasián vzhlédl. Zpoza mysu na Kythéře vyplula jakási triéra a rychle se blížila k oběma obchodním lodím, vzdáleným v tu chvíli jen asi necelé dva kilometry.

Rhaskos přiběhl, aby měl lepší výhled.

„Bendido, pomoc," zakvílel. „Piráti, a my nemáme dost mužů, abychom je odrazili. Jsme opravdu prokletí."

„Slunce stojí nízko za námi. Musíme být v jeho třpytu na vodě – ještě nás nezahlédli," poznamenal Vespasián. „Prostě je necháme být. K naprosté spokojenosti jim postačí to, co najdou na těch dvou obchodních lodích."

„Mohli bychom zkusit proplout kolem nich," odpověděl Rhaskos, „jenže tím bychom je tak akorát na sebe upozornili. Očekávají, že loď naší velikosti se pokusí zasáhnout. Pokud to neuděláme, budou předpokládat, že máme buď malou posádku, nebo vezeme někoho nebo něco příliš vzácného, než abychom riskovali. V každém případě po nás půjdou."

„A co obrátit a dát se na útěk?" navrhl Sabinus.

„Tím bychom jim rovnou řekli, že máme nahnáno, a vzhledem k takové spoustě nemocných veslařů by nás za pár hodin dostihli. Jediné, co můžeme udělat, je blafovat. Vydám Gaidrovi a jeho mužům rozkaz k vyzbrojení posádky. Vyplujeme přímo proti nim, jako bychom do nich chtěli narazit, a budeme se modlit ke všem myslitelným bohům, aby se ta sebranka dala na útěk."

„Kolik luků máte?" zeptal se Sabinus a vzpomněl si na předchozí setkání s piráty.

„Víc než posádky," odpověděl Rhaskos a běžel vydat rozkaz Gaidrovi, aby otevřel lodní sklad zbraní.

Vpředu zatím triéra dostihla první z obchodních lodí. Vespasián sledoval, jak přes záď malé lodi přelétly háky a je vlečena do smrtelného objetí. Na kořist se vyvalil proud mužů z pirátské galéry. Teď už se přiblížili natolik, že slyšeli výkřiky obránců, které piráti pobíjeli v těsném prostoru jejich malého námořního světa. Druhá obchodní loď pokračovala v plavbě.

Než se piráti zmocnili první obchodní lodi, shromáždila se posádka quinquerémy a Gaidrés se svými muži na palubě. Každý byl vyzbrojen lukem a – k Vespasiánovu údivu, který byl vlastně bezdůvodný, protože šlo přece o Thráky – také rhomphaiou připevněnou popruhy na zádech.

Rhaskos vydal rozkaz a bubeník zvýšil tempo na útočnou rychlost. Práskání biče na zádech lopotících se otroků dole nabralo na síle, jak je pobízeli k rychlejšímu rytmu.

Quinqueréma vyrazila vpřed. Její mohutná ostruha prorážela vlny a vířila vodu pod přídí do bílé pěny. Hnala se k pirátské triéře, ze které je už zahlédli a právě v tu chvíli se snažili rychle odpoutat od nově získaného úlovku. Kmenová posádka ponechaná na palubě obchodní lodi odhazovala háky. Triéra překvapivou rychlostí provedla obrat o sto osmdesát stupňů a postavila se proti quinquerémě. Piráti očividně neměli v úmyslu utíkat.

Gaidrés okamžitě začal organizovat posádku do malých oddílů, v jejichž čele vždy stanul jeden z jeho námořníků. Rozestavil je po lodi, aby zasypali šípy zaplněnou palubu pirátského plavidla. Několik námořníků pobíhalo mezi nimi s měchy s vodou. Magnus se protlačil mezi posádkou následován Sitalkem, Artebudzem a Drenidem.

„Vypadá to, že mají v úmyslu pustit se do boje muže proti muži," poznamenal klidně a podal Vespasiánovi a Sabinovi luk a toulec. Pak si upravil srp, který si vzal od mrtvého Zila, a postavil se k zábradlí.

Sabinus nasadil šíp a zamyšleně se usmál. Všechny stopy mořské nemoci vlivem vzrušení zmizely. „Pár dobrých salv by mělo k vyřízení té sebranky stačit. Ani se nedostanou do naší blízkosti," pronesl s důvěrou, zatímco quinqueréma minula mys na severním výběžku Kythéry.

Lodě už teď dělil necelý kilometr. Vespasiánovi vyschlo v ústech, jak se vzdálenost mezi nimi s každým úderem bubnu zmenšovala. Sáhl po jílci meče a povytáhl ho, aby se ujistil, že zbraň je v pochvě volná, a pak vyňal z toulce šíp. Všude kolem něj muži prováděli nejrůznější osobní rituály před bojem. Na palubě vládlo napjaté ticho přerušované pouze rytmickými údery bubnu a nepravidelným práskáním biče v podpalubí.

Ve vzdálenosti dvě stě kroků vystřelili piráti neuspořádanou salvu šípů, která dopadla do vody. Na palubě quinquerémy se ozval zaražený jásot. Gaidrés posádku povzbudil v thráčtině a muži znovu zajásali, tentokrát přesvědčivěji.

Když se příď quinquerémy zvedla na vlnách, druhá dávka šípů našla cíl, ale střely šly do prázdna a většina se jich odrazila od trupu. Z těch, které se dostaly až na palubu, si jen pár zachovalo dostatek rychlosti, aby pronikly prkny. Jeden člen posádky klesl k zemi se šípem v rameni. Vzápětí mu jej vytáhli a on znovu zaujal své místo. Rána jen lehce krvácela.

Gaidrés zavolal něco thrácky a posádka pozvedla luky a namířila. Vespasián, Sabinus a Magnus se připojili k ostatním a čekali na rozkaz k vypuštění šípů. Gaidrés zvedl paži do vzduchu a vyčkával. Sledoval, jak se příď triéry zvedá a klesá.

Ve vzdálenosti devadesáti kroků prudce spustil paži.

Přes padesát šípů vylétlo k pirátské lodi. Salva ji zasáhla v okamžiku, kdy její příď klouzala dolů, takže se objevila větší část její paluby a kolem stovky mužů na ní – zkosila jich přes tucet ve chvíli, kdy se pokoušeli chaoticky znovu střílet.

Dunění bubnu se zrychlilo a quinqueréma vyrazila narážecí rychlostí vpřed.

Vespasián rychle znovu nasadil šíp a čekal na rozkaz ke střelbě. Podobně jako zbytek jásající posádky důvěřoval Gaidrově schopnosti vystihnout ten správný okamžik.

Gaidrés znovu prudce spustil paži a oni vystřelili další perfektně načasovanou salvu.

Oslavný pokřik, zatímco znovu připravovali luky ke střelbě, přerušilo volání hlídky na levoboku. Jásot přešel v hromadné zasténání. Vespasián se ohlédl přes levé rameno a spatřil, jak ze stínu mysu asi kilometr a půl za nimi vyplula další loď a míří rovnou k nim.

Byli v pasti.

„S těmi teď nic nezmůžeme," zvolal Sabinus, který také spatřil hrozbu. „Nejdříve musíme skoncovat s těmihle neřády."

Triéra už byla necelých třicet kroků od nich. Gaidrova paže znovu klesla, ale tentokrát bylo načasování špatné. Většina z třetí salvy skončila v trupu pirátské lodi a způsobila jen nepatrné škody.

Na Rhaskovo zvolání se thrácká posádka zachytila za bok lodi.

„To bylo připravit se na náraz," zavolal Vespasián na Magna a Sabina.

„Děkuju, pane," odpověděl Magnus a sevřel zábradlí. Za celou dobu se thrácky nenaučil.

Vespasián se zapřel o paže a rozkročil se s jednou nohou vpředu. Obě lodě se střetly.

V úplně posledním okamžiku se triéra stočila doleva a zatáhla vesla na pravoboku.

Vespasián zaslechl Rhaskův rozkaz a cítil, jak se loď zakymácela doprava ve snaze zabránit triéře ve zlámání vesel na jejím pravoboku. Kapitán pirátů na to byl připraven. Když se příď těžší quinquerémy otočila, zatáhl vesla na levoboku a prudkým záběrem kormidelních vesel vrátil menší, pohyblivější loď zpět na původní kurz. Triéra se otřela o levobok většího plavidla, vypustila salvu na krátkou vzdálenost a po ní následoval výsadek mužstva.

Vespasián nedokázal posoudit, jestli poslední Rhaskův rozkaz obsahoval něco o zasunutí vesel, ale pokud ano, přišel příliš pozdě. Pirátská triéra narazila do vesel na levoboku quinquerémy, rozdrtila tlusté dřevěné žerdě jako větvičky za rachotu, který byl v rozporu s lehkostí, s jakou praskaly. Lodě se s každým nárazem divoce chvěly a obránci i útočníci padali po palubách. Otroci v podpalubí řvali ve zmučené agónii, když je prudce zasáhly rukojeti vesel, ke kterým byli připoutáni, drtily jim obličeje nebo hrdla, lámaly jim hrudní koše a odhazovaly je z pokálených lavic. Ale vzápětí jejich pohyb prudce zarazila železa kolem nohou, která byla připevněná k podlaze. Když setrvačnost triéry tlačila pahýly vesel stále dál, ti z otroků, kteří měli tu smůlu a nezahynuli hned, podstupovali další mučení, neboť byli napínáni mezi pouty, až šlachy v jejich zápěstích další tah nevydržely. Silný tlak urval otrokům ruce, ty se jako děsivé střely rozlétly vzduchem a s odporným duněním dopadaly na palubu. Vzrůstající hysterie zdravých otroků na protější straně přešla při tom pohledu v čirou paniku.

Přestali veslovat.

Bez záběru vesel na pravoboku se quinqueréma začala otáčet a odtahovala se od svého mučitele, který pokračoval v přímém směru. Když jeho příď dospěla na úroveň stěžně, přestala lámat vesla a třicetičlenný výsadek dočasně uvízl na palubě quinquerémy. Prudké otřesy skončily a paluba se ustálila.

Jako na povel všichni okamžitě vyskočili. Každému muži bylo jasné, že jen chvilkové zpoždění by mohlo znamenat smrt. Na luky byly oba tábory příliš blízko, proto se vrhly proti sobě. Vespasián skočil vpřed a tasil meč, zatímco všude kolem něj se zasvištěním vylétly z pochev srpy. Vrhl se na štít nejbližšího protivníka. Bez svého vlastního štítu vrazil levým ramenem do kůží pokrytého dřevěného *hoplonu* tak silně, že donutil jeho majitele o krok ucouvnout. Záblesk železného ostří ve vzduchu, když pirát máchl vrchem zbraní, přinutil Vespasiána zvednout meč nad hlavu, aby se kryl, a ten se střetl s útočníkovým zápěstím. Jeho meč zavibroval a na tuniku mu vystříkla krev. Pirát se zaječením stáhl paži a jeho ruka, stále svírající meč, dopadla na palubu. Rychlé bodnutí do krku ukončilo mužův život. Vespasián rychle popadl jeho štít, dřepl si a rozhlédl se. Napravo od něj se Sabinus a Artebudz pustili do zoufalého boje muži proti muži. Nalevo si Magnus a Sitalkés spolu s Gaidrem, jeho námořníky a zbytkem posádky klestili srpy cestu skrz zaskočený pirátský výsadkový oddíl jako ženci v poli pšenice. Piráti, zvyklejší na útoky lodí v jižním Egejském moři, kde obránci bojovali meči (pokud vůbec), ustupovali před tou spoustou dlouhých ostří, které jejich majitelé třímali v obou rukou mimo dosah jejich kratších zbraní. Bez disciplíny při zformování vojenské hradby ze štítů vpustili Thráky mezi sebe a zaplatili za to údy a hlavami, které teď posévaly zakrvácenou palubu.

Vespasián postoupil doprava a zabodl hrot meče do oka Sabinova protivníka. Pak se postavil proti mladému muži se zoufalým výrazem, který v chvějící se ruce třímal meč a ustupoval k zábradlí. Vzduchem mezi nimi prolétla hlava a obličej mladého piráta potřísnila krev. Vespasián naznačil výpad vpřed. Muž zakňučel a vrhl se přes palubu. Vespasián se rozesmál.

„Co ti, do Hádu, připadá k smíchu?" zavrčel za jeho zády Sabinus.

Vespasián se obrátil k bratrovi zacákanému krví, který na něj nevěřícně zíral. Všude kolem leželi mrtví piráti a několik Thráků. Boj skončil.

„Právě jsem potkal někoho, kdo raději utonul, než aby zemřel aspoň s trochou důstojnosti," pousmál se. „Ačkoli vlastně nevím, proč je to k smíchu," dodal a ovládl se.

Hovor přerušil Rhaskův hlasitý rozkaz. Bratři vzhlédli. Sto kroků vzdálená triéra vysunula vesla a obracela se. Ovšem horší bylo, že druhá loď už byla od nich vzdálená jen něco přes kilometr a rychle se blížila. Zatímco ji pozorovali, zaslechli nezaměnitelný zvuk bubnu, který změnil tempo na útočnou rychlost.

Vespasián pohlédl přes zábradlí. Více než polovina vesel dole scházela. Ta, která zůstala na svém místě, visela ochable do vody. I laikovi bylo jasné, že nějaký čas potrvá, než bude loď znovu schopna manévrovat. Byli bezmocní a vystaveni útoku obou triér. Rovněž jim scházela posádka, aby odrazili piráty ze dvou lodí. Vespasián věděl, že podlehnou.

„Sabine," zavolal a rozběhl se k Rhaskovi na zádi, „běžte s Magnem vytáhnout Rhoteka z klece."

Kličkoval chaosem na palubě, kde posádka odhazovala mrtvoly a odťaté údy do moře. Gaidrés zatím znovu rozděloval muže do skupin schopných odrážet útočníky na obou stranách lodi. Našel Rhaska ve vzrušeném hovoru s dozorcem otroků.

„Rhasku," přerušil Vespasián jejich debatu, „potřebujeme víc mužů."

Rhaskos na něj pohlédl jako na blázna. „A kde je mám uprostřed moře asi tak vzít?"

„Dole je jich přes dvě stě."

„Jsou to otroci, potřebujeme, aby veslovali."

„Ale teď neveslují a na útěk nemáme čas. Zemřeme a oni taky, když půjde loď ke dnu. O tohle přece šlo ve tvém snu, musíš je všechny osvobodit a dát jim zbraně. Naše věc je teď i jejich, pokud chtějí přežít."

Rhaskos pohlédl směrem k triérám. Jejich blízkost mu usnadnila rozhodování. „Máš pravdu. Když budou bojovat na naší straně, možná dokážeme odrazit oba útoky. Ať Gaidrés přinese všechny volné zbraně k poklopu." Pohlédl na dozorce, který jen zmateně stál. Očividně mu dělala starosti pomsta, kterou by na něm a jeho druzích mohly chtít vykonat více než dvě stovky ozbrojených otroků. Jako by mu četl myšlenky, Rhaskos řekl: „S tím, co se stane, si budeme dělat starosti potom, pokud vůbec nějaké potom přijde. Vezmi si klíč a všechny je odemkni. Sejdu dolů a promluvím k nim."

Vespasián spěchal najít Gaidra; vtom na palubu dopadla salva šípů z bližší triéry a o další vzácné životy snížila počet obránců.

„Bojovat po boku otroků," zamračil se Gaidrés, když mu vysvětlil plán, „to je novinka. Doufejme, že budou bojovat s námi, a ne proti nám."

„To zjistíme jen jediným způsobem," podotkl Vespasián a zamířil k poklopu od veslařské paluby. Celou lodí projelo prudké zachvění a srazilo ho na palubu těsně u poklopu. První triéra do nich narazila, ale naštěstí nedokázala dosáhnout dostatečné rychlosti, aby její bronzové rostrum proniklo prkny trupu. Zato druhá triéra potřebnou rychlost rozhodně měla a byla teď vzdálená jen asi tři sta kroků. Vespasián odhodil štít a slezl po žebříku na veslařskou palubu.

Rhaskos mluvil k otrokům. „Máte na vybranou: utonout u vesel, když se loď potopí, nebo bojovat s námi jako svobodní muži, abyste podle vůle bohů žili, nebo zemřeli. A pamatujte, jestli zvítězí piráti, znovu vás připoutají k veslům, ale pokud je odrazíme, budete pořád svobodní a já po návratu do Thrákie požádám královnu, aby vaši svobodu potvrdila. Jak se rozhodnete?"

Vespasián otevřel dveře do malé přední kajuty. Uvnitř právě Magnus odemykal knězi pouta na nohou, zatímco Sabinus ho přidržoval.

„Hoďte sebou, chlapci," pobídl je Vespasián.

„Co se děje?" zeptal se Magnus a ve spěchu zápasil s Rhotekovými řetězy.

„Verbujeme malé vojsko," odvětil Vespasián, když se mezi otroky ozvalo mohutné zajásání.

„Zbavte je pout," zavolal Rhaskos do vřavy.

Dozorce a jeho druhové začali postupovat od lavice k lavici a rychle otáčeli klíči, aby mohli dychtiví bývalí otroci odhodit své okovy.

„Snad mi Amfiaráos dobře poradil, co mám udělat, snad jsem si jeho vzkaz nevyložil špatně," řekl Rhaskos Vespasiánovi, když se kolem něj protáhl cestou na palubu s jásajícími bývalými otroky v zádech.

„Jak to myslel?" zeptal se Sabinus. Vlekli s Magnem stále spoutaného a bručícího Rhoteka dveřmi kajuty.

Než mohl Vespasián odpovědět, rozlehl se veslařskou palubou ohlušující praskot. Loď se naklonila na pravobok a vyhodila všechny do vzduchu. Všude kolem létaly ostré dřevěné třísky. Trupem za burácení valící se vody proniklo dovnitř bronzové rostrum a mířilo rovnou na Vespasiána. Náhle se zarazilo asi na šířku dlaně od místa, kde ležel, a ozvalo se další zadunění, jak do trupu quinquerémy vrazila příď útočící lodi. Vzduch naplnily úzkostné výkřiky. Loď se znovu zahoupala, zvedla rostrum, které dál rozšiřovalo trhlinu a za ohlušujícího praskotu drtilo prkna. Dovnitř se hnala pod vysokým tlakem voda. Loď se zhoupla zpátky, rostrum se zaduněním udeřilo do paluby, roztříštilo ji a proniklo dolů do podlodí, kde rozmačkalo na kaši hrstku bezmocných otroků, kteří mu leželi v cestě. S dalším zaskřípěním se loď usadila a rostrum se vrátilo zpátky na veslařskou palubu, kde zůstalo a výhrůžně se pohupovalo, jako nějaké divoké zvíře chystající se zaútočit, těsně před Vespasiánovým obličejem.

„Do Bakchovy prdele," pronesl ochraptěle a vytřeštěnýma očima zíral na bronzovou špici rostra. Stálo na ní v řečtině: „Pozdravujte Poseidona." Zpátky dolů do podlodí odpadl kus rozdrceného otroka.

Magnus se vzpamatoval jako první. „Pojď, pane," zavolal a vlekl Vespasiána ven z vířící vody. Bývalí otroci se řítili kolem, přeskakovali přes nejisté rostrum a hnali se po žebříku pryč od veslařské paluby, kterou hrozivou rychlostí zaplavovala voda. Dozorci spěšně osvobodili zbývající veslaře a přidali se k prchajícím. Ti příliš zmrzačení zůstali dole a žalostně volali o pomoc, zatímco voda stoupala. V mřížích na podlodí se objevily něčí prsty, ale mříže zůstaly zamčené a rostrum mařilo jakoukoli naději na únik přes rozdrcenou palubu.

Magnus se protlačil k žebříku. Sabinus za sebou vlekl Rhoteka, který v hrůze blábolil. Vespasián, jenž se mezitím jakž takž vzpamatoval, je následoval a vydrápal se na hlavní palubu.

Tam popadl svůj štít, tasil meč a rozhlédl se. Ten pohled budil hrůzu. Před nimi se z přídě druhé triéry, která byla stále zaklesnutá v trupu quinquerémy, vrhali na palubu piráti. Ocitli se v divoké vřavě, která ještě vzrostla po příchodu nově vyzbrojených bývalých otroků. Ti, hnáni čerstvě uvolněným nahromaděným hněvem za léta lopoty, bojovali jako vzteklí psi, nedbali na vlastní bezpečí, protože znovu zakoušeli vzrušení ze svobodné vůle. Léta strávená v okovech u vesel v té temné kobce se náhle rozplynula a oni používali své mocné údy k mrzačení a zabíjení, cenili zkažené zuby v dlouhých slepených vousech a ječeli, skoro radostí, jako běsi.

Vespasián viděl, že piráty na přídi pomalu zatlačují zpátky. Rozběhl se po palubě k místu, kde se pomocí háků chystala k vylodění posádka druhé triéry. Širší konec tady znamenal, že se mohlo nalodit více útočníků a boj bude méně jednostranný. Piráti, kteří předtím byli svědky toho, co se stane, když si mezi sebe vpustí Thráky vyzbrojené srpy, tentokrát vytvořili hradbu ze štítů. Choulili se za nimi, uhýbali před máchajícími smrtícími srpy a pomalu, ale vytrvale postupovali a zatlačovali posádku a námořníky, kteří jen s potížemi drželi pozice. Na křídle nejblíže u sebe, vedle zábradlí, zahlédl Vespasián Sabina s Magnem. Oba drželi štíty, kterých se zmocnili v předchozím boji. Stáli rameno vedle ramene a odráželi hradbu pirátů. Sabinus mechanicky podnikal výpady mečem a Magnus se pokoušel udržet srp v jedné ruce. Vespasián spěchal k nim a dával si pozor, aby neuklouzl na krvi, která tekla všude po palubě. Vtlačil se mezi bratra a zábradlí. Zvedl štít pevně před sebe a začal bodat do nepřátel.

S postupující pirátskou linií se mohli nalodit další jejich druhové, kteří zvyšovali nápor na Thráky, jejich řady řídly s tím, jak byli zatlačováni od zádě. Několik útočníků přišlo o nohy. Leželi teď ječící na palubě a z pahýlů jim stříkala krev. Ale jinak zůstala jejich linie neporušená.

„To vůbec není dobré," přerývaně oddechoval Sabinus, když byl donucen ustoupit o další krok a téměř ztratil rovnováhu, jak se loď najednou naklonila k přídi. „Potápíme se. Musíme si vzít jejich loď, ne naopak."

„Obrátíme je, aby byli zády směrem k boji na druhé straně," zasténal Vespasián, protože právě při výpadu naplno bodl do dřevěného štítu. „Potom by je otroci mohli dostat zezadu."

„Nebo taky piráti zaplaví celou palubu."

„Ne, pokud se domluvíme a všechno proběhne hodně rychle. Počkej, až zavolám, a pak rychle uvolni prostor."

Sabinus přikývl. Vespasián ustoupil z linie obránců a spěchal na opačný konec vřavy. Tam našel Gaidra se Sitalkem a Drenidem, jak útočí brutálními ranami srpy na těsně nahloučenou hradbu ze štítů. Nedařilo se jim však pomalý postup zastavit.

„Gaidre, za mnou!" zavolal. „Sitalku, drž pevně levou stranu linie, až pravá ustoupí."

Mohutný Thrák voláním potvrdil, že rozumí, a pokračoval ve zběsilém bušení do štítu před sebou.

S Gaidrem těsně za zády spěchal Vespasián do boje na přídi. Palubu posévaly mrtvoly. Zběsilý výpad bývalých otroků přiměl piráty ustoupit, za těžkých ztrát na obou stranách, na jejich loď. Tady zoufale bojovali, aby zabránili svým divokým dlouhovlasým protivníkům v nalodění se, zatímco veslaři triéry zabrali do vesel ve snaze vyprostit rostrum z trupu quinquerémy.

„Gaidre, potřebuju, aby s námi šlo aspoň padesát našich veslařů. Dokážeš je zvládnout?"

„Pokusím se," odvětil námořník a pohlédl nervózně na zdivočelou tlupu.

Do výkřiků a třeskotu zbraní zazněl vysoký skřípavý zvuk dřeva odírajícího dřevo a paluba se zlověstně naklonila. Triéra se vyprostila. Bez podpírání rostrem klesla příď quinquerémy do vln.

„Pospěš si, Gaidre," naléhal Vespasián, „nezbývá moc času."

Gaidrés s úšklebkem vešel do útočícího davu a voláním si sjednal pozornost. Bývalí otroci vyzbrojení luky zahájili divokou přestřelku s posádkou vzdalující se triéry. Umírající muži obou stran se s vytím vrhali do vířící vody a svírali šípy, které jim trčely z těl.

Gaidrovi se brzy podařilo nastolit mezi většinou bývalých otroků pořádek a připravit je na výpad. Vespasián zkontroloval, že je nikdo neohrozí zezadu. Pak zvedl zrak k odplouvající triéře, vzdálené teď nějakých třicet kroků. Na krátký okamžik pohlédl do očí známé postavě stojící na přídi. Byl to ten zraněný kapitán pirátů ze svatyně. V jediném oku mu zuřivě plálo a na Vespasiána vychrlil proud nadávek. Pak rychle zalezl pod obrubnici, když je zasypala další salva z luků bývalých otroků.

Vespasián rychle překonal šok z té náhody a zařval ze všech sil: „Sabine, teď!"

Sabinus na opačném konci lodi zaslechl bratrovo volání a spolu s Magnem se okamžitě stáhli a vzali s sebou Thráky nalevo. Sitalkés si držel svoji pozici uprostřed a linie se kolem něj otočila. Piráti se vrhli vpřed a neuvědomili si past, když se na ně Vespasián a Gaidrés hnali po svažující se palubě v čele více než stovky rozcuchaných ječících divochů.

Se svou zdaleka neukojenou krvelačností vpadli pirátům do zad, drásali je v záplavě krve a vnitřností se zběsilostí, která Vespasiána šokovala, i když sám zabíjel. Radost z opětovně zakoušeného pocitu svobody u otroků sílila, když si brali život za životem v zabijáckém řádění, které bylo téměř stejně brutální jako jejich existence v několika uplynulých letech.

Piráti, lapení mezi zuřivým proudem za svými zády a blýskajícími se srpy před sebou, věděli, že jsou odsouzeni k smrti, a protože nečekali milost, rozhodli se, že své životy levně neprodají. V několika posledních okamžicích před smrtí bojovali se zběsilostí, kterou se vyrovnali svým protivníkům. Jejich počet však rychle klesal a jejich řady prořídly.

Vespasián vnořil svůj meč do dalších obnažených zad a otočil zápěstím zleva doprava. Muž zaječel, prudce zaklonil hlavu, která mu po náhlém záblesku sklouzla z ramenou. Z rozevřeného krku vystříkla krev, jak mužovo srdce pokračovalo v práci. Tělo se zhroutilo na palubu a rudý déšť ustal. Vespasián hleděl přímo na Sitalka, který s planoucím zrakem a vyceněnými zuby máchal srpem proti němu. Vespasián instinktivně ucukl, zvedl si štít před obličej a ostří dopadlo na jeho okraj s takovou prudkostí, až vylétly jiskry.

„Sitalku, dost!" vykřikl a sklonil štít.

Sitalkés se zarazil a hleděl na Vespasiána, pak se omluvně usmál. V tom okamžiku na něj se zavytím skočil jeden z bývalých otroků pokrytý krví a vnořil mohutnému Thrákovi nůž do hrdla.

„Neeee!“ zařval Vespasián, když Sitalkés klesl k zemi, zatímco šílený divoch mu do krku zasazoval stále nové a nové rány. Vespasián popadl muže za zcuchané vlasy a odtáhl ho. Otrok se obrátil, něco nesrozumitelně zaječel a pak podnikl výpad nožem proti Vespasiánovu stehnu. Vzduchem prolétlo ostří a uťalo mu paži a pak dalším pohybem nahoru ho připravilo o hlavu.

„Ty jeden malý hajzle!“ Magnus v zuřivosti znovu švihl srpem a zbytečně rozpáral mrtvole břicho.

Všude po celé linii se odehrávaly podobné scény, neboť bývalí otroci se probili přes poslední piráty a stanuli tváří v tvář Thrákům. Zazněly varovné výkřiky a obě strany se střetly. Přestože proti nim stála těžká přesila, Thrákům se dařilo díky dlouhému dosahu zbraní a lepší disciplíně odrazit spojence, ale předtím bývalí otroci stačili obklíčit a ohavně podříznout dozorce a jednoho z jeho druhů. Pachatelé byli okamžitě popraveni svištícími ostřími srpů a to konečně uklidnilo jejich zběsilost. Oba tábory svěsily zbraně. Muži na sebe zírali s opatrnou nedůvěrou a ztěžka oddechovali.

Na lodi zavládlo přízračné ticho.

Vespasián se ohlédl. Příď už byla téměř celá zatopená. Quinqueréma se držela na hladině jen díky tomu, že pirátská loď, nyní bez bojující posádky, se k ní přihákovala čtyřmi napínajícími se lany.

Druhá triéra nyní spěchala k sesterské lodi ve snaze nalodit se na ni a zabránit Thrákům v jejím získání.

„Přestoupit na triéru,“ zařval Vespasián, „a připravit se k odražení útočníků.“

Při jeho zvolání najednou došla vyčerpaným mužům prekérnost celé situace. Oba tábory mlčky uzavřely příměří a rychle se připravovaly na opuštění lodi.

„Lučištníci za mnou,“ zvolal Sabinus a přeskočil přes zábradlí na triéru, jejíž příď pomalu stahovala váha potápějící se quinquerémy. „Zadržíme je tak dlouho, jak jen to půjde.“

Asi padesátka členů posádky a otroků vyzbrojených luky ho následovala.
„Vezmeme s sebou všechny naše raněné, a to i otroky," zvolal Gaidrés, aby ho všichni slyšeli. „Jak je na tom obr?"
Magnus poklekl vedle Sitalka a snažil se nahmatat známky života. Žádné nezjistil. „Je mrtvý," pronesl otupěle.
„Dám přenést jeho tělo na triéru. Královna mu bude chtít uspořádat čestný pohřeb. Drenide!"
„Kde je Rhotekés?" zeptal se Vespasián.
„Nechal jsem ho s Artebudzem na zádi," odpověděl Magnus a přihlížel, jak Gaidrés s Drenidem odnášejí Sitalka a vyhýbají se zbývajícím členům posádky a bývalým otrokům, kteří mezi ležícími těly pátrali po přeživších.
„Postarám se o něj. Ty běž pro naše věci. Nezapomeň hlavně na ten svitek."
Magnus nereagoval.
„No tak, jinak se k němu připojíme všichni."
Magnus sebou škubl a probral se z ochromení. Spěchal do malé kajuty na zádi poškozené lodi posbírat jejich věci.
Všude kolem v lehce se vzdouvajícím moři pluly mrtvoly. Voda už dosahovala až ke stěžni, po němž právě slézal člen posádky se zachráněnou thráckou královskou standartou. Vespasián našel v okolním zmatku Artebudze, který za pouta vlekl ječícího Rhoteka k triéře. Nad hlavami jim začaly létat šípy. Právě se rozpoutal souboj s druhou pirátskou lodí.
Quinqueréma se náhle zakymácela. Gaidrés přesekl přední lano, aby uvolnil tlak na triéru, která už se naklonila tak nízko k hladině, že dolní otvory pro vesla byly jen na šířku dlaně nad vodou.
„Pospěš si, Artebudzi," zavolal Vespasián a snažil se udržet rovnováhu na uklidňující se lodi.
„Nechce jít, pane," namítl Artebudz a vlekl vzpouzejícího se kněze dalších pár kroků po prudce se svažující palubě.
„No tak dělej, ty hnido," popadl ho Vespasián za tuniku. „Co se děje? Nechce se ti opustit tuhle prokletou loď?"
„Moji bohové mě odnesou do bezpečí, jen když zůstanu na thrácké lodi," zaskřehotal Rhotekés. V krví podlitých očí mu plál zbožný zápal.

„Druhá pirátská loď vás všechny zabije, ale já budu zachráněný, pokud tady zůstanu."

„Nemluv nesmysly." Vespasián se zasmál, když dorazili k zaplněnému zábradlí. „Kdybys pro mě neměl takovou cenu, nechal bych tě tady a díval se na tvoje zklamání."

„Říkal jsem přece, že tahle loď nikdy do Říma nedopluje."

„To nebylo tak těžké předpovědět," podotkl Vespasián se škodolibým úšklebkem a zvedl kněze přes zábradlí. „Řím není přístav. My neplujeme tam, ale do Ostie, tak se dej vycpat i se svými předpověďmi."

Společně s Artebudzem přehodili kněze na triéru, kde přistál s hlasitým zaduněním a vyjeknutím. Artebudz přelezl za ním a vlekl ho pryč.

Gaidrés přeťal nejzazší lano a quinqueréma se znovu zakymácela. Těla začala sklouzávat po palubě. „Pro lásku Bendidy, pospěšte si," zaječel, „už ji dlouho nezadržím."

Otroci připoutaní k veslům triéry zoufale křičeli, když viděli, jak voda stoupá stále výš k otvorům pro vesla.

Vzduchem zasvištěly šípy. Střelecký souboj zesílil s příchodem dalších a dalších Thráků a jejich nepravděpodobných spojenců, kteří přinutili pirátskou loď udržovat si odstup.

Poslední členové posádky přelézali přes zábradlí, když se objevil Magnus. Vydrápal se k Vespasiánovi s jejich vaky a oba skočili na triéru. Jako poslední přelezl přes zábradlí Rhaskos. V náruči svíral truhlici a hlásnou troubu. Gaidrés a Drenis přesekli poslední dvě lana. Triéra se okamžitě zvedla, skoro až nad hladinu, a pak s ranou a hlasitým šplouchnutím dosedla zpátky. Všichni z více než dvou stovek mužů popadali na palubu. Piráti využili výhodu, že pro tu chvíli nikdo neopětuje střelbu, a mnozí z těch, co popadali, už nevstali.

Vespasián se zvedl na nohy. Při burácení ženoucího se větru se obrátil. Přímo za ním se záď quinquerémy zvedla a vztyčila se téměř dvacet metrů nad hladinu. Její stěžeň tím nesnesitelným tlakem praskl, mrtvá těla vystřelila do vzduchu a dopadla na hladinu za série šplouchnutí, jako když do vody vhodíte hrst kamínků. Otvory pro vesla vydechly zkažený vzduch, jak se vířící voda hnala jejím břichem. Plavidlo začalo zajíždět pod hladinu. Jeho dřevěný trup praštěl a sténal.

Kdysi hrdá loď byla za jásotu bývalých veslařů vtahována do hlubin Poseidonovy temné říše.

Pak zmizela a poslední výbuch vody rozhoupal triéru. Střelecká bitva, kterou přerušili, když obě posádky pozorovaly bázeň vzbuzující smrtelné křeče mohutného plavidla, se znovu rozhořela ještě silněji poté, co Sabinus vybídl své muže, aby stříleli rychleji. Pirátská loď obrátila záběr vesel, aby unikla před neustávajícím krupobitím šípů. Po dalších pár salvách Sabinus vybídl k ukončení střelby. Obě lodi se zastavily dvě stě kroků od sebe. Příliš blízko, aby některá z nich dokázala vyvinout potřebnou rychlost a způsobit dostatečně velké poškození vesel lodi druhé, natož prorazit trup, a přitom příliš daleko od sebe, aby jedna druhou ohrozila střelbou z luků. Dostaly se do patové situace.

Zavládlo ticho.

Bylo jich na thrácké palubě více než dvě stě padesát mužů, řada z nich vyzbrojena luky, takže se takový počet nedal zajmout výsadkem, ale stejně tak neměli dostatek zásob, aby dopluli do Ostie. Vespasiánovi bylo jasné, že musejí napadnout piráty, buď aby se přímo zmocnili jejich lodi, nebo aby alespoň nabrali proviant, než ji potopí. Potřebovali se pohnout vpřed, ale přitom stáli na místě, vesla svěšená do vody.

Běžel zpátky na příď, kde mezitím zaujal pozici Rhaskos. „Proč se nehýbeme, Rhasku?"

„Máme opět problém, příteli, ať nás bohové ochraňují," odvětil kapitán a zvedl dlaně k obloze. „Pirátští dozorci otroků zabili víc než stovku veslařů, než se k nim dostali naši muži, takže nemůžeme manévrovat. A až to pirátům dojde, stáhnou se dozadu, aby získali dostatek prostoru, naberou rychlost a narazí do nás."

„V tom případě potřebujeme, aby někteří z našich veslařů zaujali místa těch mrtvých – a rychle."

„Ano, jenže oni jsou teď svobodní. Jak je přesvědčíme, aby znovu veslovali, zvlášť bok po boku s otroky?"

„Osvobodíme otroky; stejně bych to udělal, protože spoustu z nich zajali z římských lodí. Promluv s našimi veslaři a pošli jich stovku za mnou dolů."

Zavolal na Gaidra, aby šel s ním, a sestoupil dolů na veslařskou palubu. Tam spatřil hotová jatka. Mrtví leželi schoulení přes vesla, odpravení divokými zásahy mečem do zad a hrudí. Ti, co přežili, seděli, v zapadlých očích strach, a netečně zírali na čtyři thrácké námořníky, kteří vyprošťovali mrtvé z okovů a vystrkovali je ven otvory pro vesla.

„Nejdříve uvolněte otroky, pak se zbavte mrtvol," rozkázal Vespasián Thrákům. Nechápavě na něj pohlédli.

„Slyšeli jste rozkaz. Hoďte sebou!" zvolal Gaidrés.

Thrákové pokrčili rameny a poslechli.

„Zůstanete na svých místech," zvolal Vespasián, aby ho všichni otroci slyšeli. „Potřebujeme, abyste veslovali, ale teď budete veslovat jako svobodní muži. Pokud odmítnete, všichni zahyneme. Jsou zde nějací římští občané?"

Přes dvacet mužů zvedlo spoutané ruce.

„Jste zproštěni povinnosti veslovat, běžte na palubu a najděte si tam každý zbraň."

Zbytek otroků začal protestovat.

„Ticho!" zaburácel Vespasián. „Římský občan nehrbí hřbet nad veslem. Vás ale nechrání občanství, proto budete veslovat. Pokud přežijeme, poplujeme do Ostie, kde můžete opustit loď, nebo, budete-li chtít, můžete se s ní vrátit na východ. Záleží na vás."

Ozvalo se souhlasné bručení.

Thrácký bubeník sestoupil po žebříku z hlavní paluby následován veslaři. Pohlédl na Vespasiána a ten ho kývnutím vybídl, aby zaujal místo za kulatým bubnem potaženým volskou kůží.

Thráčtí námořníci, vědomi si bezprostředně hrozícího nebezpečí, urychleně odklidili mrtvé z veslařské paluby a jejich místa zaujali náhradní veslaři. Vespasián a Gaidrés spěchali zpátky na hlavní palubu.

Vzduch naplnilo truchlivé volání racků, které přivábily trosky potopené lodi. Kroužili po obloze a spouštěli se k jedlým soustům, která posévala moře.

„Vypadá to, že mají dost, pane," podotkl Magnus a ukázal k pirátské lodi. Obrátila se a nyní byla asi půl kilometru od nich a rychle veslovala směrem na západ.

„Doufejme," odpověděl pochybovačně Vespasián. „Rhasku, veslařská paluba je připravená. Co myslíš, že bychom měli udělat?"

„Modlit se k bohům."

„A co pak?" vybuchl Vespasián a vrhl se ke starému kapitánovi, „usnout a doufat v další pomocný sen? Buď přece praktický, člověče! Pokusíme se dostat piráty a získat jejich zásoby? Nebo se dáme na útěk plní starostí, co budeme všichni později jíst? Jsi kapitán, tak rozhodni, co bychom my, lidé na téhle lodi, měli právě teď udělat."

Důraznost jeho výbuchu způsobila, že Rhaskos rychle zamrkal a pak se rozhlédl. „Neutíkají," pronesl jasným hlasem, „je to, jak jsem říkal – chtějí na nás najet, protože si myslí, že jsme pořád ještě ochromení. Stejně musíme plout na západ, tak bychom měli zamířit přímo na ně, pak si mohou vybrat – boj, nebo útěk." Popadl hlásnou troubu. „Útočnou rychlost," zavolal dolů na bubeníka, který okamžitě zareagoval. Začalo se ozývat vytrvalé bubnování. Nejprve pomalé, jak loď vyrazila na cestu, pak zrychlovalo, když veslaři, nyní svobodní a s opravdovým zájmem na přežití lodi, ochotně napínali svaly.

Pirátská loď provedla urychlený obrat, protože její kapitán spatřil, že thrácké plavidlo už není bezmocné, ale nyní se plnou rychlostí blíží přímo k němu.

„Je to blázen, pokud si myslí, že může znovu získat tuhle loď," řekl Magnus. Přistoupil k Vespasiánovi a Rhaskovi, kteří sledovali, jak se vzdálenost mezi oběma plavidly začíná zkracovat.

„Není blázen, jen zuří. Přišel o jednu loď, ale ne o zdravý rozum. Nechce nás zabrat, pokusí se nás potopit," odpověděl Vespasián a podruhé toho dne zkusil vysunout gladius z pochvy. „Nemá žádnou šanci, že vyhraje, ale pořád je možné, že všichni prohrajeme."

„Lučištníci připraveni," zavolal Sabinus a běžel na příď.

Navzdory odchodu přibližně stovky veslařů na veslařskou palubu, bylo na hlavní palubě pořád ještě přes sto mužů.

Thrácká loď změnila kurz mírně doleva.

„Co to provádíš, Rhasku?" zvolal Vespasián.

„To, v čem jsem dobrý," odpověděl Rhaskos a nespouštěl zrak z blížící se lodi. „Starej se o svou práci a nech mě, abych se soustředil na svoji."

Pirátská loď změnila směr, aby se jim přizpůsobila. Ve vzdálenosti dvě stě kroků se Rhaskos vrátil zpátky na původní kurz. Piráti také. Nyní nepluli přímo proti sobě a piráti měli možnost výběru – zlámat jim vesla, nebo se stočit víc doleva a pokusit se do nich pod mírným úhlem narazit. Když byly lodi vzdálené sto kroků, pirátská loď se rozhodla pro náraz.

„Narážecí rychlost!" zařval Rhaskos do trouby. Jakmile se záběry vesel zrychlily, stočil se doprava od pirátské lodi a vystavil thrácké plavidlo bokem k útočníkům, ale nyní veslovali dostatečně rychle, aby je minuli.

„Vypustit!" zvolal Sabinus. K pirátské lodi, teď vzdálené jen necelých padesát kroků, vylétlo mračno šípů. Zkropily trup a palubu a srazily k zemi další půl tucet mužů posádky. Po první salvě pokračovali Thrákové v soustavné střelbě, takže donutili pirátskou posádku, aby se skryla za obrubnicí.

Vespasián spatřil mohutného kapitána pirátů u kormidelních vesel. Nevšímal si deště šípů a řval na své muže, aby opětovali střelbu, zatímco se snažil vrátit loď zpátky na kurz na střetnutí. Ale bylo příliš pozdě. Ve chvíli, kdy už lodi dělilo jen třicet kroků, Rhaskos provedl další obrat doprava. Pirátská loď byla teď přímo za nimi a pronásledovala je. Na zaplněnou thráckou palubu dopadlo několik šípů. Pár raněných zakřičelo do dunění bubnu a vysíleného stěnání sto osmdesáti ochotných veslařů dole. Lučištníci neúnavně pokračovali ve střelbě.

Vespasián se protlačil k Rhaskovi. Starý kapitán se usmíval od ucha k uchu. „Tak jaké to bylo?" zavolal. „Obeplul jsem je bez jediné modlitby. Kéž mi bohové odpustí."

„Proč jsi je minul?" nechápal Vespasián. „Myslel jsem, že se je pokusíme dostat."

„Protože, můj mladý příteli, když se přiblížili a zamířili přímo na nás, došlo mi, že ses mýlil. Jejich kapitán přišel o rozum. Byl připravený ztratit loď, jen aby nás natruc zničil. Bylo to šílenství a já nerad bojuji s šílencem. Kdo ví, co provedou dál?"

Vespasián pohlédl přes Rhaskovo rameno na pronásledující pirátskou loď. „Co uděláme dál? Dohánějí nás."

„Budeme jim ujíždět, dokážeme udržovat narážecí rychlost déle než oni," zamrkal Rhaskos. „Gaidre, posílej dolů po dvanáctičlenných skupinkách náhradní veslaře, aby vystřídali ostatní, vždy dva páry vesel… A začněte od přídě."

Gaidrés kapitánovi potvrdil, že rozumí a začal shánět veslaře bez luků.

Vespasián se připojil k Sabinovi, který stál u zábradlí na zádi. Pirátská loď byla necelých dvacet kroků za nimi a pomalu se blížila – otroci na její veslařské palubě byli nemilosrdně bičováni, aby z nich vyždímali i tu poslední kapku sil. Vlny v podstatě znemožňovaly přesnou střelbu mezi loděmi a pirátský kapitán dál stál u kormidelních vesel a řval z plna hrdla navzdory Sabinovým opakovaným pokusům ho zastřelit.

„Ten chlap je snad nesmrtelný," zabručel, založil další šíp a pečlivě zamířil. Střela šla znovu mimo. „Má odvahu, že tam jen tak stojí, to se mu musí nechat."

Střídání vyčerpaných veslařů postupně neslo ovoce, jak se do vesel opřely odpočaté svaly. I římští občané se dobrovolně přihlásili, protože si uvědomovali, že na mrtvé se občanské výsady nevztahují. Thrácká loď se začínala vzdalovat. Prvních pár vesel na pirátském plavidle se zastavilo, jak se vyčerpaní otroci zhroutili, a útočníci začali ztrácet na tempu. Pirátský kapitán stočil loď k jihu, směrem na Kythéru, a vzdorně řval, dokud ho salva šípů nezahnala pod obrubnici.

„Cestovní rychlost," zavelel Rhaskos.

Údery bubnu postupně zpomalily a loď také.

„Děkuji Amfiaráovi, že mi ukázal cestu," zvolal Rhaskos k obloze. „Obětuju mu dalšího berana, až doplujeme do Ostie."

„Pokud se tam dostaneme," podotkl Vespasián. „Jak všechny ty lidi nakrmíme?"

„Bohové nám pomohou. O tom vůbec nepochybuju, protože nám ukázali, jak uniknout pirátům."

„Neukázali nám, jak piráty porazit," zamračil se Sabinus. „Nezdálo se ti snad o tom, jak zachránit posádku a zbavit se horečky otroků?"

Rhaskos vypadal sám se sebou spokojený. „Ano, ale nemůžeš popřít, že osvobození otroků skutečně ochránilo posádku před pirátským útokem. Pokud jde o zastavení nemoci, která se šířila mezi otroky, vydal jsem rozkazy, že mají pustit jen ty bez horečky. Všichni nemocní v podlodí utonuli. Teď jsme bez nákazy a měli bychom být schopni dokončit plavbu."

Vespasián pochopil, že Rhaskos má pravdu. Ve věštírně se skutečně dozvěděl odpověď na svoji otázku. Přistoupil k zábradlí, a zatímco si vychutnával zklidňující účinky chladivého větru a teplého slunce na kůži, uvažoval o všem, co spatřil a slyšel v Amfiaráově svatyni.

„Vypadá to, že ta svatyně je přece jen mocné místo, Sabine," řekl tiše bratrovi o chvíli později. Sledovali, jak pirátské plavidlo se zajatou obchodní lodí mizí k jihu, za Kythéru. „Co říkáš na to proroctví teď?"

„Nevím," odpověděl bratr. „Ale jedno je jisté, nikdy na ně nezapomenu."

„Já taky ne," přitakal Vespasián, zatímco jejich loď opustila kythérskou úžinu, vplula do Iónského moře a zamířila k Ostii.

ČÁST IV

ŘÍM, ČERVENEC ROKU 30 PO KR.

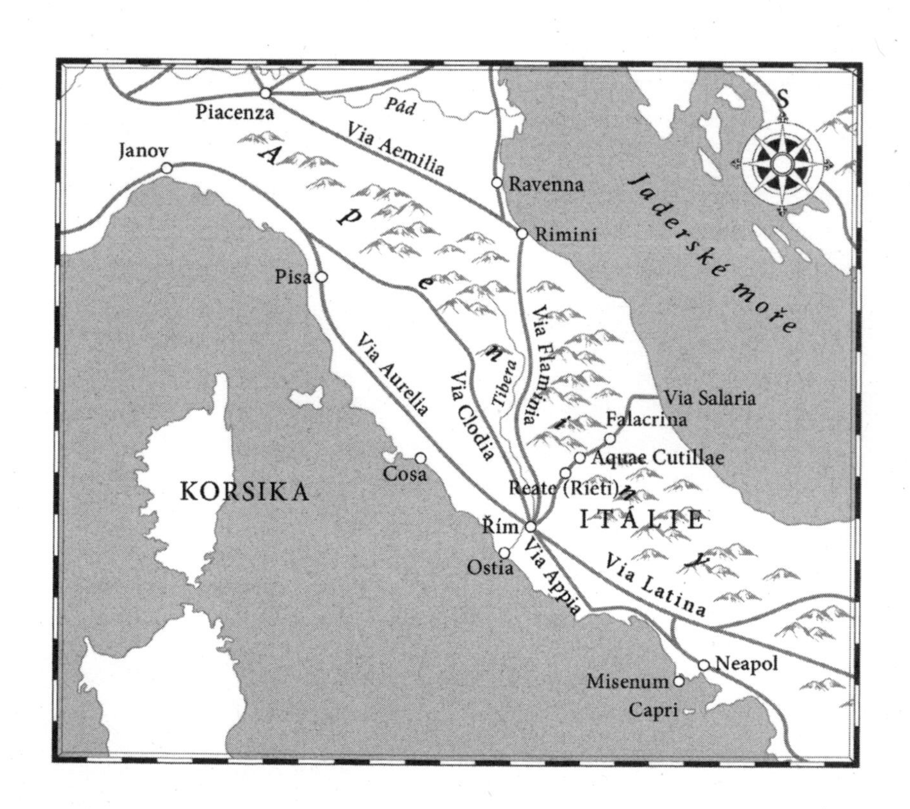

KAPITOLA X

TRIÉRA ZAKOTVILA u jednoho z mnoha dřevěných mol přístavu Ostie – hladových úst Říma – a na Vespasiánovy čichové buňky zaútočila záplava různorodých pronikavých pachů. Svěží slaná vůně mořského vzduchu se střetávala s bahnitým puchem Tibery, kterou proudila do Tyrhénského moře špína velkoměsta ležícího jen třicet kilometrů proti proudu. Smrad ze zvířecích mršin pohupujících se mezi loděmi a přístavišti se mísil s lákavými vůněmi pečeného vepřového, kuřecího a klobás, stoupajícími od kouřících ohřívadel obchodníků na nábřeží, kteří byli celí nedočkaví, aby prodali čerstvé maso námořníkům přejedeným okoralého chleba. Pytle pronikavě vonícího koření – skořice, hřebíčku, šafránu – z Indie a ještě vzdálenějších končin, vynášeli ze syrských obchodních lodí vedle plavidel z Afriky a Lusitánie, která vykládala své náklady silně vonící omáčky garum vyráběné z fermentovaných rybích vnitřností. Přehnaně navoněné děvky vábily nemyté námořníky. Dělníci z doků s dechem páchnoucím po česneku přijímali objednávky kupců vonících po levanduli. Potem zbrocení koně a muly táhli vozíky se sladkými sušenými broskvemi, fíky, datlemi a rozinkami. Hnijící ryby, chléb z pecí, potící se otroci, pryskyřicí vonící víno, stará moč, sušené bylinky, odleželé maso, konopná lana, podlodí plavidel a teplé dřevo. Z téhle kombinace se Vespasiánovi točila hlava. Přihlížel, jak thrácká posádka zajišťuje loď a spouští můstek za neustálého přílivu rozkazů od Rhaska.

„Byly chvíle, kdy jsem ztrácel naději, že se ještě někdy vrátíme, pane," připojil se k němu u zábradlí Magnus, „ale tohle rozhodně je Ostie."

„Vzhledem k tomu, že jsem tady poprvé, nezbývá mi než ti věřit," usmál se na přítele Vespasián. Pociťoval stejnou úlevu, že jsou konečně doma, jako on.

Nebyla to rozhodně přímá plavba, a to čistě z předvídaných logistických problémů, jak nakrmit takovou spoustu mužů. Zásoby, které našli v podpalubí, vystačily jen na pár dní, a přestože Rhaskos byl schopen za zlato v truhlici nakoupit v přístavech po cestě pytle se suchary, cizrnou a sušeným vepřovým, byli nuceni občas na dva tři dny zastavit, aby nalovili dostatek zvěře a alespoň částečně utišili hlad více než tří set padesáti mužů na palubě. Jejich plavba z Kythéry proto trvala téměř třicet dní, mnohem déle, než měli v úmyslu, ale uběhla alespoň bez nehody.

Když byla loď konečně uvázaná, Rhaskos se prodral na zaplněnou palubu. „Nuže, můj mladý příteli, tady se rozloučíme," prohlásil starý kapitán, který byl celý zpocený vysílením z toho, jak neustále křičel na svou posádku. „Přestože nevím, jak se dostanu domů, protože jsem použil všechno zlato, které jsem dostal od královny na zpáteční cestu."

„Jsem si jistý, že bohové ti pomohou," odvětil ironicky Vespasián a vzápětí své prostořekosti litoval.

Rhaskos ji naštěstí nepostřehl. Jen rozvážně přikývl. „Ano, máš pravdu. Dozajista mi pomohou."

Na nábřeží nastal pohyb a ozvalo se chraplavé volání. K dolnímu konci můstku se prodírala skupina dvaceti ozbrojených mužů. Přestože nebyli v uniformách, nezapřeli, že jsou vojáci. Každý byl ozbrojený gladiem. Avšak, a to bylo horší, kvalita jejich tunik a celkový upravený vzhled nasvědčovaly, že jde o členy pretoriánské gardy.

Vespasiánovi bleskl hlavou, že je někdo zradil, a pohlédl nervózně na Magna a Sabina, kteří se k němu připojili.

Vojáci se dostali až k dolnímu konci můstku a jejich velitel, vysoký, hubený zrzek s vyzáblým obličejem a bledou pletí jim gestem vydal povel k zastavení. Pak se ze skupinky vynořil elegantně oblečený vousatý Řek.

„Vítejte doma, páni," pronesl Pallas a zamířil po strmé rampě nahoru.

„Palle!" Vespasiána pohled na Antoniina správce ohromil. „Jak jsi věděl, kdy připlujeme?"

„Nevěděl," odvětil Pallas a hluboce se uklonil. „Čekám zde už deset dnů, od chvíle, kdy po souši přijel posel od královny Tryfeny a sdělil paní

Antonii, že jste koncem května odpluli z Tomidy. Poslala mě sem, abych vás a našeho společného přítele doprovodil do Říma."

„A tohle je podle všeho naše eskorta," podotkl Sabinus a pozoroval podezíravě oddíl mužů na nábřeží.

„Ano, pane. Vysvětlím to později, až kolem nebude tolik cizích uší." Pallas udělal posunek k posádce a bývalým otrokům, kteří se shlukli okolo nich, aby viděli, co se děje.

„Na to se těším," ujistil ho znepokojený Sabinus.

„Vraťte se všichni ke své práci," zakřičel najednou Rhaskos na sbíhající se mužstvo. „Tady není nic k očumování."

„Á, ty musíš být vznešený kapitán," zabroukal Pallas a uklonil se směrem k Rhaskovi, když se posádka začala vytrácet.

„Rhaskos, pane," zakoktal starý námořník, který nebyl na podobná oslovení zvyklý.

„Prosím, pane, neoslovuj mě tak, jsem obyčejný otrok."

Vespasián a Sabinus se usmáli. K Pallovi se hodilo jakákoli jiné označení, jen ne „obyčejný".

Rhaskos byl zaskočený. „Omlouvám se, totiž..."

„Prosím, neomlouvej se mi. Jmenuji se Pallas, pane."

„Pallas," zabrebtal Rhaskos, „aha. Děkuji..."

Pallas zvedl obočí. Rhaskos se zarazil v půlce věty. „Paní Antonia chtěla, abych tě informoval, pane Rhasku, že máš nakoupit zásoby pro svoji loď zcela na její náklady. Doručil jsem právě správci přístavu její dlužní úpis, který zaručuje plné uhrazení všeho, co budeš potřebovat."

„Ať jsou bohové pochváleni." Rhaskos zvedl dlaně k obloze. „Prosím vyřiď paní mé díky, pane... hm... Palle. Jsem jejím dlužníkem." Uklonil se a pak, protože si uvědomil svoji chybu, se rychle zarazil a dal se na spěšný ústup. Cestou hlasitě děkoval za své štěstí všem bohům, na které si jen dokázal vzpomenout, a že jich byla spousta.

Vespasián si byl jistý, že se Pallas tím rozhovorem dobře bavil, ale nebyl schopen to potvrdit, protože správce jako vždy zachovával zcela nezaujatý výraz.

„Měli bychom vyrazit, páni," pronesl a v jeho hlase zazníval naléhavý podtón. „Musíme jet rychle, jestli se máme dostat do Říma před soumrakem."

*

Za necelou hodinu už byli na cestě. Po rozloučení s Rhaskem, Drenidem a Gaidrem přepravili syčícího Rhoteka v kápi do krytého vozu, který na ně čekal spolu s jezdeckými koňmi nedaleko od zaplněného přístavu. Artebudz, který mířil na sever, do své horské vlasti v provincii Noricum, pokračoval s nimi a společně s Magnem hlídali v povoze kněze.

„Jsou to pretoriáni, přesně jak jste si mysleli, páni," informoval Pallas Vespasiána a Sabina, když rychlým klusem projeli branami Ostie. „Jde ale o pretoriánskou jízdu. Jejich dekurio Marcus Arrecinus Clemens..."

„Clemens?" přerušil ho Vespasián. „To jméno už jsem slyšel. Byl s Macronem a Hasdrem, když mě pronásledovali po Via Aurelia. Macro poslal Clementa s polovinou jízdy na sever, aby přehradili silnici, zatímco on se zbytkem se po mně vydali pátrat do Cosy."

„Ano, zachovává věrnost našemu novému příteli Macronovi," potvrdil Pallas. „Taky je náhodou klientem syna mé paní, Claudia."

„Jak k tomu došlo?" nechápal Vespasián.

„Nejspíš je to muž, který rád sází v cirku na nejnepravděpodobnějšího vítěze."

„Jenže je rozdíl mezi sázkou na někoho s malou šancí na výhru a na beznadějný případ," namítl Sabinus.

„Neřekl bych, že Claudius je beznadějný případ." Pallas pozvedl nepatrně obočí. „Jeho matka ho tak ovšem vidí, stejně jako imperátor a Seianus, ale právě díky tomu se stále drží v závodě. Možná lidem připadá jako hlupák, protože koktá, slintá a pajdá, a také kvůli své schopnosti pronést na veřejnosti ty nejnevhodnější věci. Protože trousí ubohé vtipy pod mylným dojmem, že patří k nejgeniálnějším mozkům naší doby. Ale pod touhle slupkou se skrývá ambiciózní had lačnící po moci a nedá se mu důvěřovat. Taky je velmi inteligentní, i když trochu zmatkař, a napsal obsáhlá pojednání na různá témata. Některé z jeho prací jsou, jak jsem se doslechl, celkem poučné."

Vespasiána to zaujalo. „Vsadil by sis na něj, Palle?"

Pallas na Vespasiána pohlédl a v očích měl mazaný výraz. „Nevýhodou sázení v cirku je to, že můžeš sázet jen do zahájení závodu. Jak mně se to jeví, jde o nejhorší čas na vložení peněz. Já raději sázím až po poslední obrátce, když už je mnohem jasněji vidět, kdo bude nakonec vítězem. Tenhle systém má dvě výhody: je mnohem pravděpodobnější, že vyhraješ, a se svými penězi se rozloučíš na kratší dobu."

„Takže Clemens má před sebou dlouhé čekání, než se mu vynaložené prostředky vůbec začnou vracet, že?" zachechtal se Sabinus.

„Možná, ale jako každý rozumný dlouhodobý sázkař si pojistil svou sázku drobným přihozením na Caligulu. Doprovází ho při jeho nočních inkognito vycházkách, pomáhá mu z trapných průšvihů, do nichž se dostává, a odklízí nepořádek – a ten je občas značný."

„To si umím představit," souhlasil Vespasián, když pomyslel na neukojitelný sexuální apetit svého přítele. „Takže Clemens je takový hlídač, že?"

„Ano, a já jsem si jistý, že vám oběma bude velmi k užitku."

„Co tě k tomu vede?" nechápal Sabinus.

„Protože se těšíte přízni paní Antonie a on je váš příbuzný. Velmi vzdálený, nicméně pouto tady je. Matka vašeho otce a Clementova babička měly stejného dědečka a já jsem si jistý, že pro Clementa je něco takového velmi důležité."

„Nevypadá moc jako člověk z přízně," podotkl Sabinus a podezíravě si prohlížel dekuriona s hubeným obličejem, který jel těsně před nimi. „Je to hnusný zmetek, tím jsem si jistý."

„Já docela nerad soudím lidi podle jejich vzhledu, pane," uzavřel tohle téma Pallas.

Vespasián jel mlčky. Úzkostné bodání v žaludku, které pociťoval od chvíle, kdy spatřil italské pobřeží, teď přešlo ve svírání a pro něj bylo stále obtížnější se soustředit na cokoli jiného než na Caenidu. Po více než čtyřech letech ji dnes večer znovu spatří. Aspoň pevně doufal, že k tomu dojde. Bude s Antonií? Ale dostane příležitost mluvit s ní, šanci být s ní o samotě, dotýkat se jí a držet ji v náručí? Na žádnou z těchto otázek neznal odpověď. Nezbývalo mu než trpělivě čekat – a vědomí, že situaci neovládá, ho rozptylovalo. Snažil se myslet na jiné věci – rodiče, rodinné statky, strýce Gaia, ostrov Capri, kolem jehož skalnatého pobřeží pluli předešlého dne –, ale nepomáhalo to. Stále dokola se vracel k tomu nejnaléhavějšímu tématu: Caenidě. Cítil nával krve v podbřišku při představě, jak vystupuje ze své tuniky v záři lampy, až byl nucen si upravit oděv.

„Myslíš na láskyplné shledání s mulami doma, bratře?" pronesl unyle Sabinus, kterému jeho problémy neunikly.

„Zmlkni, Sabine!" vyštěkl hluboce zahanbený Vespasián.

„Požádal jsem Clementa, aby vyslal napřed jezdce s upozorněním mé velitelce, že dnes večer dorazíme," pronesl Pallas, který si všiml problému a pochopil jeho příčinu. „Jistě na vás bude čekat večeře a já se postarám, aby každý člen domácnosti plnil své běžné úkoly."

Vespasián, šťastný, že se s Caenidou ten večer aspoň uvidí, se rozpačitě usmál na Palla, jehož výraz jako vždy zůstal lhostejný, jako by nepronesl vůbec nic důležitého. Sabinus se jízlivě uchechtl.

Už se téměř šeřilo, když kolona s rachocením mířila nahoru po Palatinu. Šok, který se Vespasiána zmocnil při návratu do města tak nacpaného lidmi, pomalu odeznívál. Davy prořídly a domy vystřídaly paláce.

Antoniina pečeť zajistila, že se i s povozem dostali přes Portu Ostiensis bez otázek městské kohorty – pro povozy normálně platil během dne zákaz vjezdu do města. Pak jim trvalo asi půl hodiny, než si proklestili cestu davy na Aventinu, kolem Cirku Maximu, až konečně stanuli na úpatí Palatinu. Zde jejich pouť skončila.

Clemens zabušil na vrata nádvoří u stájí v zadní části Antoniiny vily. Po chvilce se vrata otevřela.

„Sledují nás," poznamenal Pallas, když vjeli do dvora.

Vespasián se ohlédl na ulici a spatřil dvě postavy skrývající se ve stínu koruny cypřiše u zdi o padesát kroků dál. „Seianovi muži?" zeptal se.

„S největší pravděpodobností," přitakal Pallas a sesedl, „ale nebudou schopni mu sdělit nic víc, než že přijela skupina mužů doprovázejících povoz."

„Vítejte, pánové," zazněl známý zvučný ženský hlas. Antonia sestoupila ze schodů hlavní budovy a elegantně kráčela k Vespasiánovi se Sabinem. I v pětašedesáti letech byla stále krásná a její půvab nebyl jen dílem drahých zkrášlovacích kúr a těch nejlepších a nejdražších účesů a šatů. Zářivě se na oba bratry usmála. „Nedokážu ani vyjádřit slovy vděčnost za to, čeho jste pro naši věc dosáhli." Vzala Sabina za ruku a vroucně ji stiskla. Sklonil hlavu a jen cosi nesrozumitelně zamumlal.

Antonia se obrátila k Vespasiánovi a uchopila jeho dlaň do obou svých. „Vidím, že ty čtyři roky ve vojsku ti svědčily, Vespasiáne," řekla a pak ztišila hlas, aby ji slyšel jen on. „Vypadáš, že jsi ve skvělé fyzické kondici. Doufám, že kromě těla ti zesílila také mysl, protože v příštích několika měsících se budeš muset starat hlavně o politikaření, ne o boj."

Vespasián se začervenal. Tato mocná žena jim vyšla v ústrety, místo aby na ně čekala v chládku své pracovny – tím se pokořila a prokázala jim obrovskou čest. „Doufám, že úkoly, které mě čekají, zvládnu, domino," vysoukal ze sebe a připravoval se na to, že ho znovu pohltí moře politických intrik, v nichž, jak věděl, si nejvyšší vrstvy římské společnosti odjakživa libovaly.

Dalších pátravých otázek ho ušetřil příchod Magna a Artebudze. Vyvlekli z vozu svíjejícího se Rhoteka a táhli ho před Antonii.

„Tak tohle je ten tvor, kvůli kterému jsme museli vynaložit takové úsilí, abychom ho dostali do Říma." Pohlédla znechuceně na špinavého kněze, který se třásl strachy a v prosebném gestu se snažil dotknout jejích nohou. Magnus mu odkopl spoutané ruce stranou.

„Děkuji, Magne."

„Bylo mi potěšením, domino," usmál se Magnus. „Bojovnost ho přešla, jakmile jsme přistáli v Ostii. Pořád si myslel, že jeho bohové zabrání, aby byl přiveden do Říma, ale teď, když je tady, pořád jenom bez přestání bručí, že ho opustili. Když se na něj podíváš, kdo by jim to vlastně měl za zlé, jestli mi…" Magnus se zarazil, protože si uvědomil, že má příliš nízké postavení na to, aby vyjadřoval před Antonií své nežádoucí názory, ať už byl jejich předchozí vztah jakýkoli.

Antonia na něj vrhla mírně nesouhlasný pohled, v němž se podle Vespasiána skrývala rovněž touha. Nedokázal se znovu ubránit myšlenkám na to, jaké asi muselo být jejich obcování, neboť od Caliguly věděl, že Antonia má vášeň pro rohovníky rovnou po zápase. Magnus před ní jistě bojoval víc než jednou.

Magnus se uklonil. „Odpusť, paní," pronesl kajícně.

Vespasián potlačil úsměv. Jedna otázka byla zodpovězena – jeho přítel rozhodně nehrál v tomto svazku dominantní roli.

„Palle, zajisti vězně," rozkázala Antonia věcně. „Krmte ho jen tak, aby si uchoval síly, víc ne. Nechceme, aby se tady považoval za hosta."

Pallas se své velitelce uklonil a s Artebudzovou pomocí vlekl svíjejícího se kněze pryč.

„A teď, pánové," Antonia nakrčila nos a obrátila se zpátky k Vespasiánovi a Sabinovi, „myslím, že byste se v zájmu nás všech měli odebrat do mé lázně, než povečeříme. Uvidíme se, až se osvěžíte. Magne, běž s nimi. Ukaž jim cestu."

O krátkou chvíli později už všichni tři seděli v malém, jasně osvětleném *caldariu* se stěnami obloženými bílým mramorem a silně se potili. Mužští otroci jim do kůže vtírali sladce vonící olej a pak jim škrabkami odstraňovali zažranou špínu z cest.

Vespasián ani Sabinus se Magna raději neptali, jak to, že tak dobře zná umístění Antoniiny lázně. Jeho zaražený výraz a neschopnost pohlédnout jim do očí, když je bez jediného zaváhání vedl spletí chodeb, jim už i tak poskytly dostatek zábavy.

V horku caldaria na ně naplno dolehla únava po cestě a oni se ponořili do příjemného polospánku, zatímco jim otroci zkušeně čistili těla.

Z netečné ospalosti je vytrhl dunivý hlas ode dveří.

„Moji drazí hoši, jak jsem rád, že jste zpátky."

Gaius Vespasius Pollo, jejich strýc, vtrhl do místnosti zcela nahý. Jeho baňaté tělo se divoce natřásalo, zatímco překonával krátkou vzdálenost k nim po mozaikové podlaze. Vespasián a Sabinus vstali a dostalo se jim mohutného nadšeného objetí. Magnus, ke své úlevě, musel přestát pouze srdečný stisk předloktí.

„Antonia mi sdělila, že vás tady najdu," poplácal Gaius každého z bratrů po rameni a posadil je zpátky na horkou kamennou lavici. „Bohové, vypadáš dobře, Vespasiáne, ve vojsku jsi přišel k pěkné postavě. Tolik se mi podobáš, když jsem byl mladší, energičtější. A ty, Magne, ani si nedokážeš představit, jak moc jsem ty čtyři roky postrádal tvé služby – což mi připomíná: Antonia mě požádala, abych tě za ní poslal. Přeje si tě vidět ještě před večeří. Neřekla proč."

Magnus se ušklíbl. „Tak to bych asi měl jít," zamumlal. Popadl lněný ručník a dal se co nejdůstojněji na ústup.

Jakmile se za ním zavřely dveře, bratři se hlasitě rozesmáli.

Nechápající Gaius se na ně podíval. „Co vás tak pobavilo, drazí hoši?"

Vespasiánovi se podařilo se ovládnout a kývl na otroky postávající kolem. „Vysvětlíme ti to později, strýčku. Nejdřív nám pověz ty, co je nového."

Gaius s radostí drahnou chvíli klábosil o svých úspěších, které měly do významných hodně daleko.

Než skončil, přešli do *tepidaria*. Vespasián poté, co ho zkušenýma rukama prohnětl jeden z Antoniiných masérů, ulehl tváří dolů na příjemně teplou koženou pohovku. V polospánku sotva zaznamenal, že Sabinus s Gaiem odešli, jen ještě zaslechl, že ho zavolají krátce předtím, než se bude podávat večeře. Zmocnil se ho blažený spánek.

Když ucítil, jak mu na záda stéká olej a dva palce mu lehce masírují svaly kolem lopatek, zavrtěl se a slastně zasténal. Ležel bez hnutí s očima zavřenýma a poddal se uklidňující masáži. Byla mnohem klidnější než hnětení a bušení, kterého se mu dostalo předtím. Spokojeně sténal, když ruce pokračovaly dál po páteři a uvolňovaly ztuhlé svaly. Promasírovaly mu kříže, pak pokračovaly na hýždě a začaly je laskat s něhou, jaká nebyla u masáže obvyklá. Napůl otevřel jedno oko. Srdce mu zabušilo.

„Caenido!" vykřikl. Jediným rychlým pohybem se obrátil a posadil se.

„Psst, lásko," řekla tiše a přitiskla mu ke rtům štíhlý ukazováček, „znovu se polož a počkej, až skončím. Je to už tak dlouho, že slova mohou selhat, ale mé něžnosti ti poví všechno, co potřebuješ vědět, o tom, co cítím. Co budu vždycky cítit."

Vespasián na ni zíral a srdce mu divoce tlouklo. Stála před ním žena, o níž tak dlouho snil, nahá. V měkkém světle lamp její něžná slonovinová pleť zářila a husté černé vlasy, které jí spadaly v kroužcích na štíhlá ramena, dostaly načervenalý nádech. Usmála se na něj a zavrtěla hlavou, jako by nedokázala uvěřit tomu, co jí ukazují její oči, široké, modré a třpytící se slzami radosti.

Vespasián jí sevřel ruce, propletl své prsty s jejími a přemáhal se, aby nestiskl příliš tvrdě a nezpůsobil jí bolest. „Caenido, nedokážu ani vypovědět, kolikrát jsem o tomhle okamžiku snil, kolikrát jsem..."

„Tiše, má lásko," řekla. Odtáhla ruce a položila mu je na ramena. „Já to taky nedokážu vypovědět. Proto bychom se na slova neměli spoléhat." Uložila ho na záda. „Lež klidně a nech mě dokončit masáž, znovu se tak seznámím s tvým tělem." Naklonila se nad ním a políbila ho vroucně na rty. Vychutnával si její dotek a chuť. Když se jejich jazyky setkaly, naklonila se nad lavici a posadila se mu na břicho. Odtáhla se od něj a začala mu třít široká ramena, pak pokračovala k vypracovaným svalům na hrudi. Celou tu dobu z něj nespouštěla zamilovaný, a současně nevěřícný pohled. Vespasián jí oplácel stejnými emocemi, zatímco ona pokračovala v masáži až k tomu nejšťastnějšímu závěru.

Vespasiánovi toho dne večeře připadala jako velmi příjemná záležitost, umocněná ještě mrazením po těle z kradmých pohledů s překrásnou Caenidou, která obsluhovala svoji paní. Večer strávil s úsměvem na tváři, zatímco si dopřával, s gustem tělesně uspokojeného muže, různé chody, které mu předložili. Pokrmy, jak očekával, byly stejně jako víno vybrané a hovor mnohem družnější a uvolněnější, než když Vespasián u Antonie ve stejné místnosti večeřel naposledy. Čtyři roky na hostinách s královnou Tryfenou a jejími vysoce postavenými římskými hosty ho naučily umění konverzace při stolování. Šlo sice o umění, v němž, jak se obával, nikdy nevynikne z důvodu své venkovské výchovy, ale alespoň v něm získal dostatečnou zběhlost, aby ho už vyhlídka prostřené tabule neskličovala. Dokázal se uvolnit a přispět k hovoru, ne protože cítil, že by měl, a tak vyhrkl první, co ho napadlo, ale protože měl co zajímavého povědět. Přítomnost Gaia Caliguly ještě umocnila atmosféru shledání po dlouhých letech a přispěla k Vespasiánovu pocitu pohody. Jeho mladý přítel byl ve skvělé náladě navzdory – nebo možná právě kvůli – loňskému vypovězení své matky a nejstaršího bratra do vyhnanství. Jeho další bratr Drusus se k nim nedávno v exilu připojil, jak se Seianus snažil jednoho po druhém zneškodnit všechny Tiberiovy potenciální dědice.

K Vespasiánovu překvapení dostal pozvání k večeři kromě něj, Caliguly, Sabina a Gaia také Clemens a projevil se jako velmi dobrý společník. Měl řízný humor a schopnost vést konverzaci, aniž jí dominoval. Také se mu dařilo flirtovat s Antonií bez toho, aby to bylo nevhodné nebo příliš horlivé, takže jeho komplimenty nebrali přítomní vážně, ale spíš jako hold krásné ženě od muže o mnoho let mladšího.

V průběhu večera Vespasián pochopil, že Clemens je vlastně přítomen úředně. Byl Caligulovým dozorcem. Po Drusově zatčení nařídil Tiberius, aby Caligulu soustavně střežili, jistě ovlivněn neustálým Seianovým našeptáváním ohledně loajality jeho nejbližších. Macro, který se stále těšil Seianově důvěře, k němu jako stráž dokázal přidělit Clementa, a v tom spočívala jejich naděje, jak vysvětlila Antonia poté, co propustila otroky a Pallas zaujal své místo u dveří.

„Podle informací od Macrona, zvláštního, ale nezbytného spojence, jak se všichni bezpochyby shodneme, nemá imperátor v úmyslu mému mladému Gaiovi ublížit." Pohlédla láskyplně na vnuka, který ležel na pohovce vedle ní, a prohrábla mu vlasy.

„Okamžitě toho nechej, babičko," protestoval Caligula s hraným pohoršením. „Až se stanu imperátorem, prvním výnosem zakážu, aby muže vískala ve vlasech žena, které za to nezaplatí."

„V tom případě bych dal paní Antonii hřivnu stříbra, jen aby vískala mě," zvolal Clemens do pobaveného smíchu.

„Velmi galantní, můj drahý Clemente," odvětila Antonia. Zářila, třebaže podle Vespasiánova názoru příčinou nebyl jen tenhle kompliment nebo účinek vína. „Ale to by bylo možné pouze v případě, že můj vnuk přežije, aby si vzal, co mu po právu náleží. Jak už jsem říkala, Tiberius nemá v úmyslu mému vnukovi ublížit, ale chce ho mít stále pod dohledem a podle Macrona se povídá, že Gaia v blízké budoucnosti povolá, aby se k němu připojil na Capri. Až k tomu dojde, Macro se postará, aby tam s ním odjel rovněž Clemens jako velitel jeho stráže. Pokud budou na ostrově Gaius i Clemens, budeme mít možnost propašovat tam kněze."

Ozvaly se souhlasné hlasy, které přerušil jeden odmítavý.

„Paní," začal opatrně Sabinus, „nechci se dopustit urážky, ale jak víme, že můžeme Clementovi důvěřovat? Je to přece pořád Macronův člověk."

Clemens se chystal na obvinění zareagovat sám, ale Antonia zvedla ruku. „Myslím, že tvůj strýc ti to vysvětlí nejlépe, Sabine."

„S potěšením, paní," pronesl Gaius až příliš hlasitě. Z plna hrdla si vychutnával Antoniino víno. „Kromě běžných pobídek – peněz, úsluh a povýšení na pretoriánského tribuna, až se z Macrona stane prefekt – existuje už pouze jedna věc, která může zaručit věrnost, a tou je rodina."

„Já vím, že je to náš příbuzný z otcovy strany," namítl Sabinus, „ale tak vzdálený, že to skoro nic neplatí. Prosím, neuraz se, Clemente, jen si potřebuju být jistý."

„To nic, bratranče," odpověděl srdečně Clemens a usrkl vína. „Naprosto tvoje obavy chápu. Proto jsem učinil tu nabídku."

„Jakou nabídku?"

„Dovolíte?" přerušil je poněkud příkře Gaius.

Clemens pozvedl pohár a elegantně přikývl.

„Problém je, že nemá rodinná pouta dostatečně těsná," pokračoval Gaius, „souhlasíš, Sabine?"

„Ano."

„Proto ho potřebujeme víc k rodině připoutat, je to tak?"

„Ano, ale jak?"

„Tím, že se oženíš s Arrecinou Clementinou, jeho jedinou sestrou."

Sabinus otevřel a zavřel ústa, jak se snažil něco říct. „Já se ale zatím ženit nechci," podařilo se mu nakonec vykoktat. Vespasián jen stěží potlačil smích.

„Můj drahý hochu, nebuď přece hloupý. Každý muž se chce oženit," zasmál se Gaius. „Samozřejmě, pár výjimek by se našlo," dodal a přitiskl si dlaň na mohutnou hruď. „A kromě toho je to skvělé, protože zaprvé: jde o sňatek v rámci širší rodiny. Za druhé: patří do jezdeckého stavu. Za třetí: zajistí nám to důležitého spojence. A konečně: tvoji rodiče jsou té myšlence velmi nakloněni. Tvůj otec mi psal, že si přeje, aby k tomu sňatku došlo, a dal mi svolení dojednat jeho jménem podmínky, protože sám do Říma přijet nemůže."

Sabinus polkl. Věděl, co to znamená.

„A pokud jde o mě," vložil se do hovoru Clemens, „byla by pro mě čest, kdyby se moje sestra vdala za člověka s tak dobrými vyhlídkami, pokud samozřejmě uspějeme v našem plánu. A když ne, tak s největší pravděpodobností stejně budeme všichni mrtví, takže na tom nebude záležet. Pokud jde o moji sestru, udělá, co jí řeknu, protože náš otec je mrtev a já s ní mohu naložit, jak se mi zlíbí. A mně se zlíbilo dát ji tobě."

„Jsem velmi poctěn," pronesl klidným tónem Sabinus, který nezapomínal na dobré mravy a neměl v úmyslu Clementa urazit zlehčováním této velmi velkorysé nabídky.

„Budeš poctěn ještě víc, až ji uvidíš, Sabine," pronesla chraplavě Antonia. „Je překrásná."

Sabinus pohlédl na Clementa, jehož úzký obličej a bezkrevná pokožka ho nedokázaly pohnout, aby takovému tvrzení uvěřil.

„Palle, uveď dámu," rozkázala Antonia.

Pallas s úklonou vyklouzl ze dveří.

„Doufám, že ti to nevadí, Sabine," usmála se Antonia, „ale zatímco jsme večeřeli, dovolila jsem si poslat pro Clementinu nosítka. Je si plně vědoma toho, že přijela, aby se poznala se svým budoucím manželem."

Vespasián si na jednu stranu vychutnával, jak se kolem bratra stahuje síť, a na druhou stranu se mu ulevilo, že se do téhle tísně nedostal on sám. Poprvé v životě byl rád, že je mladší.

Dveře se otevřely a Pallas uvedl dovnitř mladou dívku, nanejvýš patnáctiletou. Byla oděna v šafránové *stole* a přes hlavu měla přehozenou tyrkysovou *pallu*. Stanula před společností, stáhla si pallu z vlasů a potom pomalu zvedla hlavu.

Vespasián měl co dělat, aby potlačil vzdech.

Sabinus vyskočil na nohy a pak zase ztěžka dosedl.

Antonia nepřeháněla: byla překrásná. Oči měla zelené jako svěží lístek na jaře a rty a vlasy byly téže barvy jako tentýž list na podzim. Podobně jako bratr měla bledou pleť, ale zatímco jeho byla až sinalá, její zářila měkkým leskem, který byl příslibem něžných nocí plných vroucného laskání. Stejně jako bratr měla hubený obličej, ale zatímco jeho byl vyzáblý, její byl křehký s jemně se rýsujícími lícními kostmi, štíhlým nosem a plnými rty, které volaly po polibcích.

„Tite Flavie Sabine," Clemens k ní přistoupil a vzal ji za ruku. „Dovol, abych ti představil svoji sestru: Arrecina Clementina."

„Paní, jsem poctěn," zašeptal Sabinus.

„To mně prokazuješ velkou čest, pane." Clementinin hlas byl měkký a melodický. Sáhla do záhybů pally a vytáhla malou slonovinovou sošku. Vložila ji Sabinovi do dlaně, sklonila hlavu a čekala, až dar, a tím i ji, přijme. Sabinus zvedl sošku a usmál se, protože poznal řezbu: Mithras zabíjející býka.

„Děkuji, Clementino, přijímám tvůj dar na důkaz našeho budoucího sňatku," řekl a všechny jeho pochyby se rozplynuly.

„Těším se, až mi budeš povídat o svém bohu," pronesla sladce Clementina a pohlédla mu do očí.

„Omlouvám se, že pro tebe nic nemám," rychle změnil téma, protože mithraismus nebyl ženám příliš nakloněn, „trochu mě celá tahle situace překvapila."

Vespasián polkl smích. Diplomatičtěji už to ani vyjádřit nešlo.

„Ale doufám, že příjemně," rychle dodal Clemens, aby překonal trapný moment. „Doprovodím tě, domů, sestro. Senátore Pollo, přijdu zítra k tobě domů, abychom projednali věno a podmínky a datum sňatku."

„Bude mi potěšením, Clemente," ujistil ho Gaius.

Clemens vzal budoucího švagra za předloktí. „Budu moc rád, když se staneš mým bratrem, Sabine." Sabinus zamumlal cosi kladného a nedokázal odtrhnout pohled od své budoucí manželky.

„Domino, děkuji za příjemný večer," uklonil se Clemens před Antonií. „Pánové, přeji vám všem dobrou noc."

S tím vedl sestru z místnosti. Pallas ho následoval, aby je doprovodil k nosítkům. Sabinus nehybně stál a zíral na zavřené dveře. Gaius a Antonia se na sebe usmáli, zatímco Caligula s Vespasiánem na sebe nevěřícně pohlédli.

Caligula se vzpamatoval jako první. „U Jupiterových koulí, proč jsem neměl..."

„Gaie, drahý," pronesla ostře Antonia a znovu mu prohrábla vlasy, „nech si své obscénnosti."

Caligula se brzy poté také vzdálil, mumlal něco o bolesti hlavy. Soudě podle rychlosti, s jakou odešel z místnosti, neměl Vespasián pochyby, že tou bolestí je zasažena spíš jiná část těla a že ji potřebuje zmírnit s jednou, či snad hned s několika z mnoha otrokyň v Antoniině domácnosti.

Od odchodu Clementa a jeho sestry se nemluvilo o ničem jiném než o tom, jaké má Sabinus štěstí, že získal tak krásnou mladou nevěstu.

Sabinus se při každém přípitku zhluboka napil a brzy mu ztěžkl jazyk. Vespasián věděl, že by měl nadnést téma svitku nalezeného u mrtvého Gety dřív, než jeho bratr upadne do bezvědomí navozeného přemírou očekávání manželského blaha. Instinktivně cítil, že by jeho obsah mělo znát co nejméně lidí. Vzhledem k tomu, že Caligula měl teď jiné zájmy, se zdálo, že nastal pravý čas.

„Paní," pronesl, když odložili poháry po dalším přípitku čerstvým snoubencům, „potřeboval bych s tebou probrat ještě jednu záležitost, a to raději dřív než později."

„Beze všeho," odpověděla Antonia. Hlas měla klidný, protože pila jen velmi málo, a to ještě víno hodně naředěné vodou.

Vespasián se obrátil k Pallovi, který se vrátil na své místo u dveří. „Palle, mohl bys vzkázat Magnovi, ať přinese ten svitek? Bude vědět, oč jde."

„Ano, pane." Pallas rychle vyklouzl ven, aby předal vzkaz, a pak znovu zaujal své místo.

Zatímco čekali na Magnův příchod, Vespasián vylíčil okolnosti, za jakých objevili svitek, a co obsahuje. Potom Sabinus, který, jak se zdálo, trochu vystřízlivěl, vyložil svoji teorii, že Claudius možná využívá Botera jako zbytný štít.

Když skončili, Antonia zavrtěla hlavou. „To mi na mého syna přijde příliš rafinované. Nikdy nebyl nic jiného než idiot."

Vespasián pohlédl kradmo na Palla, který navzdory tomu, co prohlásil na toto téma dříve, nedal najevo žádné stopy nesouhlasu se svou paní. Měl však dojem, že ve správcových očích zahlédl nepatrný záblesk zájmu.

„Se vší úctou, paní," řekl Gaius, „hledíš na Claudia spatra, protože v porovnání se zesnulým starším bratrem, velkým Germanikem, je pro tebe po fyzické stránce zklamáním. Ale možná že pod tím hrubým zevnějškem přece jen někde existuje část tvé inteligence a rafinovanosti."

Antonia se ušklíbla. „Inteligence a rafinovanost v tom skrčkovi? Nikdy. Nejspíš jen píše Poppaeovi, aby ho požádal, jestli si smí vypůjčit nějaké obskurní knihy z jeho knihovny, a z dětinského smyslu pro pletichaření ho baví psát to šifrou."

„Jenže kód vyžaduje, aby měl příjemce klíč," podotkl Vespasián. „Přijde mi poněkud přehnané, aby vynaložil takové úsilí jen kvůli tomu, aby psal o knihách, třebaže obskurních."

„No, to brzy zjistíme," řekla Antonia, když se z druhé strany dveří ozvalo zaškrábání.

Pallas vpustil dovnitř růžolícího Magna. Očividně si po náročném výkonu dříve večer až příliš přihnul Antoniina vína, pomyslel si Vespasián a usmíval se.

„Dobrý večer, paní, pánové," zamumlal Magnus ode dveří, neschopný pohlédnout komukoli do očí.

„Děkuji, Magne," řekla Antonia. „Předej ten svitek Pallovi. Tvoji společníci tady dnes zůstanou na noc. Pallas ti potom pošle někoho, aby ti ukázal pokoj. To je všechno – prozatím."

Magnus unaveně přikývl a odešel.

Antonia pohlédla na Palla. „Myslíš, že bys dokázal tu šifru rozluštit?"

„Snad ano, paní," odvětil Pallas a prohlížel si svitek. „Dobře se znám s jiným osvobozencem tvého syna, jeho tajemníkem Narcissem, což je muž mnohem inteligentnější než tenhle Boter. Mnohokrát jsme si spolu povídali o šifrách a kódech a přemýšleli jsme, jak je co nejlépe vytvářet. Jsem si jistý, že pokud tuhle šifrovanou zprávu napsal Boter, získal šifru k ní od Narcissa. Dej mi chvíli a já budu schopen najít klíč. Potřebuji něco, nač bych mohl psát – omluvte mě prosím, nepotrvá to dlouho." Vyklouzl tiše z místnosti.

Zatímco čekali na Palla a rozprávěli na různá témata, Vespasián cítil vzrušení, když uvažoval nad možností, že by mohl strávit celou noc s Caenidou. Bylo to víc, než čekal, a měl téměř jistotu, že to tak Antonia zařídila schválně, jakkoli vyšlo najevo, že měla také postranní úmysl. Jenže žena v jejím postavení mohla vždy dosáhnout svého, aniž se starala o štěstí lidí jako on, natož teprve jedné ze svých otrokyň. Musí mít Caenidu opravdu moc ráda.

Stihli vypít další dva poháry vína, než se Pallas vrátil s voskovou tabulkou v ruce. „Hotovo, paní," oznámil. „Jde o substituční šifru, jakou používal i Caesar, ale s proměnlivým posunem na základě číslice dvanáct. První písmeno tedy posunete o jedno, takže z A se stane B, potom druhé o dvě, takže se z A stane C. Třetí pak o tři a tak dále až do dvanáctky.

Potom začnete znovu, jen tentokrát posunete první písmeno o dvě, další o čtyři, pak o šest, osm, deset, dvanáct. Poté pokračujete s dalším písmenem posunutým o tři, pak šest, devět, dvanáct. Potom to uděláte o čtyři, pak o šest a následně o samotných dvanáct. A začnete znovu od jedničky a tak dále. Vlastně je to velmi prosté."

„Výborně, Palle." Antonia vypadala stejně zaraženě jako všichni ostatní kolem stolu. „Tak co tam stojí?"

Pallas si odkašlal a začal číst nahlas.

„‚Posílám pozdravy' a tak dále, a tak dále, potom:

‚Jak víš, můj pán se dohodl s vaším společným přítelem, že bude podporovat mého pána, až přijde čas. Můj pán se však nyní obává, že až dosáhne svého cíle, tento přítel se jej pokusí odstranit a zaujme na základě příbuzenského práva jeho místo. Aby podnikl protikroky, můj pán navrhuje, že se okamžitě vyváže, jakmile získá své právoplatné postavení, a tím zpřetrhá svazky s tímto přítelem, a tudíž také všechna zákonná práva, jež může mít. Namísto toho, co ztratí, by si můj pán rád vzal to, co je ti nejdražší, připoutal se k tobě, aby stále mohl očekávat tvoji podporu, s veškerou silou a v pravý čas. Uvědomuje si, že některé dohody je nutno uzavřít předem, a navrhuje, abys je uzavřel raději dříve než později. Dá ti najevo, že uzavřel podobné, i když samozřejmě ne stejné, dohody s jinými podobně významnými lidmi, a bude doufat, že budeš považovat za rozumné, aby ses přidal na jeho stranu místo na opačnou, protože by si vysoce cenil podpory tvé i tvojí rodiny ve snažení, které, jak cítí, už brzy přinese plody. Očekává tvoji odpověď.'"

V místnosti zavládlo ohromené ticho. Všichni muži se obrátili k Antonii. Očekávaný výbuch nenastal. Místo toho pomalu kývla hlavou, jak se snažila strávit dobře skrývaný smysl dopisu.

„Zdá se, žes měl nakonec pravdu, Gaie," prohlásila nakonec. „Hlupáček Claudius není zdaleka tak hloupý, jak jsem si myslela. A dobře to maskuje."

„Proto je pořád tady, paní," odvětil Gaius tiše, protože příliš dobře věděl, jak křehké je Antoniino duševní rozpoložení, kdykoli přijde řeč na její dvě přeživší děti. „Musíme přijít na to, co to pro nás znamená. Předpokládám, že společný přítel je Seianus. Takže se zdá, že již získal podporu jako Tiberiův nástupce.“

„Byla jsem blázen,“ zašeptala Antonia a zadívala se do prázdna. „Když Tiberius navrhl, aby se Claudius oženil s Aelií Paetinou, skočila jsem na to v domnění, že využívá Claudia, aby poskytl Seianovi to, po čem vždycky toužil. Vazbu na císařský dvůr, bez toho, aby mu samotnému dával něco cenného, protože jeho sestra si vezme člověka, který by se nemohl ucházet o nic. Takový omyl. Seianus chce udělat z Claudia imperátora, pak se ho zbaví a převezme jeho úřad jako jeho zákonný švagr. Potom si upevní postavení tím, že se ožení s mojí dcerou Livillou. Claudius si tuto hrozbu uvědomuje a připravuje velmi praktická opatření: rozvede se s Aelií Paetinou, jakmile jej její bratr Seianus učiní imperátorem a ona mu přestane být užitečná, a tím zbaví Seiana oprávněného nároku. Potom se ožení s Poppaeovou dcerou Poppaeou Sabinou, a tím si zajistí, že její otec podpoří jejího nového manžela plnou silou svých moesijských legií a všech pomocných kohort. Poppaea Sabina se bude muset rozvést se svým manželem, Titem Olliem, jemuž právě porodila dceru, další Poppaeu Sabinu. To musí být ta dohoda, kterou chce Claudius, aby Poppaeus uzavřel. No, není to nic těžkého, ten člověk je bezvýznamný, a Poppaeus neodolá šanci, že se jeho dcera stane císařovnou. Jinými podobně významnými lidmi, které je třeba oslovit, musí myslet guvernéry provincií s legiemi blízko Říma: Panonie, Afriky a na Rýně. Pokusí se zajistit si nenapadnutelnost a jednou z jeho prvních obětí bude můj malý Gaius. To nedovolím.“

„Nedojde k tomu, paní,“ pronesl Vespasián s důvěrou, „protože ty podnikáš kroky, aby Seianus padl. Nebude snad bez Seiana Claudius bezmocný?“

„To není tak jisté. Pokud má ambice stát se imperátorem, ať už se to zdá jakkoli absurdní, nedovolí, aby mu v tom zabránila překážka v podobě ztráty nedůvěryhodného spojence. Uchýlí se k jiné strategii, jediné možné alternativě, pokud se nenajde nikdo, kdo by mu pomohl: k vraždě. Jestli je opravdu tak bezohledný a mazaný, jak naznačuje ten dopis, bude usilovat o to, aby na cestě k trůnu odstranil všechny potenciální soky. A jednou z jeho obětí se opět stane můj Gaius. Claudia musíme zastavit, ale jiná možnost než zabít vlastního syna mě zatím nenapadá."

Pallas v koutě si tiše odkašlal.

Antonia se usmála. „Ty máš nepochybně nějaký návrh, Palle."

„Nikdy, moje paní. Ale možná mi dovolíš pár poznámek."

„Tvoje poznámky mě nikdy neunaví."

„Jsi velmi laskavá, paní," pronesl správce uhlazeně a pokročil do místnosti. „Napadá mě pár věcí. Zaprvé: dopis uvádí, že Poppaeus ví o dohodě mezi Claudiem a Seianem. Proto se nejméně oni tři, ale bylo jich nejspíš víc, sešli, aby projednali tuhle dohodu, když byl Poppaeus nedávno v Římě."

„Takže kdo další tam byl?" zeptal se Gaius.

„Lidé ‚podobného významu', jak poznamenala moje paní, ostatní guvernéři nebo jejich zástupci. Na tomhle jednání přislíbili podporu svých legií. Všimněte si, že tam stojí: ‚*stále* mohl očekávat tvoji podporu'."

„Takže co jim nabídl, aby si je udržel na své straně?" uvažoval Vespasián.

„To mě přivádí k druhé myšlence: Claudius musí předpokládat, že Poppaeus má stejně velký zájem na tom, aby se stal imperátorem, jako má Seianus na tom, aby se ho zbavil – má blízko k nim oběma a získal by, ať už na trůn usedne kdokoli. Jinak by mu neučinil tak velkorysou nabídku, že udělá z Poppaey císařovnu. Musí být přesvědčen, že právě tímhle zvrátí rovnováhu ve svůj prospěch, jinak by z něj nedělal svého společníka ve snaze zmařit Seianovy plány."

Vespasián se usmál, protože si uvědomil základní nedostatek celého plánu. „Jenže nemůže nabídnout srovnatelnou odměnu ostatním, takže jeden nebo dva z nich budou zklamaní a mohou se rozhodnout, že raději vsadí na Seiana. A v tom případě dojde k odhalení Claudiova plánu."

„Přesně tak. Takže Claudius se to snaží odvrátit hrozbou, což musel učinit v různých formách i v ostatních dopisech, které napsal. Dává Poppaeovi jasně na vybranou: s ním, nebo proti němu, žádná střední cesta. Potom, ve stejné větě pokračuje zmínkou o jeho rodině. Jinými slovy – Poppaea se buď stane císařovnou, nebo zemře."

„A pokud se nějakou náhodou stane opravdu imperátorem," pronesl Sabinus pomalu, „a splnil by tuhle hrozbu vůči Poppaeovi nebo některému z ostatních guvernérů, kteří by se mu vzepřeli, museli by kvůli zachování své cti podniknout odvetné kroky a..."

„... čekaly by nás znovu občanské války stejně ničivé jako za dob mého otce," dokončila Antonia myšlenku.

„Ale já nevěřím, že by to zašlo tak daleko," pokračoval Pallas, „protože, jak podotkl Vespasián, Seianus se musí dozvědět o Claudiově plánu od jednoho z guvernérů, kterým nenabídl dost. Vlastně už o něm pravděpodobně ví, protože tento dopis byl nalezen před čtyřmi měsíci a z textu se dá usuzovat, že ve stejnou dobu byly odeslány ostatní listy."

„A protože Poppaeus tenhle dopis nikdy neobdržel, neměl příležitost vyzradit Claudia Seianovi," usmál se Gaius, „a díky tomu si teď Seianus myslí, že Poppaeus podniká kroky proti němu."

„Takže Seianus se teď musí domnívat, že jeho plán na využití mého syna k získání trůnu nebude fungovat, protože proti sobě bude mít přinejmenším legie v Moesii a pravděpodobně mnohem víc," uzavřela Antonia s upřímnou obavou v hlase. „Proto je teď Claudius přítěží, které je nutno se zbavit. Ve snaze přechytračit druhé se můj syn sám nabídl jako oběť vraždy. Ten pitomec si to skoro zaslouží, ale já bych neunesla, kdybych měla ztratit dalšího syna, ať už je hlupák, nebo se jen obklopuje špatnými rádci."

„A to mě přivádí k poslednímu bodu, paní: tento dopis nenapsal jeho tajemník, můj dobrý známý Narcissus, což by za normálních okolností udělal. A to mě vede k přesvědčení, že Narcissus neví o dohodě se Seianem, nebo pokud o ní ví, vyjádřil proti ní námitky a Claudius teď jedná za jeho zády."

„Proč by mu mělo záležet na názoru jeho osvobozence?" zeptal se Sabinus. „Není snad povinností osvobozence dělat to, co mu poručí jeho dobrodinec?"

„Claudiovu domácnost vedou jeho osvobozenci, každý tam nenávidí každého a soupeří o vliv na svého pána. Protože Claudius je slaboch, snaží se dát si poradit od toho, kdo je energičtější, což znamená, že se často zmítá mezi dvěma protichůdnými názory. Ale jako Claudiův tajemník má Narcissus pod palcem všechny jeho finance. Claudius má před ním respekt a nezmůže bez něj nic, proto své nejsprostší plány provádí za jeho zády ze strachu, že ho Narcissus odstřihne od jeho peněz."

„To je neslýchané!" vybuchla Antonia. „Jak si vůbec nějaký osvobozený úředník dovoluje mít takovou moc nad členem mé rodiny, ať je to hlupák nebo ne?"

„Smím mluvit upřímně, paní?" zeptal se Pallas se skloněnou hlavou a nejponíženějším výrazem.

„Jestli mi chceš říct další věci o mém pitomém synovi, které jsem ještě přehlédla, myslím, že bys radši měl."

„Ano, paní. Tvůj syn se v mnoha ohledech tváří jako hlupák: slintá a koktá, nedokáže si dát do pořádku své záležitosti a je velmi snadno ovlivnitelný, protože nedokáže rozpoznat mezi dobrou a špatnou radou. Ale má na sebe přehnaný názor, je bezohledně ambiciózní a skrývá v sobě hluboké pohrdání svou rodinou za všechny ústrky, kterým byl podle svého názoru vystaven. Nezastával nikdy žádný úřad ani není členem senátu a v důsledku toho se cítí přehlížený a podceněný a je rozhodnutý to napravit. Narcissus se neustále snaží Claudiovu touhu po pomstě ovládat. Ví, že jeho pán by se nikdy v současnosti nemohl stát imperátorem, protože v císařském rodu existuje řada mnohem vhodnějších uchazečů."

„Říkáš ‚v současnosti'?"

„Narcissus není bez ambic, co se týká jeho pána, a tím pádem i jeho vlastní osoby, paní, ale kdyby zjistil, že se Claudius uchází o purpur teď, určitě by to zarazil – už jen proto, že se zdá, že se Claudius v téhle záležitosti řídí radami Botera, který je od toho nešťastného incidentu před pár lety v nelibosti."

„Nešťastného? Hlouposti! Nasadil mému synovi parohy a udělal z něj ještě většího blázna než normálně. A můj syn proti tomu nic nepodnikl."

„No, možná teď právě dělá. Tvůj syn ten dopis nepodepsal, takže ho může zapřít, pokud se Boter projeví jako špatný rádce, k čemuž, jak se všichni nejspíš shodneme, opravdu dojde. Udělá z Botera obětního beránka, což je situace, která Narcissa velmi potěší, protože bude mít volnou ruku ve svých plánech s pánem."

„Chceš říct, že bude postupovat podle strategie, kterou jsem vysvětlila předtím, a snažit se odstranit vhodné kandidáty, kteří stojí v cestě jeho pánovi?“

„Myslím, že o téhle eventualitě ani neuvažuje, paní, protože v tuhle chvíli za něj tuto práci dělá Seianus. Narcissus se dívá dál do budoucna. V současnosti se zaměřuje na to, aby byl Claudius nenápadný, a tudíž v bezpečí.“

Antonia se pousmála a souhlasně přikývla. „Jako vždycky byly tvé připomínky velmi poučné, Palle, děkuji. Pošli tomu Narcissovi vzkaz. Myslím, že bych si s ním měla hned ráno promluvit. A pak si to vyřídím se svým synem.“

KAPITOLA XI

VESPASIÁNA DALŠÍ DEN RÁNO PROBUDILY měkké polibky, které pomalu sestupovaly od hrudi k břichu. Otevřel oči. V pokoji byla pořád ještě tma a otevřeným oknem, za nímž už zlehýnka se rozjasňující obloha zvěstovala začínající den, vál dovnitř lehký vánek. Polibky pokračovaly přes břicho dál. Vespasián si povzdechl, znovu zavřel oči a poddal se slastnému pocitu.

„O svého pána jsem se postarala," zašeptala Caenis o chvíli později, když si opřela hlavu o jeho rameno, „a teď se musím jít věnovat své paní."

„Doufám, že takové pozornosti po tobě nevyžaduje," zamumlal Vespasián a něžně jí líbal do měkkých, sladce vonících vlasů.

Caenis se zachichotala. „Musím udělat cokoli, oč mě požádá," škádlila ho a její usměvavá tvář už byla vidět v prvních paprscích svítání, které pronikly oknem dovnitř.

Vespasián cítil, jak mu srdce poskočilo, a úsměv jí oplatil. „A já podle všeho taky. Svým způsobem jsme oba její otroci."

„Jenže ty jí nemusíš stříhat nehty na nohou ani trhat obočí."

„To je pravda, ale ty zase nemusíš vláčet odporné kněze odněkud z Moesie až k imperátorovi na Capri."

„Ano," přitakala Caenis a ustaraně na něj pohlédla. „To dělá mé paní v tuhle chvíli velké starosti."

„Proč? Včera večer se o žádných starostech nezmínila."

„Protože si není jistá, jestli jsou opodstatněné."

„Jak to myslíš?"

„Miláčku, musíš mi přísahat, že když s tebou o nich bude mluvit, budeš se tvářit, že to slyšíš poprvé. Důvěřuje mi a nechtěla bych, aby si myslela, že jsem její důvěru zradila, což dělám jenom z lásky k tobě, protože pokud je její podezření oprávněné, mohl bys být v nebezpečí."

„Nemusíš po mně žádat přísahu. Víš přece, že bych nikdy neudělal ani neřekl nic, co by ti u Antonie nějak uškodilo."

Caenis se naklonila a políbila Vespasiána na rty. „Já vím," zašeptala tiše. Položila mu hlavu na hruď. „Když chce moje paní něco sdělit Macronovi, pošle Clementa, a když jí chce něco oznámit Macro, použije jiného ze svých mužů, Satria Secunda, kterého má u sebe v pretoriánském táboře. Z pochopitelných důvodů jde vždy o slovní zprávy, ale já jejich obsah znám, protože paní mi je poté diktuje, i s odpověďmi, pro své záznamy. No, a Secundova manželka Albucilla je vyhlášená děvka a on ji v tom ještě podporuje v naději, že si tak zajistí povýšení – zejména pokud má pletky s vlivnými muži, někdy i ženami. Před několika dny moje paní zjistila, od špeha, kterého se jí nedávno podařilo nasadit do domácnosti její dcery Livilly, že poslední měsíc si Albucilla začala románek nejen s Livillou, ale i se Seianem. Když je v Římě, vlezou si do postele všichni tři."

„Takže Antonia má podezření, že ji k tomu vybídl Secundus ve snaze zalíbit se Seianovi. V tom případě, a toho se obává, nejspíš vyzradil všechnu její korespondenci s Macronem, a tedy Macronovy styky s ní. Pověděla Antonia Macronovi o svém podezření?"

„Ano, poslala za ním Clementa, hned jak to zjistila. Macro odpověděl, že přestane používat Secunda jako svého posla. Také vyhrožoval Secundovi a Albucille velmi nepříjemnou smrtí, pokud bude mít podezření, že ho zradili. Secundus přísahal, že Seianovi nic nevyzradil, a na důkaz dobré vůle začal Macronovi donášet zajímavé informace, které jeho žena zachytila v té přeplněné posteli. Takže Macro je s celou dohodou spokojený."

„A v čem je tedy problém?"

„Včera Clemens zahlédl v Ostii dva Seianovy muže. Moc se zajímali o váš příjezd. A další dva vás sledovali, když jste sem přijeli."

„Ano, ty druhé dva jsem zahlédl. Takže Secundus možná Macrona přece jen podrazil?"

„To je na tom zvláštní. Kdyby Secundus zradil Macrona, Seianus by s ním už něco podnikl, jenže neudělal nic. Macro stále velí gardě v Římě a Seianus dál dělá prostředníka mezi Tiberiem a senátem."

„Třeba čeká na správnou záminku."

Caenis ho políbila a vyklouzla z lůžka. „Jakou další záminku ještě potřebuje?" zeptala se. Nabrala si do dlaní vodu z mísy, která stála na komodě, a omyla si obličej. „Ví, že se moje paní snaží ho odstranit, to není žádné tajemství. Takže pokud zjistil, že s ní Macro udržuje pravidelné kontakty, nejspíš by předpokládal, že je do celého spiknutí zapojený, a rozhodně by ho co nejrychleji zlikvidoval."

„Nemohl by vědět o tom knězi?" zeptal se, zatímco se Caenis otírala lněným ručníkem.

„Paní si je jistá, že Seianus nezná podrobnosti celého spiknutí, ani časový rozsah. Ověřila si totiž v záznamech, že Secundus nikdy nenesl žádnou zprávu, která by se zmiňovala o knězi nebo o tom, že ho chceme dopravit na Capri. Poslední, kterou nesl, byla těsně po dopise od královny Tryfeny s informací, že už brzy přijedete. Secundus přinesl od Macrona zprávu, že Caligulu povolá imperátor na Capri, a moje paní ho požádala, aby sdělil Macronovi, že to, nač čekají, dorazí už každým dnem."

„Žádná zmínka o Ostii?" zeptal se Vespasián a s lítostí sledoval, jak na sebe Caenis navléká tuniku.

„Ne. Ale přesto tam jeho muži byli."

„Tak pravděpodobně jeho muži vždycky střeží doky."

Caenis se posadila na lůžko a začala si uvazovat sandály. „Ano, ale podle Clementa právě tihle muži mají v Seianově štábu velmi vysoké postavení a slouží na Capri. Nejde o normální lidi, které by použil k potloukání se po přístavu a sledování, kdo vystoupí z jaké lodi. Právě tohle moji paní mate. Jak se Seianus včas dozvěděl o vašem příjezdu, aby poslal dva ze svých nejspolehlivějších spojenců do Ostie, pokud Secundus nezradil moji paní a Macrona?"

„A co když třeba Secundus vyzradil Seianovi Antoniin vzkaz bez toho, aby se zmínil, že je určen Macronovi. Mohl tvrdit, že tu informaci získal od jednoho z Clementových mužů. Takhle si může říkat, že zachoval věrnost, ať už se vítězem boje mezi Macronem a Seianem stane kterýkoli z nich."

„Možná máš pravdu," Caenis se naklonila a políbila ho. „Ale ať už to Seianus zjistil jakkoli, nemění to nic na tom, že jeho špehové viděli tebe a Sabina, jak jste vystoupili z lodi a přivezli kněze sem. Potom viděli také přijet senátora Polla, takže nepotrvá dlouho, než Seianus zjistí zajatcovo jméno. Musím jít, miláčku. Zmíním se o tvé teorii před svou paní, samozřejmě budu předstírat, že je moje." Usmála se a pohladila ho po tváři, potom uchopila amulet, který mu visel kolem krku a který mu dala před více než čtyřmi lety jako dárek na rozloučenou.

„Dával jsi na něj pozor."

„Ne, to on dával pozor na mě. Zachránil mi život."

„Věděla jsem to."

Vespasián se na ni nevěřícně zadíval. „Jak?"

„Nevím, ale cítila jsem, že bych ti ho měla dát."

Vyprávěl Caenidě o tom, jak ho amulet zachránil před kmenem Caeniů v Thrákii a jak je jejich náčelník Coronus přesvědčen, že je vnučkou jeho zotročené sestry.

Jakmile skončil, vzala amulet do dlaně a zahleděla se na něj. „Když zemřela maminka, lehávala jsem v noci, dívala se do tmy a držela ho v ruce. Měla jsem pocit, že je maminka někde nablízku, skoro jako bych byla její součástí. Taky jsem cítila, jako by mě spojoval s nějakou větší rodinou způsobem, který jsem nedokázala pochopit, ale uklidňovalo mě to. Teď už vím proč. Jde o mocný talisman. Tobě zachránil život a mně našel rodinu."

„Vezmi si jej zpět, lásko," řekl Vespasián a přetáhl si kožený řemínek přes hlavu. „Už ho nebudu potřebovat. Dal mi život. Co dalšího může udělat?"

Vzala ho od něj. „Děkuji," zašeptala. Políbila ho a pak tiše vyšla z pokoje.

Antonia si dala zavolat Vespasiána, Sabina a jejich strýce v druhou hodinu dne. Pallas je uvedl do přepychově zařízeného úředního přijímacího pokoje, kde seděla na měkké pohovce před nízkým stolkem z růžového mramoru. U další strany nalevo od ní seděl na nepohodlné dřevěné židli korpulentní Řek se světlou pletí a naolejovanými černými vlasy a plnovousem. Na světle modré tunice měl tógu náležející občanům. Navzdory nerovnosti v tomto zasedacím pořádku si Řek dokázal zachovat v tom, jak seděl, důstojnost, jako by bylo pod jeho úroveň si takových drobností všímat.

Když kráčel po mozaikové podlaze, neubránil se Vespasián pohledu na závěs, za kterým se společně s bratrem a Caligulou skryli před čtyřmi lety, a uvažoval, jestli je jeho mladý přítel špehuje i v tuto chvíli. Antonia zachytila jeho pohled a usmála se. „Dala jsem na dveře k té místnosti přidělat zámek, takže malý Gaius si musí hledat jiné skrýše."

Znepokojený tím, jak rychle Antonia dokáže uhodnout jeho myšlenky, jakkoli triviální, se Vespasián posadil na místo napravo od ní, kam ho uvedl Pallas, zatímco Sabinus a Gaius usedli naproti.

„Pánové, toto je osvobozenec Narcissus, tajemník mého syna," prohlásila Antonia.

Bez ohledu na své nižší postavení se Narcissus nenamáhal vstát, ale zamával tlustou rukou obtěžkanou prsteny na každého z bratrů a Gaia, když je Antonia jmenovala, aniž jim pohlédl do očí, jako by je vítal u svého dvora. Ve vzduchu visela vůně jeho silně parfemované pomády. Vespasián a Sabinus zareagovali lehkým kývnutím hlavou.

Následovala krátká přestávka, během níž dvojice mladých mužských otroků rozdala každému z nich poháry se šťávou z granátových jablek. Když otroci odešli, objevila se Caenis s psacími potřebami a usadila se u stolu hned za Antonií. Pallas stál vedle ní.

„Nebude ti vadit, když moje tajemnice pořídí záznam našeho rozhovoru?" zeptala se Antonia nenuceně Narcissa. Narcissus přivřel oči, zvedl obě ruce a pomalu pokrčil rameny, jako by ladně svoloval ke zcela bezvýznamné záležitosti. Pak uchopil šálek a elegantně usrkl.

Antonii po tváři přelétl vzteklý výraz. Vespasián žasl nad nedostatkem úcty, jakou Řek prokazoval nejmocnější ženě v Římě. Jak to asi musí vypadat v Claudiově domácnosti, když se jeho tajemník může chovat jako nějaký východní potentát?

„Děkuji, že jsi přišel tak rychle, můj dobrý Narcissi," začala Antonia a nasadila zdvořilou masku.

„Je mi potěšením, drahá paní," odvětil Narcissus překvapivě vysokým hlasem, zatímco si otíral rty hedvábným kapesníkem. „Tvůj vzkaz uváděl, že se mnou chceš probrat záležitost týkající se mého pána, tvého syna, vznešeného Claudia. Protože jsem jeho věrný služebník a vždy dbám o jeho dobro, cítil jsem, že musím všeho nechat a dostavit se k tobě."

„V tom případě přejdu rovnou k věci, protože, jak se zdá, máš opravdu hodně práce," Antonia se zjevně snažila co nejrychleji rozbít Řekovu samolibost. „Tito pánové našli dopis, který napsal šifrou tvůj kolega Boter jménem mého syna, a použil také jeho pečeť. Palle, buď tak hodný a přečti nám jej."

Zatímco Pallas četl psaní, Vespasián pozorně sledoval Narcissův obličej. Oči měl zavřené. Pár záškubů v koutcích úst byly jediné známky, jimiž dal najevo své obavy. Když Pallas dočetl a on otevřel oči, zračila se v nich jasná panika. Rychle se rozhlédl po přítomných.

„Tohle bylo psáno bez mého vědomí, paní," prohlásil Narcissus hlasem ještě o něco vyšším než předtím.

„To už napadlo i Palla. Říkal, že jsi příliš chytrý na to, abys mému synovi radil takové nesmyslné věci jako intrikovat se Seianem. Proto mě napadlo, že si s tebou promluvím, než se rozhodnu, jak postupovat."

Narcissus vděčně pohlédl na Palla. „Co s tím chceš udělat, paní?" zeptal se.

„Co bych podle tebe měla?"

Narcissus upřel na Antonii pohled plný naděje. „Snad bys mi mohla ten list dát."

„Můj drahý Narcissi, to by problém nevyřešilo, protože už existuje kopie. Vzhledem k tomu, že jsi laskavě svolil, aby moje tajemnice pořídila záznam z naší schůzky, právě zapsala slovo od slova obsah toho dopisu. Ráda ti dám kopii toho zápisu, ale jistě pochopíš, že originál si musím ponechat do svého archivu."

Vespasián potlačil úsměv, když kolem úlisného Řeka sklapla Antoniina elegantní past. Muž svěsil ramena.

„Nejvznešenější paní, kdo ještě o tom ví?"

„Jen lidé v této místnosti. Měl jsi štěstí, že ten svitek přinesli Vespasián se Sabinem mně, a ne Seianovi nebo imperátorovi, kteří by je štědře odměnili."

„To ano, paní, jsem vaším dlužníkem a ujišťuji tě, že vám to oplatím, jakmile to bude možné," souhlasil Narcissus s upřímností v hlase. „Ale než ta chvíle nastane, co mám udělat?"

Antonia se usmála, protože věděla, že teď má Řeka v hrsti. „To, můj drahý Narcissi, je velmi dobrá otázka. Jak nepochybně víš, snažím se narušit Seianovu moc a důkaz v podobě tohoto dopisu by stačil, aby Tiberia konečně přesvědčil, že Seianus usiluje o to, aby se stal císařem. Jenže rovněž se zmiňuje o mém synovi, a ačkoli tam nestojí, zda chtějí počkat, až Tiberius zemře přirozenou smrtí, nebo chtějí celou věc uspíšit vraždou, Tiberius se může rozhodnout, že uvěří tomu druhému. V takovém případě by byl Claudius popraven, jeho majetek zabaven a ty by ses ocitl na ulici. Nebo by byl Claudius s celou svojí domácností vykázán na nějaký skalnatý ostrov uprostřed oceánu a ty už bys mu nebyl k ničemu."

Narcissus ztěžka polkl. Takové vyhlídky byly jen málo lákavé. „Vznešená paní, neriskovala bys přece život vlastního syna, abys zničila Seiana, že ne?"

Antonia přimhouřila oči. „Neříkej mi, co bych udělala nebo neudělala, osvobozenče. Abych pravdu pověděla, Claudiova pitomost mě tak rozhněvala, že jsem téměř rozhodnuta ho předhodit Tiberiovi na milost, nebo spíš nemilost."

„Přijmi prosím mou nejponíženější omluvu, paní," vykoktal Narcissus, spěšně vstal a hluboce se uklonil.

„Posaď se a přestaň se lísat!" vyštěkla Antonia.

Narcissus stejně rychle jako vstal, znovu klesl na svoji nepohodlnou židli. Po jeho zpanštělé důstojnosti nebylo ani stopy.

„A teď dobře poslouchej, co po tobě chci," pronesla Antonia klidnějším tónem. „Neukážu ten dopis imperátorovi, a to i přesto, že by mi přinesl to, co chci, a stálo by mě to pouze mého bezcenného syna. Na oplátku za to chci, abys šel za svým pánem a přesvědčil ho, aby za mnou přišel, přinesl mi jména všech ostatních ‚podobně významných lidí', kterým napsal, a prozradil mi, jak mu odpověděli. Měl by to udělat ještě

dnes, než si to rozmyslím. A zdůrazni mu, že pokud to neudělá, zapomenu na to, že je můj syn."
„Bude tady za pár hodin, slibuji, paní."
„Dobrá. Za druhé po tobě chci, abys zabil Botera. Nedovolím, aby Claudia naváděl k dalším nepovedeným pokusům o to, aby se stal císařem, a je nejvyšší čas, aby zaplatil za ostudu, kterou způsobil mému rodu tím, že mu nasadil parohy."
„Stane se ještě dnes, paní," přislíbil Narcissus a zlomyslně se ušklíbl. „Ohrozil mě a mého pána, kterého se ze všech sil snažím chránit a udržet v bezpečí."
„Asi těch sil zase tolik nevynakládáš," podotkla Antonia. „Pokud jde o tvé osobní plány pro Claudia, pokud stále uvažuješ o tom, že by se stal císařem, zapomeň na to. Chci zajistit, aby se Tiberiovým nástupcem stal můj vnuk Gaius. Na rozdíl od svého strýce Claudia je mladý a praktický. Lidé ho budou milovat, protože je to Germanikův syn, a on povládne mnohem déle, než kolik zbývá Claudiovi života."
„Ujišťuji tě, má vznešená paní, že pokud jde o Claudia, jde mi jen o to, aby zůstal naživu. Co se stane v budoucnosti, to je v rukou bohů."
„Špatně, je to v mých rukou. A pokud na tebe padne jen stín podezření, že se snažíš ovlivnit má rozhodnutí, dám tě vsadit do okovů, varlata ti dám nacpat do prázdných očních důlků a počkám, až zemřeš hlady."
„To nebude třeba, paní," zbledl Narcissus při té představě.
„Doufám, že ne. Můžeš jít."
„Děkuji, paní," Narcissus vstal a uklonil se. Pohlédl na Vespasiána a Sabina. „Ještě jednou děkuji, pánové, za vaši diskrétnost v této záležitosti. Pokud vám budu moci někdy prokázat službu, stačí jen říct. Senátore Pollo, přeji dobrý den."
Odešel co nejdůstojněji z místnosti doprovázen Pallem. Caenis je následovala a při odchodu se na Vespasiána sladce usmála.
„To jsem si opravdu užil, paní," zaduněl Gaius, jakmile byl Řek z doslechu. „Myslím, že jsem ještě nezažil, aby se takový protivný člověk nakonec odplazil jako spráskaný pes."
„Ano, bylo to příjemné," souhlasila Antonia. „No, jen doufám, že

dokáže Claudia udržet na uzdě. Ne že by můj syn měl nějaký důvod pochybovat o prekérnosti své situace, až si s ním osobně promluvím."

„Co podnikneš s těmi jmény, která ti předá, paní?" zeptal se Vespasián.

„Na těch se vyřádím, až se zbavím Seiana. Předhodím je Tiberiovi jednoho po druhém a budu s radostí sledovat, jak je rozerve na kusy."

Krátce po skončení tohoto rozhovoru je Antonia propustila. Vyzvedli si Artebudze a znaveně vypadajícího Magna a vyšli do horka červencového dopoledne. Všichni společně zamířili ke Gaiovu domu na Kvirinálu. Vespasián měl v úmyslu zůstat tam na noc, než se vydá do Aquae Cutillae navštívit rodiče a stráví nějaký čas prací na statku, dokud Caligula a Clemens neodcestují na Capri. Také toužil navštívit statek své babičky Tertully v Cose, který, jak mu slíbila, odkázala k Sabinovu rozčarování v závěti pouze jemu.

„Takže ty ses, drahý hochu, rozhodl, že si ve svém volnu zapracuješ na statku," poznamenal Gaius, když ho Vespasián seznámil se svými plány cestou z kopce k Via Sacra. „To je opravdu podivínské!"

„Spíš obskočí pár mul," uštěpačně pronesl Sabinus, který prostě nedokázal odolat příležitosti bratra popíchnout.

„Mohl bys jet se mnou, Sabine," usmál se Vespasián. „Vždycky je lepší, když při tom někdo drží mulu za hlavu, a jen si představ, kolik polibků bys dostal."

„To je velmi laskavá nabídka, bratře, ale já zůstanu v Římě. Mám spoustu práce, pokud mám být v příštím roce zvolen kvestorem. Je třeba podmazat ještě spoustu senátorů. A kromě toho už brzy budu líbat někoho mnohem krásnějšího, komu tvoje nejoblíbenější mula nesahá ani po paty."

Odbočili doleva na Via Sacra mířící k Foru Romanu. Jak se blížili k srdci města, davy zhoustly, ale Magnus jim uvolňoval cestu, a přitom celou dobu dával výklad Artebudzovi. Horal žasl nad velikostí staveb a množstvím lidí kolem. Zíral s vyvalenýma očima a otevřenými ústy a ani pořádně nevnímal všechno, co mu povídal Magnus. Jediné velké město, které znal, byla Filippopole, která, ač mnohem starší než Řím, byla ve srovnání s ním malička.

Ačkoli byl Vespasián v Římě jen krátce, před čtyřmi roky, zvykl si na jeho velikost. Necítil zdaleka takový neklid jako bývalý otrok z provincie Noricum. Když přecházeli přes Forum Romanum se soudními tribunály konanými pod širým nebem a hlučnými pouličními prodavači, kteří kolemjdoucím nabízeli své zboží, cítil, že sem patří. Úžas, který pociťoval, když poprvé spatřil velikost Říma z kopce na Via Salaria, a vzrušení, které zažíval, když do města poprvé vešel přes Portu Collinu, se proměnily ve zvyk. Teď, po návratu, měl pocit, že tohle je jeho město. Věděl, že rodinný statek v Aquae Cutillae a Tertullin statek v Cose bude vždy považovat za svůj skutečný domov, ale tam bude utíkat odpočívat. V Římě bude žít.

Minuli dům vestálek, pokračovali kolem Curia Hostilia, kde se scházel senát, pak odbočili doprava a vešli na Caesarovo forum. Zde se neřešily právní, ale občanské záležitosti. Aedilové, městský prétor a prefekt úřadovali ve stínu velké jezdecké sochy diktátora sedícího na Bucefalovi, Alexandrově koni, jako by stále měl vliv na život města.

Minuli sochu a přešli na Augustovo forum, které sloužilo jako „odlehčovací" soud pro Forum Romanum. Vzhledem k nedávnému nárůstu procesů s vlastizrádci, se prostranství hemžilo právníky, soudci a diváky, kteří se všichni vydatně potili pod horkým červencovým sluncem.

Nechali Augustovo forum za sebou a začali stoupat do Kvirinálu. Cítili, že vzduch je čerstvější, protože od vrcholku vál lehký větřík.

„Doprovodím vás domů, pánové," řekl Magnus, „a potom vezmu Artebudze do hospody na křižovatce. Několik dní zůstane se mnou a hochy, než odjede."

„Děkujeme, Magne," odpověděl Gaius. „Předpokládám, že tvé bratrstvo křižovatky postrádalo svého velitele, takže dnes se bude jistě konat velká oslava na uvítanou."

„Jo... a já to zaplatím. Hoši mi schovali podíl ze zisku, zatímco jsem byl pryč, takže budou očekávat, že nebudu šetřit vínem ani děvkami."

„Překvapuje mě, že máš ještě vůbec chuť myslet na děvky, když uvážíme, jak moc jsi byl dnes v noci vytížený," podotkl Vespasián.

Magnus se zatvářil rozpačitě. „To bylo moc vtipné, pane. Budu ti vděčný, když už se o tom nebudeš zmiňovat. Připadám si trochu špinavý a využitý. Rozhodně si dnes večer dopřeju mladší maso. Čím mladší, tím lepší."

„Doufejme, že si zase ony nebudou ráno připadat špinavé a využité."

„Aspoň dostanou za to, co odvedou, zaplaceno. Mně vždycky peníze přišly jako skvělý prostředek k očištění."

Vespasián se zasmál. „No, Antonia ti určitě ráda dopřeje pořádnou lázeň, až se příště znovu uvidíte."

Došli ke Gaiovu domu a okamžitě ustali v klábosení. Dveře byly dokořán a po starém vrátném nikde ani stopy.

Gaius vběhl dovnitř.

Vespasián s dýkou v ruce se vrhl za ním.

„Taste meče," zakřičel Sabinus a zmizel ve dveřích.

Magnus a Artebudz rychle sáhli do vaků a následovali bratry dovnitř.

V atriu našel Vespasián Gaia, jak drží v náruči tělo jednoho ze svých krásných blonďatých germánských otroků. Starý vrátný s proříznutým hrdlem ležel v tratolišti krve vedle něj. Další dva Gaiovy mladé otroky našli mrtvé u bazénku.

„Můj drahý hochu, Arminie, můj drahý, milovaný hochu," plakal Gaius a hladil mladíčkovy zakrvácené vlasy.

Od zahrady na nádvoří zazněl výkřik.

„Strýčku, ať už to udělal kdokoli, pořád ještě je tady," prohlásil Vespasián a vzal si od Magna nabízený meč. „Zůstaň tu, dostaneme je."

„A to mám jen sedět a čekat, zatímco někdo morduje moje hochy? To ani náhodou." Gaius se překvapivou rychlostí vrhl do pracovny, jedné z místností nalevo od atria, a o okamžik později se znovu objevil s mečem v ruce. „Magne a Artebudzi, zkontrolujte všechny místnosti kolem atria. Nepotřebujeme, aby nám někdo vpadl do zad. A zamkněte hlavní dveře."

Ze zahrady se ozvalo táhlé bolestné zakvílení. Gaius vážně pohlédl na bratry, obrátil se a rychle kráčel tím směrem. Bratři vyrazili, aby ho předběhli.

Vespasián a Sabinus vyběhli dveřmi *tablina* do tepla zahrady. Dva muži tam drželi vzpouzejícího se mladíka nad rybníčkem s rybami uprostřed, zatímco třetí mu tiskl k tváři svíjející se mihuli. Voda v rybníčku vřela, jak se hejna mihulí vrhala na dalšího zmítajícího se hocha. Divoce mlátil kolem sebe rukama a nohama, jak mu úhořovité ryby při hledání krve zatínaly zuby do kůže. Hoch zvedl ústa nad hladinu, zalapal po dechu a znovu zařval bolestí. Kroutící se mihule přisáté k jeho hlavě a obličeji z něj udělaly Medúzu.

Bratři se vrhli ke třem mužům, kteří svoji oběť okamžitě vhodili do jezírka. Než mohli tasit zbraně, byli Vespasián se Sabinem u nich. Divokým bodnutím do břicha a prudkým škubnutím nahoru rozpáral Vespasián prvního z nich. Druhý klesl k zemi po čistém bodnutí do krku, které mu uštědřil Sabinus. Třetí muž se rozběhl na druhou stranu zahrady.

„Chci ho živého!" zaburácel Gaius a pomáhal chlapci z vody. Podařilo se mu ho vylovit dostatečně rychle, takže hoch utrpěl jen několik kousanců. Většina mihulí právě hodovala na těle jeho druha, v tu chvíli už mrtvého.

Ve dveřích tablina se objevili Magnus a Artebudz. „Našli jsme ještě dva schované v *trikliniu*," hlásil Magnus. „Ale už nás nebudou obtěžovat."

„Zůstaňte tam, hoši," zavolal Sabinus do řevu rozpáraného muže. „Jednoho toho syčáka máme tady v koutě."

Třetímu muži došlo, že je v pasti, beze zbraně, a nemůže čekat smilování. Rozběhl se rovnou na Magna. Ten ho s bezchybným načasováním praštil pěstí do břicha a vzápětí, když se muž předklonil, ho nabral kolenem do obličeje. Hlava mu vylétla dozadu, ze zlomeného nosu mu stříkala krev. V tu chvíli ho Magnus pěstí udeřil do týla. Muž se v bezvědomí svalil na zem.

Gaius nechal zachráněného chlapce, jenž byl víc v šoku než zraněný, sedět na zemi a přešel k rozpáranému muži, který v tu chvíli jen sténal a marně se snažil nacpat si střeva zpátky do břicha.

„Kdo tě poslal?" zeptal se Gaius výhružně.

Muž věděl, že stejně zemře, a zavrtěl hlavou. Gaius sáhl dolů, popadl jeho vnitřnosti a škubl. Řev, který muž vydal, když se mu trhala střeva, se téměř nedal snášet.

„Kdo tě poslal?" opakoval Gaius otázku.

Muž stále mlčel.

„Vhoďte ho do rybníčka. Uvidíme, jak se mu bude zamlouvat, až bude požírán zevnitř," rozkázal Gaius.

Vespasián pohlédl na Sabina a ten jen pokrčil rameny. Popadli muže za ruce a nohy. Střeva z něj visela k zemi jako nějaké kluzké popínavé rostliny.

„Poslední možnost," řekl Gaius. Žádná odpověď. Muž omdlel.

Bratři ho vhodili do rybníčka. Voda znovu začala vřít, jak mihule, šílené krví, vířily kolem něj a vrhaly se na zející ránu v jeho břiše.

„Uvidíme, jestli budeme mít větší štěstí s tím druhým," prohlásil Gaius a popadl malou rybářskou síť. Vhodil ji do vířícího rybníčku a vylovil dvě mihule. „Přineste ho sem."

Po dvou fackách přišel třetí muž k sobě a tiše zasténal.

„Tvůj přítel právě docela neslavně skončil," informoval ho Gaius a přidržel mu před obličejem síť. Mihule otevíraly a zavíraly kulaté tlamy s ostrými zuby v marném lapání po vodě. „Můžeš ho následovat buď rychle, nebo pomalu, je to na tobě."

Muž si odplivl na zem.

„Budiž. Přidržte ho na zádech."

Magnus a Artebudz ho popadli za zápěstí a kotníky.

Gaius volnou rukou nadzvedl muži tuniku a strhl mu bederní roušku.

„Drž to," podal síť Vespasiánovi. Potom uchopil do jedné ruky mihuli a druhou stáhl muži předkožku.

Vespasián zavřel oči. Když se ozvalo mužovo zavytí, otevřel je a spatřil přesně to, co čekal.

„Tu druhou ti dám do oka. Kdo tě poslal?" zeptal se Gaius znovu.

„Livilla," pronesl ztěžka muž.

„Byl jsem jediný cíl?"

„Ne, další skupina jela ještě někam jinam." Muž znovu zaječel, jak svíjející se mihule zesílila stisk a snažila se vysát ze svého hostitele životodárnou vodu.

„Kolik a kam?"

„Deset, ale kam, to nevím. Prosím, pro lásku bohů, zabij mě."

„Kam?" Gaius vytáhl ze sítě druhou mihuli a přidržel ji těsně u mužova pravého oka.

„Vím jen to, že odjeli z města přes Portu Collinu a mířili pryč po Via Salaria."

Vespasián v hrůze pohlédl na Sabina, protože jim oběma došlo, kam mají vrazi namířeno.

„Děkuji," řekl Gaius. Popadl meč a s klidem ho vrazil muži do úst.

„Magne, běž s Artebudzem a sežeň deset členů svého bratrstva. Čekejte nás za hodinu s koňmi a meči před Portou Collinou na křižovatce Via Salaria a Via Nomentana," rozkázal Vespasián.

Magnus se usmál. „No, tím se aspoň vyhnu placení dnešního večírku," pronesl místo rozloučení.

„Měli bychom sebou taky hodit," poznamenal Sabinus. „Není času nazbyt."

„Máme za nimi aspoň dvě hodiny zpoždění, Sabine, předjet je v žádném případě nedokážeme, pokud nebudeme moct měnit koně. Potřebujeme Clementa s pretoriánským příkazem, abychom mohli použít čerstvé císařské koně. Tak je snad dostihneme, než dojedou k rodičům."

KAPITOLA XII

„UŽ TO TVOJE ŽALOSTNÉ KŇOURÁNÍ odmítám dál poslouchat." Antoniin rozhněvaný hlas burácel v zákoutích atria, kde Vespasián se Sabinem neklidně čekali, až Pallas najde Clementa.

„Ale m-m-m-matko, žádám o uznání a pocty, které n-n-n-náleží čl-čl... členu císařského rodu." Druhý hlas byl také zvýšený, ale zazníval v něm zcela jasně strach, který ještě umocňovalo koktání.

„Nejsi v postavení, abys mohl žádat o cokoli, ty skrčku. Stačilo by jen ukázat prstem a v nejlepším případě bys byl vypovězen z Říma. Teď sem dej ten seznam a zmiz."

„Ale, m-m-m-m-m-matko..."

„Nechoď na mě s žádným ‚ale m-m-m-m-m-matko'! Běž. A dej na moji radu, Claudie. Okamžitě se rozveď s tou svou děvkou a věnuj více času knihám a méně tomu, že ze sebe budeš dělat blázna a snažit se o politické pletichy."

„Ale..."

„Ven!"

Vespasián sebou škubl, neboť Antonia poslední slovo zaječela.

V chodbě vedoucí od atria se objevila schýlená postava a se skloněnou hlavou vrávorala k oběma bratrům, jako by jí nohy měly každou chvíli vypovědět poslušnost. Když se Claudius přibelhal blíž, polekaně pohlédl na Vespasiána. Neustále mrkal a z nosu na tógu mu stékal pramínek čirého hlenu.

Vespasián kývl hlavou. Sabinus ho napodobil. Claudius na ně překvapeně zíral a podařilo se mu ovládnout mrkání. V šedých očích se mu zračila vypočítavost a inteligence. Hleděly na bratry z obličeje, jenž by byl hezký a vznešený, nebýt žalostných rysů, které mu dodávaly svěšené koutky úst a váčky pod očima.

„Zvrhlé rody," vyhrkl, aniž změnil výraz, jako by ani netušil, že něco pronesl. Utřel si nos záhybem tógy, kývl na bratry a belhal se ven.

Antonia vyšla, sotva byl Claudius ze dveří.

„Co vy dva tady už zase chcete?" zeptala se stroze. Po rozhovoru se synem se jí ještě nevrátila obvyklá duševní rovnováha.

„Takže Seianus si spojil vaši rodinu se mnou," řekla poté, co jí bratři vylíčili události v Gaiově domě, a sdělili, že na statek jejich rodičů míří skupina mužů, „a využívá Livillu, aby za něj udělala špinavou práci a on neriskoval možnost, že by se některý z jeho pretoriánů zapletl do vraždy senátora. Kde je teď Gaius?"

„Přivedli jsme ho sem," odpověděl Vespasián. „Pallas nařídil jednomu z tvých domácích otroků, aby ho zavedl do lázně. Potřebuje se vypotit ze vzteku."

„Dobře. Bude muset zůstat tady, dokud ho nedostanu ven z Říma. Ta mrcha Livilla se nezastaví, dokud nedá svému milenci, co požaduje. Proč zrovna já musím snášet takové prokletí, že mám děti, které se spikly proti mně?"

Vespasián a Sabinus byli příchodem Palla a Clementa ušetřeni nutnosti odpovědět.

„Na dvoře u stájí už vám sedlají koně, páni," uklonil se Pallas, „vrátím se, až budou připraveni."

„Kolik nás pojede?" zeptal se Clemens, kterého už Pallas informoval, kam jedou a co se od něj očekává.

„Včetně nás tří patnáct," odvětil Vespasián.

„Nevím jistě, jestli nám moje propustka umožní získat na stanicích takový počet čerstvých koní."

„Vezměte si tohle," řekla Antonia. Stáhla si z prstu pečetní prsten a podala ho Vespasiánovi. „Nikdo se neodváží postavit se držiteli mé pečetě. Pošlete mi ho zpátky po Clementovi. Kam chcete poslat rodiče? Bude to muset být hodně daleko, aby byli před Seianem v bezpečí."

„Už jsem na to myslel," odpověděl Vespasián a navlékl si prsten na malíček. „Jediný člověk, kterému můžu důvěřovat, je Pomponius Labeo. Má statky v Aventiku na druhé straně Alp. Už by na nich teď měl být."

Antonia přikývla. „Taková vzdálenost by měla stačit. A co vy dva?"

„Já se vrátím rovnou zpátky do Říma, paní," prohlásil rozhodně Sabinus. „Musím myslet na kvestorské volby."

„Podle mě to není moc rozumné," nesouhlasila Antonia. „Měl by ses držet stranou, dokud nezjistím, jestli se Seianus zaměřil na Gaia a na vaše rodiče jen proto, že vaše matka je jeho sestra, nebo jestli má být zabita celá rodina. V tom případě nebudeš v Římě v bezpečí. Musíš nechat volby v rukou Fortuny."

Sabinus se chystal cosi namítat, ale zarazil se, protože si uvědomil, že Antonia má pravdu.

„Mohli byste oba odjet na moje statky v Kampánii. Potřebuji, abyste byli dost blízko Říma a mohli rychle přijet, kdyby mi Macro poslal vzkaz, že je všechno připraveno pro naši druhou záležitost."

„Děkuji, paní, ale já bych raději odjel na svůj statek v Cose," řekl Vespasián. Sabinus na něj zatrpkle pohlédl, ale souhlasně zavrčel. „Je to den jízdy z Říma. Měli bychom tam být v bezpečí. Magnus ví, kde to je, kdyby nás potřeboval vyhledat."

„Dobrá," souhlasila Antonia a vzápětí už přispěchal Pallas.

„Všechno je připraveno, páni."

„Děkujeme, Palle." Antonia pohlédla na oba bratry. „Jeďte rychle, pánové. Kéž vás tam bohové přivedou včas."

Padla tma a oni jeli co nejrychleji – pomalým cvalem – po Via Salaria ve světle pochodní, které držel každý z mužů. Vespasián, Sabinus a Clemens se setkali s Artebudzem, Magnem a jeho bratrstvem těsně před polednem. Vespasián se krátce přivítal s pomalým, ale spolehlivým Sextem a jednorukým Mariem a pak vyrazili s větrem o závod, dokud ještě bylo světlo, po Via Salaria. Každých patnáct kilometrů měnili v císařských přepřahacích stanicích koně. Antoniina pečeť se ukázala jako nedocenitelná, protože správcové stanic se zdráhali vydat odpočaté koně s tím, že už jich vyměnili deset dříve toho dne skupině mužů opatřených zmocněním, které podepsal Seianus. Protože nepředvídali, že Livillini muži použijí stejný způsob rychlé dopravy jako oni, jeli s rostoucím pocitem zoufalství. Jejich jediná naděje spočívala v tom, že bičovali koně až do úmoru a doufali, že vrahové směřující za jejich rodiči budou cestovat volnějším tempem. V tom je utvrzovaly odhady správců stanic, protože doba, kdy desítka mužů projela, se zkracovala.

Než dlouhý červencový den přešel v noc, ujeli dobrých sto kilometrů ze sto třiceti do Aquae Cutillae a usoudili, že za vrahy od poslední výměny koní zaostávají jen asi hodinu.

„Ušetříme čas, pokud nebudeme znovu měnit," řekl Vespasián Sabinovi, zatímco usilovně zíral do tmy. „Tímhle tempem dokážou koně urazit i posledních třicet kilometrů."

„Musíme zrychlit, bratře," odpověděl Sabinus. „Ti hajzlové už tam teď skoro budou. Museli cestovat kratší dobu za tmy, takže zvýšili náskok."

„Třeba se rozhodli někde přenocovat."

„Nesmysl. Vždyť si to celé přece dokonale načasovali, dojedou právě v době, kdy se všichni budou chystat spát."

„Co tedy navrhuješ?"

„Budeš se mi smát, ale svěřím se do péče Pána Mithry. Jeho světlo mě povede. Vy pokračujte dál co nejrychleji."

S tím pobídl koně a vyrazil tryskem. Vespasián zvedl obočí, pak pokrčil rameny a následoval ho. Ostatní za ním cítili povinnost udělat totéž, ačkoli považovali tak rychlou jízdu v noci, třebaže na rovné dlážděné silnici, za šílenství.

S uhašenými pochodněmi vedli krokem koně co nejrychleji po štěrkové pěšině vinoucí se k flaviovskému statku. V budovách nesvítilo jediné světlo a v srpku měsíce se nejasně rýsovaly domy vzdálené v tu chvíli sotva sto kroků.

Sabinovým šíleným tempem překonali posledních třicet kilometrů za necelé dvě hodiny. To, že žádný z koní neklopýtl ani neshodil jezdce, byl podle Vespasiánova názoru skoro zázrak, ale zdráhal se to říct před Sabinem, aby nepodnítil další kázání o moci Pána Mithry.

Nedostatek světla zostřil jeho další smysly a známé pachy z dětství ho vítaly jeden po druhém jako staří známí. Sladká teplá pryskyřice prýštící z borovic. Zatuchlá země chladnoucí po celodenním vypékání na letním slunci. Slabá vůně hořícího dřeva. Čerstvě pokosené seno. Luční květiny. Každá z těch vůní vyvolávala příjemné představy z minulosti a on měl obavy, že je teď přítomnost brutálně poskvrní.

„Je ticho," zašeptal Sabinovi a Clementovi, kteří jeli po jeho boku. „Možná to byla jen shoda okolností a nakonec sem vůbec nepřijedou."

„Nebo jsme dorazili příliš pozdě," opáčil ponuře jeho bratr. Sesedli a uvázali vyčerpané koně k fíkovníku. V listí šustil lehký vánek. V dálce zaštěkala liška. Další, o něco blíž, jí odpověděla.

Artebudz, Magnus a členové jeho bratrstva křižovatky se k nim připojili a tasili krátké meče. Byli padesát kroků od čtyři a půl metru vysoké zdi dvora u stájí. V slabém měsíčním světle viděli jen vrata. Byla zavřená.

„Nikde není stopy po vloupání. Vypadá to, že jsme snad dojeli včas," zašeptal Sabinus. „Upozorníme tiše domácnost a budeme připraveni, abychom ty neřády překvapili, jestli se objeví. Vespasiáne, vezmi si Magna, Artebudze a pět bratří a pokuste se probudit hlídače u vrat. Já s Clementem a ostatními z bratří obejdeme kolem domu a probudíme vrátného. Pokud máme..."

Noc prořízla řada hlasitých výkřiků. Nočním vzduchem přes střechy na opačném konci dvora přelétly hořící pochodně. Za nimi rychle následovaly další pochodně, tentokrát v rukou siluet mužů, kteří se šplhali na střechu. Někteří z vetřelců skočili dolů do dvora, další běželi rychle po střeše a pak přeskočili na hlavní budovu. Její obrysy se nyní jasně rýsovaly na pozadí ohně zapáleného z druhé strany.

„Bohové!" vykřikl Sabinus. „Přelez se svými hochy přes zeď, Vespasiáne. My to vezmeme předem. Žádný plán, prostě nahoru a na ně."

Sabinova skupina spěchala kolem boku domu.

„Přiveďte koně," zavolal Vespasián. Odvázal svého a vyskočil na něj. Tryskem přejel padesát metrů ke zdi a zarazil koně přímo u ní. Ze dvora zaznívaly výkřiky, volání a řinčení zbraní. Vespasián si stoupl koni na hřbet a natáhl se. Horní část zdi měl pořád půl metru od natažených rukou.

„Magne pojď sem a vyzvedni mě."

„Už jdu, pane," Magnus přelezl ze svého koně na zadek Vespasiánova. Kůň se začal vzpínat.

„Sexte," zařval Vespasián, „přidrž koni hlavu, než mě Magnus vystrčí nahoru."

„Držet hlavu, než Magnus vystrčí. Rozumím," pronesl Sextus jako vždy pomalu, jak se snažil strávit příkazy.

Koně se uklidnili. Magnus nastavil Vespasiánovi dlaně a zvedl ho. Vespasián se divoce zapřel, odřel si při tom kolena, ale podařilo se mu vytáhnout se na střechu. Svěsil ruku, popadl Magna a s vypětím všech sil mu pomohl nahoru. Artebudz a ostatní z bratrstva křižovatky následovali příkladu svého vůdce.

Ačkoli od začátku útoku neuplynulo ještě ani sto úderů srdce, dvůr u stájí nyní ozařovaly plameny v oknech několika budov, která na něj vedla. Kolem leželo na zemi půl tuctu těl. Z ubikací polních otroků zaznívaly výkřiky. Spoutaných mužů a žen uvnitř se zmocnila panika, když ve svém vězení bez oken ucítili zápach kouře a vzrůstající horko. Plameny ohrožovaly dveře. Po útočnících nebylo nikde památky. Brána k vnitřní zahradě hlavního domu se nejistě pohupovala na vylomených pantech.

Vespasián spěchal po střeše a seskočil na dvůr u stájí, zatímco na opačném konci vyběhla z ubikací osvobozenců skupinka mužů ozbrojených meči, oštěpy a luky. Vespasián poznal v jejich čele Palla, správce statku, následovaného Skytem Baseem a Peršanem Atafanem, kteří oba drželi v rukou své zahnuté východní luky. Oni ho však bohužel nepoznali. Když dopadl na zem, vylétly směrem k němu dva šípy. Ucítil, jak se mu jeden prohnal nad hlavou. Pak ho ochromila bolest v levém rameni a srazila ho na zem.

„Pallo!" zařval. „To jsem já, Vespasián!"

Ale bylo příliš pozdě. Baseos s Atafanem měli za to, že ho zneškodnili, a proto obrátili pozornost k bratrstvu křižovatky, jehož členové stále ještě běželi po střeše. Dva spadli na dvůr, zatímco Atafanes klesl k zemi s Artebudzovým šípem v hrudi.

„Artebudzi, nestřílej!" zaburácel znovu Vespasián v zoufalé snaze přehlušit výkřiky z ubikací polních otroků. „Pallo, dost! To jsem já, Vespasián.“ Zvedl se na kolena a zamával rukama. Bolest působená hrotem šípu, který se mu třel o kost, ho ochromovala.

Tentokrát už Pallo svého mladého pána, kterého čtyři roky neviděl, poznal po hlase.

„Přestaňte střílet,“ rozkázal a rozběhl se přes dvůr. Jeho muži ho následovali se zbraněmi obezřetně připravenými. „Pane, jsi to opravdu ty? Proč útočíš na vlastní dům?“

„To neútočím já. Ale na vysvětlování není čas,“ odvětil a škubl sebou, když odlomil šíp asi dva centimetry od kůže.

Magnus s Artebudzem seskočili ze střechy, následováni Sextem a Mariem.

„Za mnou do hlavní budovy!“ zvolal Vespasián a proběhl vylomenými dveřmi, „a dávejte pozor, na koho střílíte, Sabinus jde předem.“

Vnitřní zahrada byla až na mrtvolu otroka, jenž měl za úkol sedět celou noc u brány, prázdná. Z domu k nim doléhaly zvuky boje muže proti muži. Vespasián se hnal sloupořadím k tablinu. Z rány mu prýštila krev a vsakovala se do tuniky. Hlava se mu točila bolestí.

Odhodil rozbitý stůl v tablinu a spěchal dál do atria. Tam spatřil změť těl, která se střetla v těsném prostoru. Někteří stáli, bojovali s meči a noži. Jiní spolu zápolili a váleli se po podlaze. Na opačném konci místnosti hořely jako pochodeň otevřené dveře. V jejich záři uviděl vedle bratra a Clementa stát svého otce Tita. Bojoval s dýkami v obou rukou. Po tváři mu stékala krev z odříznutého levého ucha.

Vespasián zařval a přeskočil zakrvácenou mrtvolu správce domu Vara a vrhl se chaosem na záda otcova soupeře. Popadl ho za vlasy a krátkým bočním švihem máchl mečem. Zajel do masa na útočníkově pravém rameni a pak pokračoval dál kostí jako drát sýrem. Muž zavyl a odťatá paže mu upadla na zem. Prudké Titovo bodnutí mu zarazilo zvířecí řev v hrdle a muž se zřítil mrtvý k zemi.

Za Vespasiánovými zády se na zadní voj protivníků bratrstva křižovatky vrhli jako furie z Hádu Magnus, Sextus a Marius. Livillini muži neměli žádnou šanci, protože bodání a sekání přicházelo ze všech stran. Artebudz, Pallo, Baseos a zbytek osvobozenců se drželi stranou, nejistí tím, kdo je přítel a kdo nepřítel. Za několik okamžiků už zůstali na nohu jen dva z útočníků. Zahnali je do kouta a tam je drželi. Oba klesli na koleno na znamení, že se vzdávají.

„Přijdete do mého domu, abyste mě zabili před posmrtnými maskami mých předků a oltářem mých rodinných bohů, a pak čekáte smilování?" zaburácel Titus a protlačil se mezi muži. Jedním plynulým pohybem uchopil odhozený meč a máchl jím ve výšce krku, takže prvnímu muži skoro uťal hlavu. Tělo se svalilo na zem a krev postříkala Magna a jeho bratry. Druhý muž zvedl hlavu. Zíral na Tita a v očích pod srostlým obočím neměl žádný strach. Kývl, sklonil hlavu a po způsobu římských občanů čekal na poslední ránu.

„Zadrž!" zazněl hlas, když Titus zvedl meč.

Titus se prudce obrátil, aby viděl, kdo se mu snaží zabránit ve spravedlivé pomstě.

Předstoupil Clemens.

„Kdo jsi, mladý muži?" ztěžka oddechoval Titus.

„Marcus Arrecinus Clemens, pane," odpověděl pretorián klidným hlasem. „Tvůj syn si má brát moji sestru."

„No, Clemente, pokud si myslíš, že rodinná pouta mě přimějí ke smilování nad tímto mužem, tak se mýlíš."

Vzteklý Sabinus přistoupil ke Clementovi. „Kdo si, do Hádu, myslíš, že jsi, že se postavíš mezi mého otce a jeho právo? Každý z Livillinых mužů musí zemřít," zařval a ukázal na klečícího muže.

„Klid, příteli, Livillini muži už jsou všichni mrtví," namítl Clemens a ukázal na zajatce. „Tenhle k nim nepatří."

Sabinus se zadíval na muže a pomalu se uklidnil. Hlavou mu bleskla vzpomínka a on se zahleděl klečícímu muži do tváře pozorněji. „Clemens má pravdu, otče," řekl, protože poznal strážného s hustým obočím z Macronova pokoje. „Tohle není Livillin muž, je to pretorián. Satrius Secundus."

KAPITOLA XIII

„Je mi jedno, jak užitečný by podle vás mohl být. Musí zemřít.“ Vespasia Polla se nedala obměkčit. Byla rozzuřená vraždou, k níž došlo v jejím domě. Ještě stále se vzpamatovávala z duševního vyčerpání, jež jí způsobilo to, jak se snažila smířit s nevyhnutelnou smrtí, a toužila po pomstě. „Pokud žádný z vás mužů nemá odvahu to udělat, udělám to sama. Tite, dej mi dýku.“

„Má drahá, pokud by podle Sabina a Vespasiána měl Secundus zůstat naživu z politických důvodů, nebudu jim odporovat,“ pronesl Titus co nejtrpělivějším tónem. Rána mu stále krvácela. „Dovol, abych ti připomněl, že když ses naposledy pletla do věcí, kterým jsme ty ani já nerozuměli, tvoje horkokrevnost…“

„Horkokrevnost!“ odfrkla Vespasia.

„Ano, horkokrevnost, ženo,“ zvýšil Titus hlas. „Tvoje horkokrevnost zavinila, že nás museli propašovat z Říma v noci jako nějaké zloděje, a já vypadal přede všemi jako venkovský buran, který nedokáže ovládnout svoji panovačnou ženu. Jinými slovy – byl jsem všem pro smích. Takže dost tvých názorů. Jdi a shromáždi ty otroky, kteří nám zůstali, ať uklidí tenhle nepořádek.“

Vespasián očekával matčin vzteklý výbuch. Místo toho jen pohlédla na Vespasiána a na Sabina.

„Matko,“ řekl Vespasián konejšivě. „Věř nám.“

Vespasia si uvědomila, že v tomhle sporu nemá proti mužské části rodiny šanci. Ustoupila, ale v duchu se rozhodla, že jednoho dne se pomstí za dobu, kterou prožila zamčená v Titově pracovně, poslouchala zvuky divokého boje zuřícího venku – a zírala přitom na dýku, kterou jí dal manžel. V jednom okamžiku klidně spala ve své ložnici. V příštím už ji Titus vlekl atriem. Pod předními dveřmi šlehaly plameny a někdo se právě snažil vyrazit dveře do vnitřní zahrady. Titus ji odvlekl do své pracovny – jediné místnosti, kam vedl z atria uzamykatelný vstup – a dal jí svoji dýku s rozkazem, aby se zabila, kdyby dveře někdo vylomil. Byla vyděšená, zírala na svůj odraz v ostří zkreslený zvláštním vyrytým nápisem. Když Titus a jeho synové po boji odemkli, našli ji, jak klečí, dýku přitisknutou k hrudi, připravena na ni nalehnout, přesvědčena, že všichni obránci jsou mrtví a útočníkům se podařilo nalézt klíč. Jen rychlá reakce jejího manžela, který ji zachytil v pádu, jí zachránila život.

Muži si oddechli úlevou, jakmile se zbytky důstojnosti vykráčela z atria posetého mrtvolami.

Titus přistoupil k synům a položil jim ruce kolem krku. Byli sami. Pallo a Clemens šli dát Secunda pod zámek a Magnus a jeho bratři pomáhali zbytku domácnosti s hašením požárů. Přední dveře stále doutnaly, ale oheň už nehořel. V místnosti se vznášel kouř.

„Děkuji vám, moji synové, děkuji." Titus si přitáhl oba mladíky k sobě.

Vespasián se pokusil otce obejmout levou rukou, ale škubl sebou bolestí.

„Musíš si to nechat vytáhnout, bratře," pronesl Sabinus překvapivě něžně. „Pošlu pro Chloe."

„A otci musí přišít zpátky ucho," odvětil Vespasián ve snaze zlehčit Titovo znetvořující zranění.

„To ucho už nikdo nezachrání, hochu." Titus si opatrně osahal stranu obličeje. „Málem to byla moje smrt. Uklouzl jsem na něm během boje a skoro ztratil rovnováhu. Ale jednu pozitivní stránku to přece jen má. Už nebudu muset poslouchat jedovaté poznámky vaší matky!"

Všichni tři se rozesmáli – spíš hystericky než pobaveně. Vespasiána zaplavila úleva, že jsou stále naživu, že našli rodiče živé, úleva od úzkosti, kterou pociťoval celou cestu po Via Salaria. Rozesmál se tak hlasitě, že se mu hruď neovladatelně zvedala a tlačila na hrot šípu uvízlý v rameni. Bolest a ztráta krve ho náhle přemohly a on se svalil v mdlobách na podlahu.

Vespasián otevřel oči a poznal strop svého starého pokoje. Byl den.

„No to je dost!"

Vespasián obrátil hlavu a spatřil Magna, jak sedí na židli v koutě místnosti a leští si nůž.

„Kolik je hodin?“ zeptal se ochraptěle.

„Skoro poledne, řekl bych.“

Vespasián si sáhl na rameno a ucítil na něm měkký obvaz.

„Ani jsi necekl, když ti ho ta stará Chloe vyndávala. Zůstals v bezvědomí celou dobu, i když ti vypalovala ránu. Pozoruhodná ženská. Nikdy jsem nezažil, že by šíp šel ven tak rychle. Vsadím se, že v mládí to byla docela krasavice.“

„Jsem si jistý, že kdybys ji pěkně požádal, určitě by si s tebou na svá mladá léta ráda zavzpomínala. Vím, jak si potrpíš na těla starších žen.“

„To už budu mít na talíři pořád, že? Bohové, jednou si to rozdáš s kozou a už ti ji pak každý vnucuje.“

„Tys aspoň získal svoji pověst po právu. Já se muly nikdy nedotkl, ale Sabinus mně je předhazuje pořád. Jak jsou na tom hoši?“

„Lucio to nezvládl, ale Cassandros má podle Chloe dobré vyhlídky. Šíp mu prorazil patro a vyšel ven tváří, jen mu vyrazil pár zubů. Tihle Řekové mají prostě štěstí.“

„Já bych tomu zrovna moc štěstí neříkal, když uvážíme, že ho střelil někdo, koho se snažil bránit.“

Magnus zavrčel. „No, když se na to díváš takhle, tak máš nejspíš pravdu. A nějakou dobu potrvá, než bude moct zase normálně požvýkat pořádnou římskou klobásku.“

Vespasián se usmál. „To nejspíš ano. Pomoz mi vstát, Magne.“

„Je to rozumné, pane?“

„To tě naše Chloe tak okouzlila, že si teď myslíš, že dám na tvoje léčitelské názory?“

„Ne, já jen, že vím, jak slabý se cítím pokaždé, když mě někdo propíchne.“

Vespasián se s námahou zvedl z postele. V ráně mu tepalo, ale neotevřela se. „No, nemám na vybranou. Musíme se postarat o naše mrtvé a pak odjet.“

„Kam ten spěch?“ zeptal se Magnus a pomáhal příteli vstát.

„Livilla bude čekat, že se její muži dnes vrátí,“ odpověděl Vespasián a vydal se nejistým krokem k míse s vodou na komodě. „Když se neobjeví do setmění, bude chtít vědět, proč. Nejspíš sem pošle zítra další, aby

zjistili víc. S největší pravděpodobností dorazí zítra v noci – takže bych řekl, že bude lepší, pokud nás tady nenajdou, ne?"
„Když zjistí, že je statek opuštěný, vypálí ho."
Vespasián si omyl tvář. „Tak ho zase znovu postavíme."
„Kam pojedeme?"
„Ty a tvoji hoši pomůžete Clementovi dopravit Secunda zpátky do Říma," odvětil Vespasián a osušil si obličej. „Pak tam zůstaneš, dokud pro tebe Antonia nepošle, abys mi doručil do Cosy vzkaz."
Magnus se nezatvářil zrovna nadšeně. „Když bude vědět, že jsem v Římě, bude pro mě posílat pořád."
„To už jsou požitky, které plynou ze zaměstnání. Nezlobil bych se, kdybys mi půjčil dva své hochy, kteří se mnou a se Sabinem odjedou do Cosy, jen kvůli většímu bezpečí."
„Jistě, vezmi si Sexta a Maria. Znají to tam. Co tvoji rodiče, kam pojedou?"
„Vydají se na sever a Artebudz je doprovodí. Má to skoro po cestě domů a vypadá to, že se už nemůže dočkat, aby se co nejrychleji vrátil do Norika."
„Ano, vím, o ničem jiném celou dobu nemluvil. Dělá si starosti, že jeho otec Brogduos už je možná po smrti."
„Jak dlouho je pryč?"
„Skoro dvacet let."
Titus vstoupil bez zaklepání. Bok hlavy měl celý ofáčovaný a plátěný obvaz celý fáč přidržoval.
Magnus diplomaticky vyklouzl z pokoje.
„Jsi vzhůru, to je dobře," usmál se Titus. „Jak se cítíš, synku?"
„Dobře, otče, a co ty?"
Titus naklonil hlavu. „Cože?"
„Dobře, otče, a co... No, to bylo opravdu vtipné!"
„Tvojí matce to tak nepřipadalo, když jsem na ni tenhle vtip taky zkusil. A teď má ještě horší náladu, protože jí Sabinus oznámil, že musíme odjet z Itálie a jet se ukrýt na nějaké bohy zapomenuté místo – už si zase nemohu vzpomenout, jak se to tam jmenuje."
„Aventicum. Je to ve vašem zájmu. Dokud se věci v Římě nezmění."

„Já vím, já to chápu, ale vaše matka ne. Myslí si, že tím, že jsme je v noci pobili, to skončilo."

„Tak to se mýlí," podotkl Vespasián a navlékl si tuniku.

„Vím, ale zkus jí to vysvětlit sám. Se Sabinem jsme to zkoušeli oba a vzdali jsme to. Teprve když jsem poručil, aby na vozy naložili cennosti, pochopila, že se musí rozhodnout: buď může čekat sama bezbranná v prázdném domě na další útok, nebo odjet se mnou."

„Co si zvolila?"

„Nevím, pořád se rozmýšlí. Ale dal jsem jí znovu svoji dýku."

Vespasián se zachechtal a připínal si opasek. „Co uděláš s dobytkem?"

„Muly a ovce už jsou na letních pastvinách na severu pozemků. Pallo a pár osvobozenců tady nějakou dobu zůstanou s pastýři. Budou tam v bezpečí. Nikdo je nebude hledat. Pokud jde o otroky, domácí si bereme s sebou."

„A co polní?"

„Ti jsou všichni mrtví. V noci uhořeli."

„Ale to snad ne. Všech čtyřicet?" Vespasián nevěřícně vzhlédl od zavazování sandálů.

„Šedesát. Zatímco jsi byl pryč, rozšířili jsme počty. Ano, bohužel. Ale aspoň se tím vyřešil problém, co s nimi."

„To je ale docela nákladné řešení problému. Stáli spoustu peněz."

„To mi nemusíš povídat, zaplatil jsem za ně. Ale tuhle ztrátu rodině víc než vynahradí věno, které přinese do manželství Clementova sestra. Dnes ráno jsme se dohodli. Přiveze ji během měsíce do Cosy kvůli sňatku. Předpokládám, že pojedete rovnou tam."

„Ano, vezmeme si pár Magnových chlapců, aby..."

Ve dveřích se objevila Sabinova hlava. „Otče, Vespasiáne, Atafanes umírá, chce vás vidět."

Ubikace osvobozenců byly na opačném konci dvora, kde zabíraly celou jednu stranu spolu s kanceláří a bytem správce statku. Oheň tam nezpůsobil větší škody.

Titus vedl syny chaosem, který vládl na dvoře při nakládání rodinného majetku na tři povozy, do společné jídelny osvobozenců, kde se podávalo jídlo a muži se scházeli večer při pití a hraní kostek. Na opačné straně, z dlouhé chodby bez oken, vedlo několik dveří do pokojů mužů s výhledem do dvora. Titus se do jednoho chystal vstoupit, pak se zarazil. Přestože jako pán domu měl právo vejít kamkoli po libosti bez klepání, rozhodl se vzdát poctu muži, který mu sloužil šest let jako otrok a dalších deset jako osvobozenec. Zaklepal.

Dveře se otevřely a vykoukla Chloe. Na vrásčité opálené tváři, která Vespasiánovi vždy připomínala skořápku vlašského ořechu, se zračilo překvapení, že pán zaklepal.

„Páni, pojďte dál," zaskřehotala a sklonila hlavu. „Pane Vespasiáne, to je dobře, že ses už probral. Co rameno?"

„Je ztuhlé a bolí, ale bude v pořádku. Děkuji za to, cos pro mě v noci udělala, Chloe," odpověděl Vespasián a láskyplně ji vzal za ruku. Jako dítěti mu zašila spoustu ran a nalila do něj nejrůznější lektvary, a on už ji dávno bral za člena rodiny.

„Měl jsi štěstí, že ten šíp nezasáhl nic důležitého," obdařila ho úsměvem. Těch několik zubů, které jí zůstaly, bylo žlutých nebo černých. „Ránu jsem vyčistila a vypálila. Ale chudák Atafanes dopadl hůř. Šíp mu zasáhl játra a on krvácí dovnitř. Nevydrží dlouho."

Vespasián přikývl a vešel do malé vybílené místnosti. K jeho překvapení stál u jediného okna Artebudz. Za ním, ve dvoře, pokračovalo nakládání vozů.

Atafanes ležel na nízkém lůžku. Hrdé, ostře řezané perské rysy měl teď ochablé a šedivé. Namáhavě dýchal. Otevřel oči – bělmo bylo celé žluté – a pousmál se.

„Jsem vám vděčný, že jste přišli, páni," zašeptal.

„Pán zaklepal," ozvala se tenkým hláskem Chloe ode dveří. Dobře věděla, že její poznámka je nepatřičná, ale považovala za nutné Atafana na tuhle skutečnost upozornit.

„Děkuju," řekl Titovi, „prokázals mi čest."

„Zasloužíš si to za ta dlouhá léta služby mé rodině," odvětil Titus a vzal ho za ruku. Něžně ji stiskl a pak pohlédl tázavě na Artebudze.

„Jsem Artebudz, pane. Tvůj syn pro mě získal svobodu. Jsem tvé rodině hluboce zavázán."

„To je muž, který mě postřelil, pane," informoval Atafanes Tita slabým hlasem. „Byla to skvělá rána. Mnohem lepší, buď pochválen Ahura Mazda, než moje na Vespasiána." Zasmál se a na rtech se mu objevila krev. „Ale můj podsaditý skytský přítel Baseos, ten minul úplně. Naposledy jsem si s ním zasoutěžil v lukostřelbě a vyhrál jsem."

„Ale naštěstí pro mě jsi netrefil do černého," podotkl Vespasián a osahal si rameno.

Atafanes přikývl a zavřel oči. „Chci vás požádat o dvě laskavosti, páni."

„Mluv," vybídl ho Titus.

„Zaprvé, abyste moji mrtvolu nespálili, ale místo toho ji vystavili na věži ticha tažným ptákům po zvyku mého lidu, který se řídí učením proroka Zarathuštry."

„Stane se."

„Děkuju, pane. Má druhá žádost není tak jednoduchá. Našetřil jsem si dost peněz, ve zlatě. Jsou v truhličce pod mojí postelí spolu s několika osobními věcmi, které bych chtěl poslat své rodině. Plánoval jsem, že je jednoho dne použiju k návratu do vlasti, ale teď už k tomu nedojde. Chtěl bych tě požádat, abys je poslal mé rodině s dopisem, ve kterém napíšeš něco o mém životě. Neměl jsem čas napsat ho sám… umějí číst řecky."

„Rád, Atafane, ale jak zjistíme, kam to máme poslat?"

„Moje rodina pochází z Ktésifónu. Jsme obchodníci s kořením. Protože jsem byl nejmladší z pěti synů, nebylo pro mě místo v našem podniku, proto mě poslali, abych splnil manské závazky naší rodiny a sloužil ve vojsku našeho mocného krále. A tak jsem tady a zde taky zůstanu. Moje rodina hodně obchodovala s Židy v Alexandrii. Podle mě pořád obchoduje." Atafanes se zarazil a zalapal po dechu. Hruď se mu nepravidelně zdvihala. „Byla tam hlavně jedna židovská rodina – získali římské občanství o dvě generace dříve od Julia Caesara. Ten muž se jmenoval Gaius Julius Alexander. Bude vědět, kam ty peníze poslat."

Atafanův dech byl stále slabší.

Titus na něj pohlédl se starostí v očích. „Nikdo z naší třídy nesmí do Egypta bez svolení od samotného imperátora. Jak můžeme tu rodinu najít bez toho, abychom se tam vydali?"

Atafanes otevřel s námahou oči a zašeptal: „Napiš alabarchovi, ten to bude vědět. Žijte blaze, páni."

Zesnul. Artebudz přistoupil k lůžku a zatlačil mu oči.

Okamžik stáli mlčky.

„Vytáhni tu truhličku, Sabine," pronesl po chvíli Titus. „Řeknu Pallovi, aby se s pár muži postaral o mrtvého. Musíme spálit ostatní, hranice už jsou připravené."

Titus vyšel ven a bratři na sebe pohlédli.

„Co je to ten alabarch?" zeptal se Sabinus.

„Copak já vím? To zjistíme později. Pojď, vytáhni truhlici a po pohřebním obřadu si promluvíme se Secundem."

Sabinus se shýbl a zašátral pod postelí. Vytáhl obyčejnou dřevěnou bedýnku ve tvaru krychle o straně asi třicet centimetrů. Nebyl na ní žádný zámek, jen západka. Otevřel víko. Bratři zalapali po dechu. Byla ze čtvrtiny plná nejen zlatých mincí, ale také zlatých valounů a šperků.

„Jak k tomu všemu přišel?" zeptal se Sabinus. Nabral hrst pokladu a nechal mince padat zpátky.

„Šetřil si všechno, co kdy dostal od vašeho otce za práci," ozvala se Chloe. V očích měla slzy. „Jednou za rok jel do Reatu a nakoupil zlato."

„Jenže tady je toho přece víc, než kolik mohl vydělat za deset let," namítl Vespasián. „Otec zase není tak štědrý."

„Baseos mu vždycky dal většinu svých peněz. Říkal, že mu k ničemu nejsou. Měl tady všechno, co potřeboval, a kdyby se někdy vrátil domů, k čemu by mu byla taková spousta peněz na skytských pastvinách? Usoudil, že bude lepší, když je dá příteli, který je může nějak použít."

Sabinus zamručel. „To asi dává smysl," podotkl a zvedl těžkou bedýnku. „V budoucnu se budu snažit přátelit se Skyty."

Vyšel ven. Vespasián ho následoval a snažil se pochopit, jak je možné, že někomu může nescházet to, co bylo jeho srdci tak blízké: peníze.

Titus sloužil obřad, při němž zbytek mrtvých spálili na dvou hranicích před vraty dvora: jedna byla pro mrtvé ze statku a člena bratrstva křižovatek Lucia, a druhá pro ostatní. Všem vložili do úst minci pro převozníka, dokonce i Livilliným mužům, navzdory Vespasiinu odporu.

Vespasián teď stál vedle otce u spěšně postavené dřevěné plošiny podpírané čtyřmi dva a půl metru vysokými sloupky, na kterou uložili Atafana. Za nimi se shromáždili osvobozenci ze statku a Artebudz. Baseos nezakrytě plakal a držel přítelův luk, který si nechal na památku. Když se ho Vespasián zeptal, jestli si nechce vzít zpátky své peníze, starý Skyt mu odpověděl, že s Atafanovým lukem si opatří víc jídla, než kolik by si mohl koupit za všechny peníze. Vypadal s celým obchodem nadmíru spokojený, proto Vespasián dál věc nerozebíral.

Protože nikdo z nich neznal zoroastrické pohřební rituály, Sabinus se rozhodl, že použije mithraické, protože obě náboženství si byla do jisté míry podobná. Odříkal modlitby k slunci za duši mrtvého, zatímco držel ve výšce zelený pšeničný klas. Potom obětoval mladého býka a dělal zvláštní gesta rukama nad ohněm, než do něj vhodil býčí srdce. Všechno to vypadalo zvláštně a cize, ale přitom obětování bylo současně známé.

„Co to mělo všechno za smysl?" zeptal se Vespasián bratra, když kráčeli zpátky vraty na dvůr. Byla osmá hodina denní. Nakládání už bylo téměř u konce a do povozů začínali zapřahat muly. Pallo jim řekl, že budou připraveni k odjezdu za necelou hodinu.

„Kdybych ti to prozradil, musel bych zabít nejprve tebe a pak i sebe," odpověděl Sabinus se stopou ironie v hlase. „Jestli to chceš vědět, musíš se dát zasvětit do nejnižšího stupně: Havrana."

„Jak můžu vědět, jestli se chci nechat zasvětit, když o tom náboženství nevím zhola nic?"

„Věř, bratře."

„Věřit v co?"

„Věř v Pána Mithru a slunečního boha."

„A v co kolem nich mám tedy věřit?"

„Že povedou tvého ducha a očistí tvoji duši při přechodu z jednoho života do druhého."

„Jak?"

„Mysteria se zjevují postupně, čím víc jsi zasvěcován do různých stupňů."

„V jakém stupni jsi ty?"

„Jsem Voják, třetí stupeň. Teprve až dosáhneš sedmého stupně, bude ti zjeveno všechno, potom budeš znám jako ‚Otec‘. Ale vážně, pokud máš zájem, můžu zařídit tvoje zasvěcení.“

Vespasiánovi přišlo divné, že nějaké náboženství může být tak hierarchické, že jeho tajemství drží pouze několik z mnoha, a ostatní musejí mít pouze víru a slepě je následovat. Usoudil, že to musí souviset s mocí a nadvládou, a právě proto se tohle náboženství nejspíš těší takové oblibě ve vojsku.

„Děkuju, ale ne, Sabine. Dávám přednost starým bohům, které stačí usmířit, abys je mohl požádat o praktickou pomoc, jako dopřejte mi vítězství nebo dobrou sklizeň nebo smrt nepřátelům. Hmatatelné věci, žádné starosti kolem nějakého ducha nebo duše.“

„Staří bohové mají také svá mysteria, která, jak věřím, jsou hodně podobná mithraickým.“

„Tak proč ses rozhodl vzývat tohohle nového boha?“

„Všechna náboženství jsou v zásadě stejná, pokud se do nich hluboce pohroužíš. Je jen otázkou volby, které nejlépe promlouvá k tvému vnitřnímu já o životě, smrti a znovuzrození.“

„No, já jsem rád, že si musím dělat starosti jen se životem. To, co se stane potom, pokud se vůbec něco stane, ať se stará samo o sebe.“

„Jak chceš, bratře.“

Přerušili teologické úvahy, protože došli ke Clementovi, který právě nadával mladému štolbovi kvůli utažení, nebo spíš neutažení podpěnky sedla.

„Přísahal bych, že se tenhle pitomec snaží mě zabít,“ sdělil rozhořčeně bratrům. Pak uštědřil chlapci pohlavek a poslal ho udělat práci znovu.

„Kde je Secundus, Clemente?“ zeptal se Sabinus. „Chceme mu položit pár otázek, než ho vezmeš k Antonii.“

„Je v jednom ze skladišť. Zavedu vás k němu, ale abyste z něj něco dostali, budete muset mít hodně štěstí. Já už jsem to zkoušel.“

„Třeba jsi jenom nepoužil ty správné přesvědčovací metody,“ odpověděl Vespasián, když Clemens vykročil.

„Nám to připadá,“ zamyslel se Vespasián, „že nemáš moc na vybranou, Secunde. Mluv s námi a získáš ochranu paní Antonie. Nebo dál mlč a Antonia sdělí Macronovi, žes zradil nejen ji, ale také jeho, a tebe i tvoji ženu čeká nepříjemná smrt, kterou ti sliboval."

„Albucillu z toho vynechte," zavrčel Secundus. Nakrčil výrazné srostlé obočí nad úzkýma světle modrýma očima. Na vysokých lícních kostech a hranatých čelistech měl modřiny.

„Obávám se, že je do celé věci až příliš zapojená," namítl Vespasián klidně, „a to už od té doby, cos ji začal prodávat Liville a Seianovi."

„Neprodávám ji. To, co dělá, dělá z vlastní vůle."

„Takže taky ze své vlastní vůle," protáhl Sabinus, „ti opakuje spoustu zajímavých informací, které se mohla dozvědět, jen když si to s ní rozdávali tihle její dva noví klienti? Tak si říkám, kdo komu při tom co dělá?"

Secundus vyskočil ze židle, ale Vespasián a Clemens ho okamžitě zadrželi. Prudká rána Sabinovou pravačkou do břicha mu vyrazila dech a on se svalil na podlahu.

„Takže poslouchej, Secunde," pokračoval opět klidným tónem Vespasián, „ty a tvoje žena jste hráli nebezpečnou hru, která teď skončila. Antonia si velmi snadno může trošku popovídat s Livillou jako matka s dcerou, i když jedna nenávidí druhou, a při té příležitosti zmínit pár věci, které předala nejprve Albucilla tobě a ty zase pro změnu Macronovi. Jen si představ, co udělá Seianus, jakmile zjistí, že má špeha ve vlastní posteli. Nevím jak ty, ale já bych radši přijal nepříjemnou smrt, kterou ti sliboval Macro, než celou věčnost utrpení, které by tobě a tvé drahé manželce nabídl Seianus."

Secundus znovu popadl dech. Pohlédl na Vespasiána se směsicí rezignace a pohrdání. „Co chceš a co mi můžeš nabídnout?" zeptal se.

„To už je lepší. Věděl jsem, že máš rozum. Obdivuji ambiciózní muže, ale jen když jsou jejich ambice mírněny jistou dávkou věrnosti – té se ovšem tobě naprosto nedostává. Doporučuju ti, aby sis jí trochu osvojil. Paní Antonia a Macro tě za ni mohou odměnit tím, že tebe a Albucillu zachovají naživu a v bezpečí. A odpověď na otázku, co chci já, je velmi jednoduchá: pověz nám, proč jsi šel za Seianem a cos mu vyzradil."

Secundus se s námahou zvedl ze země. „Můžu se zase posadit?"

Clemens mu přistrčil židli. Secundus se posadil, otřel si pot z čela a hladil si pohmožděné břicho.

„No," vybídl ho Sabinus, „tak spusť."
Secundus se nešťastně rozhlédl. Věděl, že nemá na vybranou, a zhluboka se nadechl. „Vždycky jsem byl věrný Macronovi," namítl, „ale když se spolčil s Antonií proti Seianovi, začal jsem si dělat starosti, že jsem možná vsadil na špatného jezdce. Seianus je silný nepřítel a já dostal strach, že by mohl Macrona zničit a já že padnu s ním. Jenže Antonii taky není radno podceňovat, a kdyby zjistila, že jsem porušil věrnost Macronovi, a tedy i jí, taky bych trpěl, pokud by zvítězila."

„Ale tys nechtěl riskovat, že by ses mohl ocitnout na straně poraženého," pousmál se Sabinus.

Secundus pokrčil rameny. „Vždycky je lepší se na téhle straně neocitnout. Neznám nikoho, kdo by tvrdil opak, protože takové obvykle čeká smrt. V každém případě jsem se svěřil se svými obavami manželce a ona přišla s myšlenkou, že by mohla svést Livillu a pak snad i Seiana, a v tom případě by nezáleželo na tom, kdo zvítězí v boji o moc, protože budeme jednou nohou v každém táboře."

„Dá se to říct i tak," přemítal nahlas Vespasián.

Secundus jeho jízlivou poznámku ignoroval. „Jakmile se jí podařilo proniknout k nim do postele, začala jim předávat útržky informací o Antonii, které jsem jí sděloval, s tím, že je Albucilla získala od jednoho z pretoriánů střežících Caligulu, s nímž, jak jim sdělila, měla taky poměr."

„Od koho?" zeptal se podezíravě Clemens.

Secundus na něj pohlédl a jízlivě se usmál. „Od tebe."

Clementova pěst vystřelila. „Ty syčáku!"

Secundus před ránou uhnul. „Co jiného jsem měl asi říct? Nevěřili by, kdybych tvrdil, že má poměr s nějakým řadovým strážným. Musel to být kapitán gardy. Tak jsem jim mohl sdělovat věci, které jsem zjistil o Antoniiných plánech ze zpráv, jež jsem přenášel mezi ní a Macronem, aniž jsem ho musel zradit."

„Takže Seianus neví, že Macro spolupracuje s Antonií." Vespasián konejšivě položil ruku na Clementovo předloktí.

„Samozřejmě ne. Nejsem přece pitomec – kdyby to Albucilla Seianovi řekla, dal by Macrona zavraždit a Antonia by uhodla, že zrádcem jsem já. Vím, jaká je, nepřežil bych ani den, i kdybych se vypařil na konec světa."

„Takže co jsi sdělil Seianovi?“ naléhal Sabinus a přistoupil výhrůžně blíž k Secundovi.

„Hlavně drobnosti, věci, které by věděl Clemens. Jako jména lidí, které jsem viděl přicházet a odcházet, zatímco jsem čekal, až mě přijme. Hlavní věc, kterou jsem mu sdělil, se týkala příjezdu toho zajatce. Chápete, věděl jsem, že se Antonia snaží přivézt Tiberiovi svědka, aby svědčil proti Seianovi, protože jsem byl na schůzce mezi tebou, Pallem a Macronem.“

„Počkat,“ zarazil ho Vespasián a obrátil se k Sabinovi. „Nikdy ses nezmínil o žádné schůzce s Macronem.“

„Nikdy ses neptal,“ odpověděl Sabinus přezíravě.

„Jak jsem měl vědět, že se mám na něco takového zeptat? Myslel jsem, že jsme se dohodli, že si navzájem sdělíme všechno důležité.“

„Podívej se, na tom nezáleží. Doprovázel jsem Palla, když šel jménem Antonie za Macronem. Secundus tam byl jako Macronův tělesný strážce, a proto jsem ho taky v noci poznal. A teď pokračuj, Secunde.“

Secundus nakrčil obočí. „Když mi Antonia řekla, abych vyřídil Macronovi, že to, nač čeká, už brzy dorazí, odhadl jsem, že jde o toho svědka. Albucilla to předala dál a Seianus postavil hlídku v přístavu a u všech bran do města. Albucilla mi vyprávěla, že Seianus zuřil, protože jeho muži neviděli tomu zajatci do tváře vzhledem k tomu, že měl kapuci.“

„Takže Seianus netuší, kdo je ten svědek?“ naléhal Sabinus.

„Ne, ani to, odkud je. Nemohl jsem Albucillu požádat, aby mu pověděla, že je z Moesie, protože jak by se k takové informaci Clemens dostal? Vzbudilo by to v Seianovi podezření a mohl by se jí zbavit, a to nejrůznějšími způsoby. Potřeboval jsem ji v té posteli, protože jsem získával informace, které zase sloužily Macronovi. To ona zjistila, že Caligula má být povolán na Capri.“

Vespasián obdivoval mužovu licoměrnost, rafinovanost a jeho pevné nervy. Skutečně hrál nebezpečnou hru, a hrál ji dobře. Zajistil by si jistě místo po boku vítězů, kdyby neskončil jako zajatec při pokusu o vraždu.

„Proč vás poslali, abyste zabili naše rodiče?“ zeptal se.

„Neposlali. Měli jsme rozkazy odvézt vaši matku Liville.“

„Co s ní Livilla zamýšlela?“

„Seianus potřeboval naléhavě zjistit totožnost toho svědka, a protože se nemohl dostat k Antonii, rozhodl se, že se zeptá jednoho z jejích blízkých společníků. Albucilla několikrát zmínila jméno vašeho strýce, a protože ho senátor Pollo v senátu otravoval – takhle to podle Albucilly řekl Seianus –, usoudil Seianus, že možná zná podrobnosti Antoniiných plánů. Takže poslal do jeho domu Livilliny muže, aby ho přivedli k výslechu."

„Ano, to víme. Nenašli ho," pronesl trpce Sabinus, „jen pozabíjeli většinu jeho domácnosti."

Secundus pokrčil rameny. „My jsme měli přivézt jeho sestru, abychom mu pomohli osvěžit paměť. Mě požádali, abych jel s nimi, protože žádný z Livilliných mužů neví, jak senátorova sestra vypadá. Albucilla navrhla, že bych je měl doprovázet, protože jsem párkrát senátora Polla viděl a byl bych schopný rozpoznat rodinnou podobu."

„A co my dva se Sabinem?" zeptal se Vespasián.

„Vaše jména nikdy nepadla, ani v posteli, ani od Macrona," odpověděl Secundus a vychytrale na bratry pohlédl. „Ale Albucilla se zmínila, že z lodi viděli vystupovat se zajatcem dva mladé muže, které nikdo neznal, a pak že jeli do Antoniina domu. Možná by bylo lepší, kdybyste se teď drželi nějakou dobu dál od Říma."

„To máme taky v úmyslu," ujistil ho Sabinus.

„No a co uděláte se mnou?" zeptal se Secundus.

„Livilla pošle své muže, aby zjistili, co se stalo," odvětil Vespasián. „Objeví opuštěný dům a dvě pohřební hranice. Usoudí, že jsi v jedné z nich. Clemens tě odveze k Antonii, kde nějakou dobu zůstaneš, než se rozhodne, co s tebou."

„A co moje žena? Bude si taky myslet, že jsem mrtvý?"

„To záleží na Antonii. Očekávám, že všechno bude záviset na tom, jak věrný a užitečný se ukážeš."

„Já umím být moc užitečný."

Vespasián se v duchu usmál. O tom nepochyboval. „V tom případě si získáš její vděčnost."

„Bude mi moc vděčná."

„Proč?"

„Protože pro ni můžu zajistit tu nejlepší ze všech kořistí. Můžu jí dát Seiana."

ČÁST V

Z COSY NA CAPRI

PROSINEC ROKU 30 PO KR. – BŘEZEN ROKU 31 PO KR.

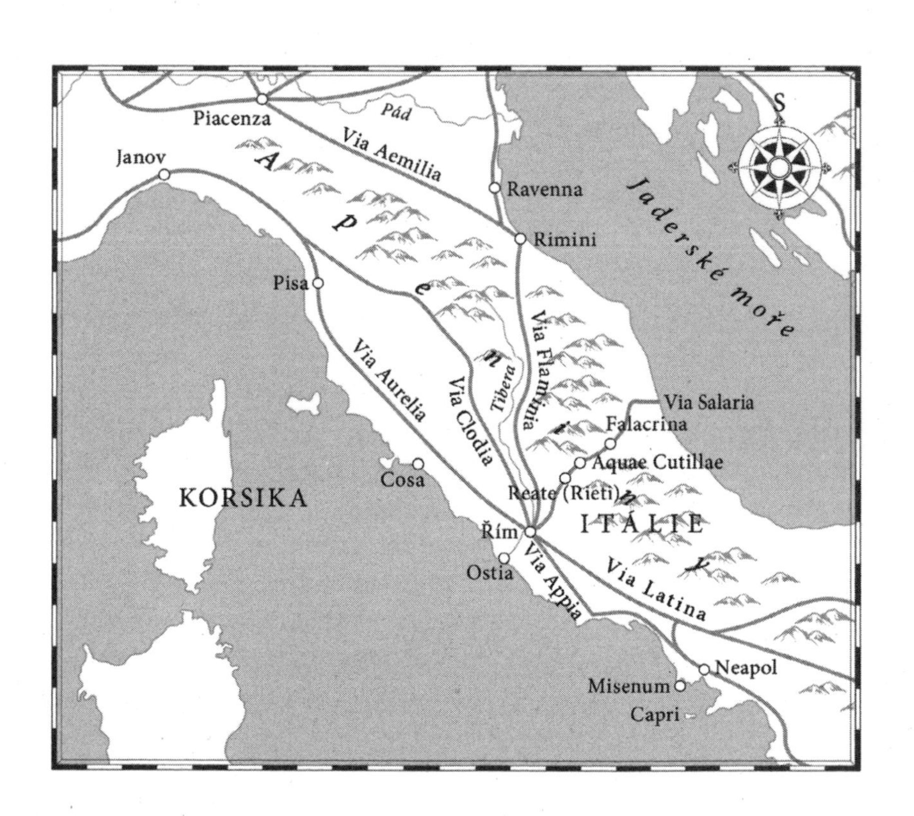

KAPITOLA XIV

„HEJ, HEJ, HEJ, SATURNÁLIE!“ zvolali společně Vespasián a Sabinus, když prošli dveřmi triklinia na Vespasiánově statku v Cose s podnosy s jídlem v rukou.

„Hej, hej, hej, Saturnálie,“ odpovědělo jim rozdováděně několik osvobozenců a domácích otroků, kteří zůstali na statku, spolu se Sextem a Mariem.

Leželi na třech pohovkách kolem nízkého stolku se zdviženými poháry s vínem a připíjeli na každoroční svátek dobré vůle. Všichni soustavně popíjeli celé odpoledne, zatímco Vespasián, Sabinus a Clementina připravovali s trochou pomoci kuchyňské otrokyně jídlo. Vespasián a Sabinus přinášeli talíře na stůl a Clementina obcházela přítomné se džbánem vína a dolévala prázdné poháry, jejichž obsah rychle mizel.

Místnost byla vyzdobena jedlovými větvemi a cesmínou s jasně červenými plody. Všichni přítomní, ať už svobodní, osvobození nebo otroci, měli na hlavě kónickou kožešinovou čapku: *pileus*, symbol propuštění z otroctví. Pouze v tuto část roku, v období šestidenních oslav boha Saturna, se také nosily tuniky v pestrých barvách, ne bílé jako normálně. Dnes přišel vrchol slavností. Den, kdy bylo v celé domácnosti všechno vzhůru nohama – páni obsluhovali otroky a osvobozence a ti k nim naopak mohli být nezdvořilí (ale nikoli neomaleně hrubí).

Stolující obhlíželi talíře s grilovanými rybami s fenyklem a celé pečené kůzle s omáčkou ze švestek a kaparů a pochvalně mlaskali.

„Tohle vypadá daleko líp, než ten blivajs, se kterým se ta stará čarodějnice – vaše babička – vždycky objevila, když si jedinkrát v roce vyšla na výlet do kuchyně, pokud ji vůbec našla," podotkl Attalus, Tertullin správce a věrný druh. „Jenže vy, rozmazlení mladí spratci, si nejspíš sotva pamatujete ty hrůzy, které ta stará bába vařila."

„A tys ji nepochybně každý rok dal přesně najevo, co cítíš, když ti je předkládala, že, Attale?" odpověděl Vespasián se smíchem, když slyšel, jakými slovy jeho babičku popisuje jediný člověk, který ji zřejmě miloval víc než on sám.

„Právě naopak, hochu, jak by sis měl pamatovat." Attalus se usmál a znovu dopil pohár. „Když jsem během Saturnálií měl dovoleno být k ní neuctivý, nebylo to zdaleka tak zábavné, proto jsem se místo toho choval uctivě, poslušně a s pokorou. Jinými slovy – jako dokonalý otrok. Šest dní stačilo, aby ji to dohánělo k šílenství. Nemohla se nikdy dočkat, až bude po svátcích. Někdy si říkám, že snad schválně připravovala tak děsivá jídla, jen aby ze mě dostala nějakou sarkastickou poznámku. Ale já vždycky vydržel, snědl jsem každé sousto těch strašných pomyjí, které přede mě ta pitomá babizna položila. Můžete to ode mě brát za geniální tah, a budete mít naprostou pravdu. Vždycky jsem totiž byl mnohem chytřejší než kdokoli z vaší rodiny." Zvedl pohár do vzduchu a zamával na Clementinu. „Dolij mi, couro, a pořádně plný, tak jako jsi ty sama."

Místností se rozlehl ochraptělý smích. Clementina zrudla, ale usmála se. Bezděčně si položila dlaň na své velké břicho a spěchala kolem stolu, aby mu posloužila.

Sabinus se zamračil, ale vzápětí se připojil ke smíchu. Poznámka nebyla míněna zle a patřila k duchu Saturnálií, které měl stále rád navzdory svému novému náboženství. Nyní je bral jako předehru vážných oslav zrození Mithry o pár dnů později. „Jestli si myslíš, že tahle dvě jídla vypadají chutně, Attale," vykřikl, „tak jen počkej, až uvidíš ta ostatní. Myslím, že i vyhladovělý galský námořník, který strávil měsíc na moři, by se do nich zdráhal pustit."

To vyvolalo další výbuch smíchu. Galové nepatřili právě k vyhlášeným pro své dovednosti v plavbě ani v kuchyni.

„Clementino, drahá, rozdáš prosím dárky, než přineseme další talíře?" požádal Sabinus manželku a ukázal na hromádku voskových svící, hliněných figurek a nových tunik na stole v rohu místnosti.

Clementina se na manžela sladce usmála. „S radostí, Sabine."

Sabinus své novomanželce úsměv oplatil a odešel z místnosti.

Vespasián zamířil za ním naplněn pocitem spokojenosti. Vždycky Saturnálie miloval. Rozveselily ho, což byl přesně ten důvod, proč téměř o dvě stě padesát let dříve vznikly – měly rozveselit římský lid po katastrofální porážce u Trasimenského jezera z rukou Hannibala, kde padlo přes patnáct tisíc římských synů, bratrů a otců. Původně šlo pouze o jednodenní oslavu, ale během let se rozrostla. Vtipálci tvrdili, že vzhledem k tomu, že rok po Trasimene bylo přes padesát tisíc Římanů zabito u Kann, byl přidán další den, aby se lidé rozveselili ještě víc.

Vespasián neznal pravdu o celé záležitosti, ale měl rád černý humor. A zvednout náladu potřeboval. V Cose prožil pět dlouhých a náročných měsíců. Nenudil se – měl spoustu práce kolem statku, který za dva a půl roku od Tertulliny smrti pomalu chátral. Attalus dělal, co bylo v jeho moci, aby udržel jeho hladký chod, ale protože babička ve své závěti dala všem svým otrokům svobodu, nebylo na statku dost rukou. Někteří noví osvobozenci se rozhodli, že zůstanou, ale většina usoudila, že zkusí štěstí v Cose nebo dokonce v Římě. Attalus koupil několik nových otroků, ale zdráhal se, zcela oprávněně, dělat velké nákupy bez Vespasiánova souhlasu. Doplnění stavů polních otroků zabralo v prvních dvou měsících spoustu času a poslední dobou se mladík snažil dosáhnout opět plného fungování statku, než zima na několik měsíců život na polích zpomalí.

Od úsvitu do soumraku měl každý den plné ruce práce a věnoval se tomu, v čem se vyznal nejlépe. Dny nebyly problém, to až večery. Od chvíle, kdy v srpnu přivezl Clemens do Cosy svoji sestru Clementinu kvůli sňatku se Sabinem, byl Vespasián nucen večeřet každý den s těmi dvěma, kteří se do sebe velmi rychle zamilovali. Zkrátka a dobře, poprvé ve svém životě na bratra žárlil. Žárlil na jeho štěstí. Žárlil na jeho lásku a na to, jak je mu oplácena. Žárlil na to, že má každý večer v loži ženu, kterou miluje. Žárlil na všechno, co měl Sabinus, protože jeho s Caenidou nic podobného nečekalo.

Antonia jednou poslala Caenidu do Cosy, údajně se vzkazem, že Caligula dorazil spolu s Clementem na Capri a ona čeká na zprávy. Jenže v dalších třech měsících žádné zprávy nepřišly a Vespasiána začala jeho nečinnost trápit. Tak daleko od Říma neměl naději, že jeho kariéra bude pokračovat, a to navzdory tomu, jak moc práci na statku miloval.

Caenis se zdržela čtyři dny – a noci –, jenže to bylo v září a od té doby ji neviděl. Čtyři dny si hráli na manžele – společně si užívali vycházek ráno, obědů na pohovce a večerů v posteli. Byl Sabinovi a Clementině vděčný, že ji bez náznaku blahosklonnosti berou jako sobě rovnou, navzdory jejímu postavení otrokyně. Jenže svým způsobem tím problém ještě víc zdůraznili. Bez ohledu na všechna předstírání byla stále otrokyní a mohla vždy doufat jen v osvobození, ne ve svobodu.

Když se kolem jeho narozenin v listopadu potvrdilo Clementinino těhotenství, už téměř nedokázal svoji žárlivost skrývat. Jeho bratr čekal dítě se ženou, kterou miloval, a přitom on, Vespasián, nemohl nikdy doufat v totéž s Caenidou, protože jeho dítě by nebylo občanem. Nikdy se nemohl s Caenidou oženit, protože mu v tom bránil augustovský zákon Lex Papia Poppaea, který zakazoval svazek mezi osvobozenkyní a senátorem. Pokud měl dál sloužit Římu, bude po dosažení předepsaného věku dvaceti čtyř let zvolen kvestorem, a protože jeho strýc patřil do senátorské třídy, automaticky také on získá křeslo v senátu.

Byla to situace, ze které neexistovalo jiné východisko, než aby se vzdal kariéry. Od chvíle, kdy ho poprvé přemohl majestát Říma při pohledu z kopce na Via Salaria, věděl, že nic takového nikdy neudělá. Proto neměl jinou možnost než zavřít své city na zámek a zabývat se záležitostmi statku, dokud je se Sabinem Antonia nepovolá, aby konečně završili svoji misi a dopravili Rhoteka k Tiberiovi.

Toho večera se mu však podařilo všechny starosti odložit stranou. Bylo téměř nemožné cítit se nešťastně během Saturnálií, což byl přesně účel jejich vzniku, před těmi dlouhými lety během temných dní Hannibalovy invaze do Itálie.

Další sborové zvolání „Hej, hej, hej, Saturnálie!“ uvítalo Vespasiána a Sabina, když znovu vešli do triklinia a odložili dva poslední talíře.

„Opravdu jsi nepřeháněl, Sabine,“ podotkl Attalus a dloubl prstem do velmi mdlé omáčky, která obklopovala dva rozvařené králíky. „Překonali jste svoji babičku, hoši. Ten galský námořník by musel být taky ještě slepý a namol, aby tohle pozřel.“

„No, z poloviny už jsi tedy připravený, Attale." Vespasián se smíchem popadl ze stolu nůž a namířil ho správci do obličeje. „Mám ti pomoct s tou druhou půlkou?"

„Jsi moc laskavý, ale musím odmítnout, protože se obávám, že bys téhle nabídky litoval hned ráno, až se všechno vrátí k zaběhnutému pořádku a budeš potřebovat někoho, kdo umí nejen počítat, ale taky dobře vidí, aby opravil všechny chyby, které jsi nadělal v účetních knihách statku."

„Hej, hej, hej, Saturnálie!" zvolali přítomní a zvedli poháry.

Po přípitku se hodovníci začali ládovat jídlem.

„Dovol, abych ti posloužil, pane Marie," řekl Sabinus, když viděl, že jednoruký člen bratrstva křižovatky nemůže odříznout nohu kůzlete.

„Jo, pomocnou ruku jistě neodmítne," ozval se Sextus, pobavený vlastním vtípkem, který pronesl snad již stokrát, ale stále se ho nenabažil.

„Musí být Saturnálie, když jsi ze sebe dostal svůj jediný vtip, bratře," podotkl Marius s úsměvem, zatímco mu Sabinus položil nohu na talíř. „Děkuju, Sabine."

„Nemusíš mi děkovat, jsem rád, že mohu udělat něco užitečného, vzhledem k tomu, že se ani nedokážu dát zvolit kvestorem."

„Hej, hej, hej, Saturnálie!" zaburáceli všichni v reakci na tuhle nezvyklou ukázku sebepodceňování. Vespasián se přidal. Zpočátku ho překvapilo, jak dobře bere Sabinus svou neúčast ve volbách – zvlášť když se on, Vespasián, párkrát zmínil, že jeho přítel Paetus, který byl už opět zpátky v Římě, se ocitl na předním místě seznamu. Jenže potom, když viděl pravidelnost, s jakou se jeho bratr utěšuje kvůli této porážce v náručí své mladé novomanželky, si začal myslet, že pro Sabina je to vlastně úleva. Koneckonců, další volby budou znovu za rok a on si mezitím může užívat manželství namísto toho, aby dělal rok nebo víc poskoka v nějaké vzdálené provincii, což měl být jeho osud – výnosná místečka v hlavním městě měli pro sebe vyhrazena muži Paetova původu.

Jídlo pomalu došlo a hodovníci byli víc a víc opilí. Nakonec všichni usnuli na pohovkách nebo pod nimi. Bratři a Clementina je zanechali hlučnému spánku, obklopené zbytky jídel. Součástí Saturnálií už nebylo to, aby páni uklízeli a myli nádobí. Tuhle věc musejí hodovníci zvládnout sami, v kocovině, až se brzy ráno vrátí ke svým normálním povinnostem.

Sabinus odvedl Clementinu do jejich ložnice a jeho úsměv ujistil Vespasiána, že před sebou mají noc plnou utěšování. Vespasián osaměl. Protože bylo ještě stále brzy a on se necítil unavený, rozhodl se, že půjde do pracovny a bude pokračovat ve studiu překvapivé spousty knih o historii a historických dokumentů, které mu zanechala babička. Právě přecházel atriem, když se ozvalo hlasité zabušení na vstupní dveře. Protože vrátný v tu chvíli ležel v kaluži vlastních zvratků v trikliniu, otevřel sám.

„Dobrý večer, pane. Že jsem zmeškal oslavu?"

„Magne!" vykřikl překvapený Vespasián rád, že vidí přítele. „Ano, bohužel."

„To je smůla." Magnus vstoupil do vestibulu, shodil plášť a podal ho s úsměvem Vespasiánovi. „Nevadí, pořád ještě jsou Saturnálie, tak mi to můžeš vynahradit tím, že mi naliješ něco k pití, až tohle pověsíš."

„Co tady děláš?"

„Nejdřív to pití, hochu."

Vespasián obrátil oči ke stropu. Saturnálie možná přece jen trvaly příliš dlouho.

„Až v březnu?" vykřikl Vespasián.

„Nejdříve," přitakal Magnus.

Seděli ve Vespasiánově malé, ale útulné pracovně. Přenosné ohřívadlo v koutě rudě žhnulo a kolem se šířilo příjemné teplo. Na stole mezi nimi stál džbán vína a dvě olejové lampy.

„Proč to zpoždění?"

Magnus si přihnul vína, pobryndal si přitom trochu tuniku, a odložil pohár. „Neznám přesné podrobnosti, pane, ale má to něco společného se Satriem Secundem."

„Co dělá?"

„No, když jsme ho přivezli k Antonii, strávil hodinu zavřený s ní a s Pallem v její pracovně. Čekal jsem venku, protože mě požádala, abych… počkal, jestli mi rozumíš?"

Vespasián se usmál. „Ano, rozumím, ty starý kozle."

„No, takže pak vyšla ven, pohlédla na mě, usmála se a prohlásila: ‚Teď ho opravdu mám.‘“

„A?“

„To bylo všechno. Zas tak moc si se mnou nepovídá, jen mi řekne, co mám udělat, chápeš, rozkazy a tak.“

„Ano, umím si to představit,“ odpověděl Vespasián a snažil se o opak. „Takže Secundus jí prozradil něco na Seiana, něco, o čem věří, že skutečně přesvědčí imperátora o jeho zradě?“

„Vypadá to tak. Rozhodně měla ten večer výbornou náladu,“ ušklíbl se Magnus. „Ale nevím, oč jde. Snažil jsem se to vytáhnout z Palla, ale víš, jaký je. Nevyzradil by tajemství, ani kdyby jeho matku přibili k hořícímu kříži a vrazili jí smolný dřevěný kůl do…“

„Ano, ano,“ přerušil ho Vespasián, kterému se ta představa znelíbila, ještě než ji Magnus stačil vyslovit. „Co Caligula?“

„Antonia mi sdělila, že přišel na způsob, jak nás dostat na ostrov.“

„No tak povídej.“

„Už jsem pověděl.“

„Ne, nepověděl. Oč jde?“

„Á, tak to zrovna nevím. Jen mi přikázala, abych vyřídil, že přišel na způsob, nezmínila se, na jaký způsob, ona…“

„Moc si s tebou nepovídá, já vím.“

„Ano, přesně jak říkáš. Ale jestli chceš, můžeš se jí na to zeptat už velmi brzy sám.“

„Jak? Vždyť tady zůstanu nejméně do března.“

„V tom případě budeš mít potíže.“

„Co to zase meleš? Myslel jsem, že pro mě bude prozatím bezpečnější, když se budu držet mimo Řím.“

„Antonia mi nařídila, abych ti vzkázal, že si myslí, že se můžeš bezpečně vrátit. Seianus se stane v novém roce Tiberiovým kolegou jako konzul a dostal svolení zasnoubit se s Livillou.“

Vespasián se zamračil a usrkl vína. „Jak mi tohle zaručí bezpečnost?“

„Protože se sám cítí v bezpečí, myslí si, že je teď nedotknutelný. Snaží se pomstít lidem, kteří mu zkřížili plány v minulosti, a nestará se o Antoniiny plány do budoucnosti. Už se nepokusil znovu ublížit tvému strýci, a to už je celé tři měsíce zpátky ve svém domě. A jak možná víš, taky váš statek v Aquae Cutillae nechali na pokoji, když objevili ty hranice. Antonia se domnívá, že ty a Sabinus jste – jak to říkala? – ‚příliš malé ryby na to, aby si vás všímal‘."

„To člověka opravdu uklidní. Tak proč budu mít potíže, když tady zůstanu?"

„Protože Antonia a senátor Pollo ti zařídili místo."

„Jaké místo?"

„To je ale hloupá otázka." Magnus dopil pohár a nalil si další. „Na další příčce žebříčku samozřejmě. Budeš jedním z dvaceti nižších městských úředníků, ve vigintiviri."

Vespasiánovi zazářily oči. Nečekal, že bude moci pokračovat v kariéře, dokud Antonia nevyhraje svůj boj se Seianem. Ale teď, když si myslela, že je pro něj bezpečné vrátit se do Říma a udělat další krok po *cursu honoru*, popadne příležitost za pačesy. Bude blíž ke Caenidě a nebude se muset neustále zalykat bratrovým štěstím.

„To je výborná zpráva."

„Ano i ne, pane."

„Jak to myslíš?"

„Je to ta nejméně oblíbená funkce."

„Snad nebudu pracovat pro aedila, který má na starost silnice?"

„Ne, bohužel. Budeš jedním z triumviri capitales."

Vespasián zasténal. Věděl, co to obnáší.

„Je mi líto, pane," pronesl soucitně Magnus, „budeš jedním ze tří mužů, kteří mají na starost pálení knih a popravy."

KAPITOLA XV

„MŮJ MILÝ HOCHU, jsi bílý jako ta tóga," zvolal vyděšený Gaius, když atraktivní nový vrátný vpustil Vespasiána hlavním vchodem do domu.

„To proto, že dnes moje služba Římu nesestávala z ničeho jiného než z chladnokrevné vraždy," odpověděl Vespasián a podrážděně odehnal jednoho z Gaiových mnoha mladých germánských otroků.

„Aenore, přines víno," nařídil Gaius mladíkovi, který okamžitě odběhl, aby splnil pánův rozkaz. „Pojď se posadit, Vespasiáne."

„Ironií na tom všem je to, že poslední tři měsíce dělám špinavou práci za někoho, koho mám vlastně pomáhat Antonii zničit," pokračoval Vespasián a posadil se vedle *impluvia* v Gaiově prostorném atriu. Zurčení vodotrysku ho uklidňovalo. Gaius usedl naproti němu a Aenor jim přinesl víno.

„Tak koho dostal Seianus dnes?" zeptal se Gaius, jakmile hocha silným plácnutím po zadku propustil.

„Zapomněl jsem jeho jméno," odpověděl Vespasián. Dal si pořádný doušek vína a se zavřenýma očima si vychutnával jeho lahodnou chuť. Pomalu zavrtěl hlavou. „Byl to jezdec, který měl obchodní styky s Egyptem. Podle všeho podvedl Seianova otce Strabona, těsně předtím, než umřel, dokud byl ještě prefektem provincie."

„A o šestnáct let později Seianus konečně dopřál svému rodu zadostiučinění."

„Ano. Na základě vykonstruovaného obvinění z vlastizrady. Tomu muži nebyla dokonce ani dopřána občanská výsada zemřít stětím. Musel jsem se dívat, jak veřejný popravčí uškrtil římského občana. Pak, na dovršení všeho, jeho rodině nedovolili vzít si jeho mrtvolu, aby ji spálili, takže teď leží na Schodech vzdechů a každý, komu se zachce, ji může po libosti zneuctít. Je to naprostá hanebnost."

„Uklidni se, můj milý hochu, v tuhle chvíli s tím nic nezmůžeš. Buď vděčný, že Seianus soustřeďuje všechno své úsilí na dlouhý seznam lidí, kteří jeho rodině v minulosti zkřížili cestu. Ačkoli nemine jediný den, kdy bych si sám nedělal starosti, že se u mých dveří objeví nějaký všetečný usmrkaný městský kvestor s předvoláním."

„Já bych Paetovi ‚usmrkanec' neříkal."

„No, je mladší než já. A z čeho toho muže vlastně obvinili?"

„Že bez imperátorova svolení vstoupil do Egypta za výslovným účelem podvést imperátorova osobního zástupce v provincii."

„Velmi chytré. A měl povolení?"

„U soudu přísahal, že ano, a pak žalobce vytáhl seznam všech jezdců, kteří v posledních dvaceti letech nebo tak požádali o svolení navštívit Egypt, dodaný hádej kým, a ukázalo se, že jeho jméno tam schází – no, věřil bys tomu?"

„A to bylo všechno?"

„Ano, strýčku, to bylo všechno. Musel jsem ho okamžitě odvést na popravu, bez práva na odvolání, a všechen jeho majetek byl zabaven a rozdělen mezi Seianova kumpána, který jej obvinil, a imperátora, takže rodina toho muže zůstala bez prostředků."

„Zkus si zapamatovat jeho jméno, prosím, protože až se situace změní, třeba bude možné některé křivdy spáchané Seianem napravit."

„Jak? Seianus zcela jasně odstranil jeho jméno ze seznamu."

„Jistě, ale tohle není jediný seznam, v Alexandrii existuje kopie – musí tam být, protože jinak by prefekt nevěděl, koho může vpustit. Až Seianus nebude, požádám Antonii, aby napsala svému příteli alabarchovi a zjistila…"

„Alabarch?" přerušil ho Vespasián. „Tohle slovo slyším už podruhé. Co je zač ten alabarch?"

„Alexandrijský alabarch je duchovní vůdce židů ve městě. Imperátor ho využívá k výběru daní, jako je dovozní clo a podobně, od židovského obyvatelstva. Odmítají je platit Římu, ale zdá se, že jim nevadí platit je jinému židovi, ačkoli peníze skončí nakonec na stejném místě."

„Co s ním má společného Antonia?"

„Jistě tě nepřekvapí, že jí patří v Egyptě rozsáhlá území. Alabarch se stará o její tamní zájmy a vystupuje tak už od svého jmenování. Je to první alabarch, který je současně římským občanem. Jeho dědeček dostal občanství od Caesara."

„Gaius Julius Alexander," pronesl Vespasián pomalu, jak to jméno vylovil z paměti.

„Takže ho znáš?"

„Ne, ale musíme ho se Sabinem najít," odpověděl Vespasián. Potom vyprávěl strýci o Atafanově posledním přání a truhličce, kterou zakopal z opatrnosti na svém statku v Cose.

„No, podle mě vám nezbude, než aby si jeden z vás, chlapci, opatřil povolení navštívit Egypt a odvezl tu truhlici alabarchovi."

„Myslíš, že by Antonia mohla využít svého vlivu u imperátora a napsat mu, aby nám tohle povolení zajistil?"

„Až si přestane dělat starosti s mnohem světštějšími záležitostmi, jistě mu ráda napíše. A když je řeč o dopisech, dostal jsem dnes odpoledne jeden od sestry. Vypadá to, že se z tvého otce stává bankéř. Odkoupil si od Pomponia za slušnou cenu bankovní koncesi pro kraje Helvetů."

Vespasián na něj udiveně pohlédl. „To vypadá, že se rozhodl tam zůstat. Helvetský bankéř! Kdo by si pomyslel, že takhle skončí?"

Jejich rozhovor přerušilo zabouchání na vstupní dveře. Vrátný vyskočil ze své stoličky a vykoukl špehýrkou. O okamžik později už otevřel a dovnitř vstoupil Pallas.

„Dobré odpoledne, páni," řekl a uctivě se uklonil. Podal svůj plášť Aenorovi, který přešel místnost, aby mu posloužil.

„I ty buď pozdraven, Palle." Gaius nevstal. Ačkoli měl Antoniina správce rád a vážil si ho, pořád to byl jen otrok. „Co tě sem přivádí?"

„Dvě věci, pane. Zaprvé se konečně naskytla vhodná chvíle, aby byly imperátorovi doručeny všechny důkazy, které shromáždila moje paní. K Sabinovi a Corbulovi byli vysláni poslové se žádostí, aby se okamžitě dostavili do domu paní Antonie. Žádá, aby se k nim připojil také Vespasián. Magnus tam už je, protože paní, jak se zdá, ho teď má ráda k ruce." Vsunul ruku do kožené brašny na dokumenty, kterou měl zavěšenou na krku, vytáhl tlustý svitek a podal ho Gaiovi. „Moje paní ti ho posílá do úschovy, senátore. Je to kopie dopisu, který napsala Tiberiovi, s podrobnostmi o Seianově spiknutí. Žádá tě, abys ho v případě, že se naše mise nezdaří a ona sama bude zrazena, přečetl nahlas v senátu, i kdyby tě to mělo stát život."

Gaius ztěžka polkl. „Bude mi ctí, pokud budu moci naší dobré paní tak významně posloužit." Převzal svitek a rychle dodal: „Kdyby to bylo nutné."

„Pane Vespasiáne, měli bychom okamžitě vyrazit. Moje paní se v tichosti dohodla s jedním z tvých dvou kolegů, aby vykonával tvé povinnosti, zatímco budeš pryč. Tvé nepřítomnosti si nikdo nevšimne."

„Děkuji, Palle." Vespasián vstal. „Jen si sundám tógu a převléknu se do cestovního. Za chvíli budu zpátky."

„Ale tógu si nezapomeň vzít s sebou, drahý hochu," zavolal za ním Gaius.

„Proč, strýčku?"

„Protože, můj milý, budeš představen římskému císaři a jako římský občan bys měl být vhodně oblečený. Jinak by to imperátor mohl považovat za urážku."

„Pořád mi připadá jako nafoukaný pitomec," podotkl Magnus, když do Antoniina formálního přijímacího pokoje vstoupil Gnaeus Domitius Corbulo ve své senátorské tóze. Zešeřilo se a domácí otroci právě skončili s rozsvěcováním bezpočtu lamp ve zdobné a elegantně zařízené místnosti s vysokým stropem.

„A on tě nejspíš pořád považuje za neomaleného negramotného křupana," odvětil Vespasián koutkem úst a usmál se na blížícího se Corbula.

„To proto, že je to nafoukaný pitomec."

„Vespasiáne, rád tě vidím," pronesl Corbulo a uchopil Vespasiána za předloktí. „Slyšel jsem, že ses z Thrákie vrátil už před osmi měsíci – proč ses nezastavil?"

„Taky tě rád vidím, Corbulo." Vespasiána udivilo, že ta slova opravdu myslí vážně. „Promiň, ale mám pořád spoustu práce."

„Ano, slyšel jsem. Seianus triumviri capitales v současnosti nešetří."

„Bohužel ano, ale naštěstí není příliš sečtělý, takže jsme nemuseli aspoň pálit žádné knihy."

„Ovšem, ovšem," přitakal Corbulo. Obrátil se k Magnovi a pohlédl na něj přes svůj dlouhý nos. Navzdory nebezpečím, kterými společně prošli, nedokázal Corbulo překonat vrozené předsudky své třídy a považoval za nedůstojné, že musí brát na vědomí někoho stojícího tak hluboko pod ním. „Magne," zamračil se, jako by si jen stěží dokázal vybavit jeho jméno.

„Corbulo?" opáčil Magnus a zcela bezostyšně na něj zíral.

Jejich vroucné uvítání přerušil Sabinův příchod. Z toho, že jeho bratr bydlí nejblíže Antonie, v nově pronajatém domě na Aventinu, ale dorazil jako poslední, usoudil Vespasián, že absolvoval dlouhé loučení s manželkou. Potlačil žárlivé bodnutí nad svobodou svého bratra a místo toho myslel na Caenidu a pravděpodobnost, že ji to odpoledne spatří. Od návratu do Říma ho Antonia k sobě nepovolala, a tudíž se s Caenidou neviděli. Stejně tak nedokázal zjistit nic o Caligulově plánu. Cestou z Gaiova domu byl Pallas jako vždy učiněné ztělesnění zdrženlivosti.

Zatímco musel přihlížet, jak se Sabinus téměř podlézavě vítá s Corbulem, dočkal se odměny v podobě pohledu na svoji milou, která vstoupila do pokoje za svou paní a Pallem. Srdce mu poskočilo a on jí oplatil její zářivý úsměv stejnou měrou.

„Posaďte se, pánové," vybídla je Antonia a sama usedla na měkkou pohovku. Vedle sebe položila jakýsi svitek. Upravila si karmínovou pallu, takže jí splývala v ladných záhybech od hlavy do klína. Caenis usedla ke stolku za ní a připravila si psací potřeby, aby mohla pořídit zápis.

„Ještě stále nám schází jeden účastník, ale začnu i tak, protože nechci, aby vyslechl první část toho, co vám chci sdělit.

Během několika posledních měsíců se mému vnuku Gaiovi podařilo vetřít do přízně imperátora na Capri. Patří teď k jeho velkým oblíbencům. Výrazně tomu napomohlo i to, že Seianus zůstává v Římě. Je zde trvale od chvíle, kdy se společně s Tiberiem stal konzulem. Po Seianově odjezdu z Capri měl Gaius příležitost sblížit se s Tiberiem do té míry, že imperátor teď, podle toho, co vím od Gaia, uvažuje o tom, že z něj učiní svého dědice. Seianus o tom všem ví jen velmi málo, protože má v Římě spoustu práce.

To mě přimělo k úvahám. Když Tiberius oznámil, že se stane Seianus druhým konzulem, nejprve jsem si myslela, že ho prostě zahrnuje další nezaslouženou slávou. Jenže pak jsem se zamyslela nad načasováním. Tiberius nepotřeboval být letos znovu konzulem, mohl Seianovým kolegou jmenovat někoho jiného, takže by Seianus mohl po libosti přijíždět na Capri a zase odjíždět pryč, zatímco druhý konzul v Římě by pokračoval ve vládnutí. Ale místo toho se Tiberius, kterého už pět let nikdo v Římě nespatřil, rozhodl, že zůstane Seianovým kolegou, a tím se postaral o to, že Seianus se na Capri celý rok neobjeví. Takže dva měsíce po Gaiově příjezdu poslal Tiberius Seiana pryč. Naoko ho poctil rovnou dvakrát – udělal z něj konzula a současně může vládnout po boku samotného imperátora. Ale jde o sladkou odměnu, nebo o zástěrku? Proč to vlastně dělal?"

Vespasián si uvědomil, kam Antonia míří, a přidal se k ostatním v obdivném mumlání nad jejím mistrovstvím při odhalování detailů císařské politiky.

„Protože nedokážu nahlédnout do mysli svého švagra," pokračovala, „můžu jen hádat: Tiberius chce za nástupce svého příbuzného, ale začaly mu docházet možnosti. Nedávno se mi doneslo, že můj nejstarší vnuk Nero Germanicus zemřel ve vězení hlady a že je nepravděpodobné, že by Drusa propustili, takže ho nejspíš čeká stejný osud. Tiberius Gemellus, vnuk, kterého máme s Tiberiem společného, je příliš mladý a Claudius zase příliš hloupý, nebo tak aspoň Tiberius pořád soudí. V tom případě jako jasný kandidát zbývá jen Gaius. Poslední dobou, ovšem poněkud pozdě, začíná mít Tiberius podezření, že po císařském purpuru pošilhává také Seianus, a začal v něm konečně vidět hrozbu, jenže si není jistý, jak se této hrozbě postavit. Když se ho pokusí rychle odstranit, riskuje státní převrat. Je si teď vědom toho, že u jeho stráže se Seianus těší stejné oblibě jako on sám, ne-li větší. Takže zatímco o svém problému uvažuje, vynasnažil se, aby jej a Seiana dělila co největší vzdálenost, ale přitom aby se Seianus nevyplašil. Obdařil ho tou nejvyšší poctou – společným konzulstvím s imperátorem. Podle mě jde o velmi elegantní řešení."

Přítomní vyjádřili mumláním souhlas, nejen s tím, jak se Tiberius vypořádal s celou záležitostí, ale i s Antoniiným uvažováním.

„Pokud mám pravdu, potom Tiberius bude velmi nakloněn tomu, co pro něj mám. Vzhledem k solidnímu důkazu, že Seianus proti němu konspiruje, bude nucen jednat, a s vědomím, že skupiny v gardě jsou věrné Macronovi, bude cítit, že jednat může.

Takže když jsem teď učinila přítrž podivným pletichám svého syna Claudia se Seianem a rozhodla se, že ho neobětuji, jaký mám v rukou solidní důkaz?“ Antonia se odmlčela a rozhlédla se po přítomných.

Vespasián byl uchvácen touto ukázkou vysoké politiky ze strany člověka, o němž věděl, že toto umění ovládá vskutku mistrovsky… téměř stejně uchvácen jako kradmými pohledy, jež si vyměňoval s Caenidou. „Kněze?“ navrhl.

„Snad – ale ten přece uvěřil historce, že za financováním thráckého povstání byl Asinius.“

„Při mučení by jistě dokázal popsat dostatečně dobře Seianova osvobozence Hasdra, aby Tiberius uvěřil, že s tím Asinius neměl nic společného a že se jednalo se vší pravděpodobností pouze o Seianovy pikle.“

„To není tak jisté. Rhoteka jsem sem dala dopravit v době, kdy jsem ještě stále sestavovala řadu důkazů, které by při celkovém pohledu byly přesvědčivé. Ale vzhledem k tomu, že už ho máme v rukou, pořád by stálo za to vzít ho na Capri pro nepravděpodobný případ, že by Tiberius požadoval potvrzení týkající se strategie, kterou Seianus založil na destabilizaci provincií, aby odvedl pozornost od svých piklů v Římě.“ Uchopila svitek ležící vedle ní a zvedla ho tak, aby ho všichni viděli. „Obsah tohoto dopisu Tiberiovi, jehož doručením pověřím Palla, přesvědčí imperátora o Seianově skutečné a nepředstavitelné zradě. Obsahuje podrobný popis Seianových plánů, které mi poskytl Satrius Secundus. Nebyl k vám, pánové, zcela upřímný, jak jste se domnívali. Přestože se snažil udržet se v přízni Macrona i Seiana, přece jen, jak sám přiznal, toho dělal o něco víc pro Seiana než pro Macrona, a nescházelo mnoho a byl by Macrona zcela zradil.

K úkolům, kterými byl v poslední době Seianem pověřen, patřilo podávání malých dávek jedu, ne tak vysokých, aby byly smrtelné, ale dost na to, aby oběť působila dojmem nemoci a křehkosti, mému vnukovi Tiberiu Gemellovi, synu mé ohavné dcery Livilly a Tiberiova zesnulého syna Drusa. Teď když jsem Seianovi zabránila ve vzestupu k moci prostřednictvím Claudia, má nový plán – zabít Tiberia, imperátorem učinit nezletilého a nemocného Tiberia Gemella a poté se oženit s Gemellovou matkou Livillou, než chlapci podá smrtelnou dávku. Nemocný Gemellus by zemřel, což by nikoho nepřekvapilo, a Seianus jako nevlastní otec zesnulého imperátora by vznesl nárok na císařský purpur. Poté by následovalo krveprolití, při němž by zahynula většina mé rodiny. Jak to vím?"

Významně se odmlčela. „K tomuto listu je připojen seznam, který jsem po malém přesvědčování získala od Secundovy ženy Albucilly. Pochází z Livilliny pracovny a napsal ho vlastnoručně Seianus. Uvádí jména šestnácti osob, které mají zemřít. Na prvním místě seznamu je Tiberius, já hned za ním. Kupodivu schází moje dcera Livilla, což mě vzhledem k místu, odkud jsem seznam získala, vede k závěru, že zcela jistě ví o celém spiknutí, a aby mohla stanout po Seianově boku jako císařovna, posvětila nejen vraždu většiny své rodiny, včetně matky, ale také svého vlastního dítěte."

Antonia se znovu odmlčela. V místnosti zavládlo ohromené ticho. Vespasián se zdráhal uvěřit, že by někdo dokázal zabít člena vlastní rodiny, ale věděl toho už dost o císařském politikaření a tušil, že se z toho stává běžná záležitost. Ale zabít vlastní dítě, aby si člověk zajistil postavení, bylo něco nepochopitelného. Co mohlo ospravedlnit nástupnický systém v civilizovaném státě, pokud k němu patřilo zabíjení dětí? Jeho myšlenky na tohle téma přerušilo rychlé klapání sandálů v chodbě. Vespasián pohlédl ke dveřím. Vcházel do nich mohutný muž. Vespasián sebou trhl. Okamžitě toho muže poznal.

„Á," pronesla Antonia, „tribun Macro. Jsem moc ráda, že jsi přišel. Doufám, že tě nikdo nesledoval."

„Jen krátkou chvíli, ale postaral jsem se o to," odpověděl úsečně Macro a bez vyzvání se posadil. Zatímco si upravoval tógu, přelétl pohledem přítomné a Vespasián zahlédl záblesk poznání, když Macronovy oči spočinuly na něm a poté na Magnovi.

„Tita Flavia Sabina už znáš, tribune," konstatovala Antonia a pokynula k Sabinovi. „Toto je jeho bratr Titus Flavius Vespasianus."

Macro se pousmál a přikývl, zatímco na Vespasiána upíral prázdný pohled.

„A Gnaeus Domitius Corbulo," pokračovala Antonia v představování. Macro Corbula sotva vzal na vědomí, ale dál zíral na Vespasiána a Magna, kterého, k jeho velké úlevě, považovala Antonia za společensky příliš bezvýznamného na to, aby ho představovala.

„Nuže, pánové, k naší záležitosti," pronesla Antonia, jako by čekala na Macronův příchod a porada teprve začínala. „Tribun Macro a můj vnuk Gaius vypracovali plán, jak vás dostat na Capri, aniž byste na sebe upozornili pretoriánské důstojníky, kteří jsou věrni Seianovi. Jak možná víte, nebo nevíte, když Gaia povolali na Capri, dvě jeho mladší neprovdané sestry, Drusilla a Julia Livilla, se přestěhovaly do Tiberiovy vily v Misenu, na pevnině blízko Capri. Gaiovi se podařilo tak vlichotit do Tiberiovy přízně, že ho nedávno přesvědčil, aby mu dovolil vždy na několik dnů v každém měsíci navštěvovat svoje sestry. Mně se to zrovna moc nezamlouvá, ale v tuhle chvíli se to hodí. K příští návštěvě dojde za dva dny. Gaia samozřejmě vždy hlídají. Ale tribun Macro dostál svému slovu, takže s ním na tyto výlety jezdí Clemens a několik jeho mužů. Tribun vám vyloží podrobnosti k plánu."

Macro se vytrhl z myšlenek a spustil s jakousi špatně skrývanou nechutí, jako kdyby bylo pod jeho důstojnost jen tak někomu něco vysvětlovat.

„Do Misena je to skoro dvě stě padesát kilometrů. Protože budete muset svědka přepravit v povoze, potrvá cesta tam šest dnů."

Vespasián zvedl obočí, neboť pochopil, proč Antonia začala bez Macrona. Tribun neměl tušení o informacích od Secunda a Albucilly.

„Když odjedete zítra ráno," pokračoval Macro, „dorazíte v poslední naplánovaný večer Caligulovy návštěvy. Noc strávíte v Misenu – strážemi tam budou moji muži – a pak příští den odplujete na ostrov. Loď, která přepravuje Caligulu zpátky na Capri, normálně odplouvá kolem poledne, takže do cíle dorazí za denního světla. Clemens přijde na důvod pro zpoždění, abyste na Capri dopluli brzy po setmění. Když se budete blížit k ostrovu, vysadí vás v člunu, nespatřené, blízko malého zálivu v útesech, těsně před přístavem. Loď potom bude pokračovat do přístavu, kde Caligula, Clemens a jeho muži vystoupí pod dohledem pretoriánů, kteří hlídají v doku a kteří jsou všichni věrní Seianovi."

„A co posádka lodi?" zeptal se Vespasián a Macro se na něj zamračil. „Uvidí nás nastupovat a pak cestou vysedat."

„Chtěl jsem se k tomu právě dostat," zavrčel Macro. „Celá posádka pochází z Puteoli poblíž Misena. Než vyplujete, shromáždíme jejich rodiny, abychom měli jistotu, že se muži budou chovat slušně a dají si pozor na jazyk. Posádka dostane příbuzné zase zpátky živé a zdravé, jakmile vás dopraví následující noc zpátky z ostrova.

V zálivu na vás budou čekat Clementovi muži. Ukážou vám, kde máte schovat člun, a pak vás povedou po strmé stezce na vrcholek útesu. Odtamtud už je to k Tiberiovu paláci jen asi kilometr a půl.

Cesta zpátky, následující noc, proběhne přesně opačně. Loď bude čekat od půlnoci asi tři čtvrtě kilometru od zálivu s jednou zapálenou lucernou. Z ostrova to bude vypadat jako noční rybář. Pár mých mužů bude na palubě, aby dohlédli na posádku. Odvezou vás zpátky do Misena, kde si můžete vyzvednout koně a povoz – v tom nepravděpodobném případě, že byste ho pořád potřebovali."

Macro se rozvalil na židli a dal najevo, že skončil. Jeho posluchači seděli bez hnutí a čekali na klíčové podrobnosti.

Antonia přerušila ticho. „Děkuji, tribune. Takže, pánové, tolik k tomu, jak se dostanete na Capri a zpět. Nepochybně přemýšlíte, co budete dělat přímo tam."

Přítomní nervózně přikývli. Antonia se usmála. „Pravda je taková, že to nevím, ale v posledním listu, který se Gaiovi podařilo propašovat ven, stálo, že než dorazíte, budou mít s Clementem připravený plán."

Na všech bylo patrné zděšení. Macro se rozzuřil. „Tak já riskuju tohle všechno," zařval, „a ty mi tvrdíš, že tyhle...," namáhavě hledal správné slovo, „tyhle kluky můžou docela snadno zajmout Seianovi muži, protože neexistuje žádný plán? V tom případě by bylo jen otázkou času, než by při mučení vyzradili, že v tom jedu taky."

„Tribune, prosím," zvýšila Antonia hlas, „my všichni můžeme přijít o mnohé."

„Že prý o mnohé? Já můžu přijít *o všechno*! Ty, na druhé straně, se prostě vrátíš zpátky ke svým pletichám proti Seianovi v bezpečí těchto zdí."

„Můžeš sice ztratit nejvíc, tribune," pronesla Antonia klidně, „ale taky se dá říct, že z hlediska moci můžeš nejvíc získat. Já jen odstraním svého nepřítele, ty se staneš prefektem pretoriánské gardy."

„A co když si řeknu, že příliš riskuju, když sázím všechno na nehotový plán, a rozhodnu se, že vám nepomůžu? Co pak?"

„No, myslím, že to stejně neuděláš," opáčila Antonia se sladkým úsměvem.

„Proč ne?" Macro vstal. „Nemáš nic, čím bys mě mohla u sebe zadržet, naprosto nic, čím bys mohla přesvědčit Seiana, že jsem mu nezachoval věrnost. V téhle věci jsem si dával bedlivý pozor. Mohl bych zkrátka vycouvat a předstírat, že k ničemu nedošlo."

„Je mi líto, ale hluboce se v téhle věci mýlíš, tribune. Víš, mám Satria Secunda."

Macro se zatvářil nevěřícně. „Kecy! Ten je mrtvý. Když se víc než deset dní neukázal, nechal jsem vyslechnout Albucillu a byla přesvědčená, že ho zabili při nějaké špinavé práci pro Livillu."

„Myslím, že se všichni shodneme, že manželka nikdy neví dopodrobna o všem, co provádí její manžel, tribune. Ujišťuju tě, že Secundus je až moc živý, paměť mu plně slouží a držím ho v tomhle domě."

„Dokaž to, ty děvko!"

„Můj milý tribune, pokud poté, co se staneš pretoriánským prefektem, doufáš v lepší vztahy se mnou, než jakým se těšil tvůj předchůdce, doporučuji, aby ses mírnil, když mě oslovuješ. Ale tentokrát tvoji neomalenost přehlédnu. Palle, přesvědč tribuna."

Pallas přešel místnost k závěsům u malého pokoje, odkud kdysi bratři s Caligulou špehovali Seiana, a rozhrnul je.

Macro zalapal po dechu. Připoutaný k židli, s roubíkem v ústech, očividně silně pod vlivem uspávacích prostředků, ale zcela jasně naživu, tam seděl Satrius Secundus.

Macro se k němu s mocným řevem vrhl a vytáhl zpod tógy dýku. Sabinus mu nastavil nohu. Pretorián klopýtl, svalil se na zem a upustil dýku, které se rychle zmocnil Vespasián. Sabinus s Magnem skočili po Macronovi a po krátkém boji mu stáhli paže za záda. Vespasián mu přidržel dýku u krku.

„Jak vidíš, můj milý tribune," pokračovala Antonia, jako by se nechumelilo, „myslím, že je v zájmu nás všech, abychom pokračovali podle plánu. Co ty na to?"

Macro se vzpouzel, ale Sabinus a Magnus ho dokázali udržet.

„Pusťte ho," rozkázala Antonia.

Sabinus s Magnem si vyměnili nervózní pohledy. Potom se značnou úzkostí pomalu uvolnili sevření a vstali. Vespasián odstoupil. Nožem stále mířil na ležícího Macrona, který se pomalu zvedl do kleku. Vzhlédl k Vespasiánovi a zamračil se.

„To už je druhá dýka, kterou jsi mi vzal, hochu," zavrčel, aby skryl ponížení. „Nech si ji, tak jako sis nechal tu první. Jednou ti dám třetí, abys měl celou sbírku."

„To nebude třeba, tribune," vyštěkla Antonia, zatímco Macro vstával. „Je pod mou ochranou. Můžeš ho nenávidět, jak chceš, ale dotkni se ho a já se zbavím dalšího pretoriánského prefekta."

Macro se na ni nasupeně podíval, v očích mu nenávistně žhnulo. Chystal se něco říct, ale pak si to rozmyslel a místo toho si upravil tógu.

„Takže jsme se nakonec dohodli, tribune," konstatovala Antonia a z jejího hlasu čišela harmonie.

„Moji muži budou připraveni." Macro se vzpamatoval a znovu zaujal svoji arogantní pózu. „Postarej se, aby totéž platilo i o těchhle chlapcích, a modli se ke všem bohům, aby Caligula přišel s nějakým tím nápadem."

„S tím bych se netrápila," usmála se Antonia. „Ten dostal mazanost už do vínku."

Macro zavrčel, obrátil se a rychle vyšel z místnosti.

Vespasián pohlédl na dýku ve své ruce a povzdechl si.

„Začínáš mít ve zvyku brát tomu muži dýky, pane," ušklíbl se Magnus. „To není moc zdravý koníček, jestli mi rozumíš."

Vespasián počastoval přítele rozmrzelým pohledem. „Zkusím na to příště pamatovat."

„Než se najíme, pánové," Antonia se pohodlně opřela, „a užijeme si lehčí konverzace, chci k téhle záležitosti dodat ještě jednu věc. Pokud by došlo k tomu, že bude nutné, aby Tiberius vyslechl knězovy důkazy, určitě zazní jméno Poppaeus Sabinus. Chci, abyste jeho roli v souvislosti se Seianem bagatelizovali."

Corbulo vyskočil a zatvářil se aristokraticky. „Paní, nabídl jsem ti přece své služby právě proto, abych se pomstil tomu malému zbohatlickému zrádci."

„Já ti rozumím, Corbulo," odvětila Antonia trpělivě, „a když jsi mi je nabídl, byla jsem ti opravdu vděčná. Jenže od té doby se situace změnila. Nechci, aby cokoli odvádělo Tiberiovu pozornost od skutečných důkazů, které proti Seianovi mám. Znám ho. Už ztratil rozhodnost. Kdybychom mu nabídli další zrádce, začne kličkovat. Vybere si snazší a menší oběti v klamném přesvědčení, že pokud podnikne aspoň něco, problém se vyřeší. Musím jeho pozornost udržet soustředěnou na Seiana."

„Moje čest žádá odvetu, musím se pomstít muži, který mi usiloval o život," naléhal Corbulo.

„A dočkáš se – pomstíš se oběma mužům, kteří ti o něj usilovali, ale nejdříve je na řadě Seianus. S Poppaeem a všemi Seianovými spolčenci se vypořádám, až přijde čas. Podle mě chutná pomsta nejlépe, když se podává pravidelně. Jestli s tím nejsi spokojený, pochopím, když odmítneš svoji účast. Ale tvé svědectví, pokud jde o stříbro, které dostali Caeniové, se může hodit." Tvrdost v jejím výraze byla v naprostém rozporu s jejími slovy.

Corbulo několik okamžiků snášel její pohled a pak se znovu posadil. „Ne, paní, neodmítnu."

„Dobře. Tak se tedy najíme. Všichni tady dnes zůstanete přes noc, protože musíte být hodinu před svítáním připraveni k odjezdu. Chci, abyste město opustili ještě před rozedněním."

KAPITOLA XVI

TICHÉ, ALE NEODBYTNÉ KLEPÁNÍ na dveře probudilo Vespasiána z hlubokého poklidného spánku. Jednou paží objímal Caenidu ležící vedle něj. Otevřel oči. Pořád ještě byla úplná tma.

„Kdo je tam?" zeptal se polohlasně.

„Já, pane." Magnus pootevřel dveře a nahlédl do tmy. „Je čas vyrazit. Je mi líto, že musíš opustit tu příjemně vyhřátou postel a společnost..."

„Hned jsem u tebe," odpověděl Vespasián, zatímco Caenis vedle něj se zavrtěla.

Magnus zavřel dveře.

„Do Hádu!" tiše zaklel Vespasián a posadil se.

„Co se děje, miláčku?" zašeptala ospale Caenis.

„Musím už jít." Naklonil se, aby ji políbil, a objal ji paží kolem teplého těla.

Oplatila mu polibek a pak ho něžně se smíchem odstrčila. „To ti při vstávání nepomůže."

„Ale ano."

„Okamžitě vylez z postele. No tak, já musím taky vstávat. Paní se s vámi bude chtít rozloučit. Udělám trochu světla."

Vyklouzla z lůžka a přešla ke komodě. Vespasián zaslechl, jak něco vytahuje ze zásuvky a pak škrtá. Za několik okamžiků už spatřil její obličej v měkké záři krátce poté, co se na konci tenkého knotu olejové lampy rozhořel plamen.

„Vždycky mě zajímalo, jak domácí..." Vespasián se v půli věty zarazil a připadal si zoufale trapně.

„Jak domácí otroci zapalují první olejovou lampu?" dokončila Caenis a zvedla obočí. „To je v pořádku, Vespasiáne, nemusíš se vyhýbat řečem o mém postavení. Oba víme, že jsem otrokyně. Já jsem s tím smířená. A ty se s tím musíš smířit taky."

Vespasián se plaše usmál a vstal z postele. Věděl, že Caenis má pravdu. Šlo o nezměnitelnou skutečnost, která je sice rozdělovala společensky, ale v soukromí pro ně neexistovala.

Vzal ji do náruče a políbil ji. „Odpusť, moje krásná otrokyně."

Caenis se na něj usmála. „Je velký rozdíl mezi tím, že jsem s tím smířená, a tím, když mi to vmeteš do tváře," pokárala ho něžně.

O chvíli později Vespasián vyšel do jasně ozářeného atria. Magnus a Pallas už tam byli a Sabinus s Corbulem se připojili vzápětí.

„Dobré ráno, páni. Měli bychom vzít kněze a pak okamžitě vyrazit," podotkl Pallas, který se navzdory svému postavení otroka ujal velení. Oba bratry ani Magna to nijak nezaskočilo, ale Corbulo se naježil.

„Jako senátor a člen nejvznešenějšího přítomného rodu bych rozkazy měl vydávat já," prohlásil nakvašeně. „A rozhodně si nenechám rozkazovat od otroka."

„A opravdu bys neměl, pane," přitakal Pallas uhlazeně. „Rozkazy budeš vydávat ty, ale já rozhodnu, co podnikneme, protože jednám jménem paní Antonie." Zvedl pravou ruku. Na malíčku měl nasazený Antoniin pečetní prsten.

Corbulo pohlédl na bratry. „Vy si od něj necháte rozkazovat?"

„Myslím, že ví lépe než kdokoli z nás, co se bude dít," odpověděl diplomaticky Vespasián.

Corbulo, kterému došla absurdnost celé situace, kdy by jen jako herold opakoval Pallova slova, ovládl svoji pýchu. „Tak dobrá, Pallas nás vede."

„Nafoukaný pitomec," podotkl Magnus vůbec ne potichu.

Corbulo se k němu zamračeně obrátil, ale neměl sílu, aby tuhle urážku potrestal. Stačilo, že musel přijímat rozkazy od otroka – nemínil celou situaci zhoršovat ještě tím, že bude žádat omluvu od městského rváče. Otočil se a zamířil s Pallem z místnosti.

„To nebylo moc prozíravé," sykl Vespasián, když s Magnem skupinku uzavřeli.

Magnus se usmál. „Já vím, ale udělalo mi to dobře."

V zadní části domu sestoupili po kamenném schodišti do dlouhé vlhké chodby osvětlené planoucími pochodněmi v držácích rozmístěných na jedné zdi. Jejich štiplavý kouř se vinul pod nízkým stropem a zbarvil jej i zeď za nimi do černa. Na protější straně viděli řadu robustních dubových dveří s mřížemi ve výšce hlavy. Ve vzduchu byl cítit puch moči, potu a strachu. Klapot sandálů se odrážel od zdí a stropu.

„Takže Antonia má svoje vlastní malé vězení," podotkl Magnus, když se Pallas zastavil před jedněmi z dveří a vsunul klíč do zámku.

Vespasián se zachechtal. „Tady nejspíš jednou skončíš, až jí přestaneš být po vůli."

Ozvalo se hlasité kovové lupnutí a zámek povolil. Pallas prudce strčil do dveří, vešel dovnitř a za okamžik se znovu objevil. Za kotníky vlekl špinavou, nahou vychrtlou postavu – Rhoteka. Dlouhé rozcuchané hlasy a vousy měl celé potřísněné vlastními výkaly. Očividně spal, protože když ho Pallas vyvlekl na světlo, škubl hlavou a otevřel oči. Okamžitě začal ječet a zachytil se rámu dveří. Držel se ho a současně se snažil Palla odkopnout.

„Ocenil bych, kdybyste mi trochu pomohli, páni," požádal je zdvořile Pallas, „ale neomračujte ho, potřebuju, aby polykal."

Všichni okamžik otáleli, nikomu se nechtělo přiblížit k tomu odpornému stvoření.

„Do Hádu!" Magnus vykročil, přistoupil k Rhotekovi, popadl ho za zápěstí a odtrhl mu ruce od dveří.

Hlukem se probrali i ostatní vězňové na chodbě a za rachotícími dveřmi se ozývalo jejich volání.

„Pane Vespasiáne, přidržel bys ho tady?" zazněl do rachotu Pallův hlas. Podával Vespasiánovi knězovy kotníky.

Vespasián popadl ty vyzáblé klouby. Byly tak tenké, že měl pocit, že kdyby je uchopil příliš pevně, prasknou. Jenže když sebou Rhotekés několikrát prudce hodil, rychle na ten dojem zapomněl, a sevřel je vší silou.

Cítil obrovské uspokojení, že muž, kterého na vlastní oči viděl o čtyři roky dříve v Thrákii, jak šťastně obětuje římské zajatce, se za uplynulých osm měsíců změnil v pouhé zvíře.

„Posaď ho," vybídl Pallas Magna a vytáhl z brašny na rameni lahvičku. „Pane Corbulo, popadni ho za hlavu a otevři mu ústa. Sabine, ty mu přitiskni ke krku nůž."

Corbulo sebou škubl, ale poslechl. Vespasián potlačil úsměv, když mu došlo, že Pallas tu nejnepříjemnější práci nechal na mladém aristokratovi.

S hlavou zakloněnou, násilím otevřenými ústy, z nichž čouhaly špičaté opilované zuby, a s nožem u krku Rhotekés znehybněl. Pallas k němu přistoupil a otevřel lahvičku. „Tohle tě nezabije, když to vypiješ, ale ten nůž na krku ano, jestliže to neuděláš. Rozumíš?"

Z Rhotekova zděšeného pohledu viděl, že ano. Pallas odlil knězi do úst čtvrtinu hustého hnědého obsahu lahvičky, rychle mu ústa zavřel a stiskl mu nos. Muž polkl.

„Tohle ho zklidní přibližně na dvanáct hodin, jakmile to zabere," informoval je Pallas. „Přesně totéž jsme včera použili na Secunda. A teď ho vezmeme nahoru."

Rhotekés se evidentně smířil s tím, co ho čeká, a přestal klást odpor.

Když kněze vlekli chodbou, zahlédl Vespasián, jak ho za jedněmi mřížemi pozorují s prosebným výrazem oči pod srostlým obočím.

Nevšímal si jich.

Venku na nádvoří u stájí vhodili Rhoteka do krytého vozu taženého dvěma koňmi, který ho přivezl z Ostie. Protože byl omámený, nikdo neměl tu nepříjemnou povinnost cestovat s ním.

Antonia vyšla do světla pochodní na schodišti vedoucím k domu. Caenis za ní. Sevřela svůj medailon a poslala Vespasiánovi tajný polibek.

„Pánové," promluvila Antonia, „Macro poslal osm mužů ze svého předchozího působiště, vigilů, aby vás doprovodili ke Kapenské bráně. Každý den se budu modlit a obětuji za váš úspěch v tomto úkolu. Ať vás doprovází bohyně Fortuna."

Krátce každému stiskla ruku a potom nasedli. Pallas vylezl na kozlík krytého vozu a vzal do ruky otěže. Vrata se otevřela a za nimi stálo osm vigilů. Všichni drželi v rukou planoucí pochodně a na opascích jim visely těžké palice. Pallas mlasknutím a škubnutím otěžemi pobídl koně u povozu. Železné ráfky kol zarachotily na dláždění nádvoří. Vespasián pobídl koně a rozjel se za vozem. Když dojel k bráně, ohlédl se v sedle po Caenidě. Zvedl ruku na pozdrav a ona mu gesto oplatila.

Vigilové je vedli z Palatinu a odbočili doleva na Via Appia, která vedla kolem mohutné stinné fasády Cirku Maximu a pak procházela pod neelegantními, ale funkčními oblouky Appijského akvaduktu směrem ke Kapenské bráně. Úřední doprovod a Antoniin prsten stačily na to, aby je centurio z městské kohorty nechal bez otázek projet. Už bez vigilského doprovodu, který je opustil u brány, si razili cestu davem rolníků mířících do města prodávat svoji úrodu. Minuli veřejnou vodní nádrž napravo a dorazili ke křižovatce Via Appia a Via Latina poblíž hrobky Scipiů. Tam se vydali doprava, dál po Via Appia a zamířili na jihovýchod, právě když temnotu oblačné noční oblohy rozzářily první známky svítání.

Po přímé opuštěné silnici postupovali rychle a za pouhého dva a půl dne, kdy na noc zastavovali v pohodlných hostincích a útratu platili ze štědrých cestovních výloh, které Antonia dala Pallovi, urazili přes sto kilometrů do Tarraciny. Tam silnice mířila na pobřeží po okraji caekubské vinařské oblasti. Stáčela se na východ a oni ji sledovali přes zdánlivě nekonečné upravené řady vinohradů. Přepychové vily na kopcích svědčily o bohatství vinařských rodů v tomhle kraji.

Vespasián strávil většinu cesty úvahami o problémech předávání moci mezi generacemi nebo dynastiemi a jak je ovlivnily v minulosti ostatní národy. Původně jeho zájem podnítily historické knihy, které zdědil po babičce, a v posledních třech měsících u Gaia začal opožděně využívat strýčkovy nabídku, aby si po libosti bral knihy z jeho obsáhlé knihovny. Protože po večerech neměl nic na práci, prokousal se Homérem, Hérodotem a Thúkydidem i Kallisthenovým líčením Alexandrových dobyvatelských úspěchů – zkráceným vzhledem k tomu, že autora dal objekt jeho zájmu popravit. Konečně si přečetl Caesara i nověji publikované Římské dějiny od Tita Livia. Díky nim všem a ještě dalším teď lépe chápal politiku a utvrzoval se v jedné životní pravdě: mužům, kteří o ně stáli, stačily moc a sláva samy o sobě jako motivace k jejich udržení. Minulost čestnými muži zrovna nepřekypovala.

Poté, co se třetí noc zastavili ve Fundi, zamířili znovu jihozápadním směrem zpátky k moři a pak podél pobřeží. Březnové dny se oteplovaly a obloha zůstávala bez mraků. Napravo viděli jiskřivé Tyrhénské moře. Po rušné námořní trase, po zimě znovu otevřené, pluly obchodní lodě a galéry.

Minuli Mons Massicus a vstoupili do Kampánie a falérské vinařské oblasti. Tady už se u staveb výrazně projevoval řecký vliv, který svědčil o smíšeném původu obyvatel tohoto regionu.

Pátou noc strávili ve městě Volturnu na stejnojmenné řece a dali si příjemnou večeři na terase stíněné révou a s výhledem na rybáře, kteří vykládali úlovky získané na moři vzdáleném pouhé tři kilometry. Vyjeli odtamtud časně ráno a posledních několik kilometrů urazili slušným tempem. Když slunce začalo klesat nad mořem, projeli přes Portus Julius – domovský přístav západní flotily – a přiblížili se ke skalnatému misenskému výběžku, který se zvedal z moře jako klenoucí se hřbet mytické mořské obludy.

„Vypadá to, že nás čekají," poznamenal Magnus, když bránu k císařskému komplexu na vrcholku útesu za nimi zavřeli dva uniformovaní pretoriáni.

„Macro jim musel poslat vzkaz, aby na nás byli připravení," odpověděl Vespasián, zatímco jeli po stoupající dlážděné stezce k vile na výběžku mysu. „Říkal přece, že Misenum hlídají jeho muži."

„Nevím, jestli by ve mně mělo vědomí, že to tady hlídají Macronovi muži, vzbuzovat právě pocit bezpečí."

Vespasián se na přítele usmál. „Znám ten pocit, ale můžu tě ujistit, že je to mnohem bezpečnější, než kdyby nás hlídal Seianus."

„Doufejme, že k tomu nikdy nedojde," zabručel Magnus.

Dorazili k obílené zdi obklopující vilu a projeli obloukovým vjezdem. Vespasiánovi i jeho společníkům se při pohledu na krásu toho místa zatajil dech. Jednopatrová vila se zdmi z růžového mramoru a terakotovou střechou stála téměř na okraji útesu s vyhlídkou na třpytící se Neapolský záliv, který posévaly lodi a vévodila mu homole Vesuvu zvedající se více než dvanáct set metrů nad pobřežní pláň. Před vilou byl kruhový bazén o průměru patnáct metrů obklopený kolonádou plnou soch přivezených z Řecka a Asie. Mramorová fontána v jeho středu zobrazovala mořského boha Tritona. Jeho lidský trup přecházel do rybího ocasu, jako by vyskakoval z hlubin bazénu a chrlil z nahoru obrácených úst proud vody, zatímco v levé ruce svíral lasturu a v pravé trojzubec jako jeho otec Poseidon.

Kolem bazénu se v lahodící symetrii rozkládaly zahrady. Z kolonády vycházelo v pravidelných rozestupech osm širokých, keři lemovaných pěšin a končily kruhovou cestou, na které právě teď jejich skupinka stála a jež vedla kolem celé zahrady. Cestu lemovaly akácie a cypřiše, v jejichž stínu stály nízké kamenné lavičky, na které jste mohli usednout a číst si nebo se jen kochat krásou toho místa a vychutnávat si měkký mořský vánek ve tváři.

Poutníky vytrhl z tichého obdivování toho místa dívčí výkřik. Vespasián pohlédl směrem, odkud zazněl, a spatřil na protější straně bazénu Caligulu. Běžel po jedné z pěšin pronásledován dvěma velice mladými ženami. Všichni tři byli nazí.

Doběhl k bazénu, skočil do vody a začal se brodit na druhou stranu. Dívky se vrhly za ním, nabíraly vodu do dlaní a stříkaly mu na záda. Když se dostal ke kraji, začal předstírat, že nedokáže vylézt. Dívky ho dostihly, vrhly se na něj a stáhly ho dolů. Následovala předstíraná rvačka, nad hladinou se objevily jejich štíhlé údy, až se konečně Caligula vynořil a vstal s mladší dívkou pověšenou na krku. Pohlédl k místu, kde seděli na koních Vespasián a jeho druhové. Okamžitě je poznal a zamával.

„Konečně," zvolal. „Tolik jsem se na vás těšil. Pojďte blíž."

Vespasián poněkud váhavě vedl skupinku ke kraji bazénu, zatímco dívky s chichotáním a vřiskotem znovu stáhly Caligulu pod vodu. Vespasián sesedl z koně a přistoupil k příteli, kterému se podařilo znovu vstát. Caligula se zbavil dívek a oni spatřili jeho obrovský ztopořený úd, skoro tak velký jako falešné penisy, které používali herci v satyrských hrách. Byl bezmála třicet centimetrů dlouhý a s odpovídajícím obvodem a šourkem.

„Vespasiáne!" zvolal Caligula. Vylezl z bazénu a stiskl příteli paži.

Vpadlé oči mu zářily radostí. „Tak rád tě zase vidím. A všimni si, jsem pořád naživu – co ty na to? Tiberius se rozhodl, že mě nezabije. Právě naopak, udělá ze mě svého dědice." Z hrdla se mu vydral krátký polohysterický smích. „Až budu imperátorem, budu si moct celou dobu hrát se svými sestrami. Drusillo, Livillo, tohle je můj přítel Vespasián a jeho bratr Sabinus. Musíte k nim oběma být velmi milé."

„Drusilla," představila se starší z nich a podala jim ruku. Nemohlo jí být víc než patnáct. Měla malá, ale nikoli nezajímavá ústa a mírně baculaté tváře. Její slonovinová pleť se leskla vodou a husté černé vlasy jí visely ve vlhkých pramenech a lepily se jí na ramena. Nijak se nesnažila zakrýt svoji nahotu. Vespasián nedokázal odolat a klouzal pohledem od pevných dívčích ňader až k mnohem nižším partiím. Když ji vzal za ruku, zhodnotila ho pohledem.

„Moc rád tě poznávám." Odtrhl pohled od jejího ztepilého těla a pohlédl jí do očí.

„A já jsem Julia Livilla," pronesla mladší sestra a vystoupila z bazénu. „Ráda potkávám nové lidi, zvlášť pokud jsou to přátelé drahého Gaia."

„Tohle je milá Livilla, ne jako ta moje příšerná teta," oznámil Caligula a pohladil dívku po tváři. Ovinula ho pažemi, vášnivě ho políbila na ústa a přitiskla břicho k jeho neustále ztopořenému mužství. Byla asi o dva roky mladší než její sestra. Stejně jako Drusilla měla malá ústa, ale vyšší, výraznější lícní kosti a delší špičatější nos. Na hubeném hrudníku jí teprve začínala pučet ňadra.

Caligula se vyvinul ze sestřina objetí a přivítal se s Pallem, který se jako vždy tvářil, že se vlastně nic zvláštního neděje, krátce kývl na pozdrav Magnovi a pak přistoupil ke Corbulovi, jenž stál s otevřenými ústy a vytřeštěnýma očima a jasně dával najevo aristokratickou zlost.

„Tohle je Gnaeus Domitius Corbulo," oznámil Caligulovi Vespasián.

„Vítám tě," pronesl Caligula. Pak znovu skočil do bazénu a Corbulo ztratil řeč docela.

„Brzy bude večeře," oznámil Caligula. „Takže zpátky do domu, mé milované."

Sestry se zachichotaly a pak každá jednou rukou popadla jeho ohromný penis a takto vedly bratra zpět k vile.

„Najdu správce domu," oznámil Pallas a vylezl znovu na povoz, „a zařídím věci ohledně pokojů a koní."

Trhl otěžemi a povoz se rozjel kolem bazénu. Vespasián ho následoval s otěžemi v rukou a doufal, že se Caligula a jeho sestry na večeři obléknou.

Vespasián vyšel ze svého pokoje do atriové zahrady a pod fíkovníkem spatřil na kamenné lavičce Clementa se Sabinem. Zahrada byla uzavřená pouze ze tří stran, jižní strana skýtala úžasný výhled na Neapolský záliv. V dálce rudě zářily v posledních slunečních paprscích strmé útesy Capri.

„Vládne tam šílenství," oznámil Clemens, když stiskl Vespasiánovo předloktí. „Starý už se dočista zbláznil. Je posedlý sexem, smrtí a astrologií do té míry, že nemyslí na nic jiného, tedy kromě výstavby nového paláce: pojmenoval ho Villa Iovis. Je jen zpola dokončený, ale on už se nastěhoval do hotové části a zaplnil ji pornografickými mozaikami a freskami. Někdy si říkám, jestli by nebylo lepší, kdyby se císařem opravdu stal Seianus. Ten aspoň ctí římské hodnoty. Není na něm nic řeckého. Nikdy by neznásilňoval mladé syny svých údajných přátel. A smrt by držel tam, kam patří: v aréně nebo na bojišti."

„Nebo u soudů," dodal Vespasián.

„No, vždycky se najde něco, ať už by se císařem stal kdokoli. Jenže Tiberius už to přehání. Naši republikánští předci by nalehli hanbou na meče, kdyby byli svědky některých věcí, které jsem spatřil já během několika posledních měsíců. Jednou dal třeba shromáždit přes tisíc otroků. Pak nechal jednoho z nich před zraky ostatních rozpárat a oznámil jim, že každý muž, který neudělá, co se mu řekne, zemře stejným bolestivým způsobem. Nechal je všechny nastoupit do řady a masturbovat tak dlouho, až měli všichni erekci – mladíčci, které on sám zneužívá, obcházeli kolem a pomáhali těm, co měli problém – a potom je donutil v dlouhé řadě k sodomii. Víc než tisícovka jich smilnila za sebou, dokážete si to představit?"

Vespasián si k svému značnému ohromení uvědomil, že on si to představit dokáže.

„A pak," pokračoval Clemens, „rozkázal centurii pretoriánů – pěšáků, ne mých jezdců –, aby obcházela tu řadu a uškrtila ty otroky, kteří vyvrcholili, a nabádala ostatní, kteří nebyli schopni, co je čeká, pokud přestanou, i když to třeba dělali do zadku nějakému mrtvému."

„To není právě jednání hodné Scipiona nebo Julia Caesara," souhlasil Vespasián.

„A co dělal Tiberius, zatímco se tohle všechno odehrávalo?" zeptal se Sabinus zjevně fascinován celou představou.

„Dal se ukájet ústy patnáctiletým synem Lucia Vitellia Vetera."

„A co Caligula? Byl při tom?" otázal se Vespasián v naději, že přijde na příčinu přítelova výstředního chování dnešního odpoledne.

„Ale jistě, a ještě v tom starého povzbuzoval," potřásl Clemens hlavou. „Došlo mu, že pokud člověk chce zůstat v blízkosti Tiberia naživu, musí aspoň naoko projevovat zájem o jeho nové koníčky. Prvních pár měsíců na ostrově prožil v soustavné hrůze, myslel na to, že ho Tiberius může dát zabít, kdykoli se mu zamane, a to ho podle mého trochu vyvedlo z míry."

„Trochu?" namítl Vespasián. „Když jsme přijeli, právě obcoval se svými sestrami."

„To už dělá pár roků," mávl rukou Clemens. „Prostě si nedokáže poručit, když přijde na ženy, včetně jeho vlastní krve. Tím, že je vyvedený z míry, myslím to, že se nedokáže na nic dlouho soustředit a má sklony k bezdůvodným výbuchům hysterického smíchu. Ale jinak je pořád stejný: sexuálně neukojitelný, ale dobrý společník a plný života."

„No, to rád slyším," pronesl Vespasián, kterého Caligulův poměr s vlastními sestrami nijak nepřekvapil. Teď už chápal, proč byly Antonii jeho návštěvy v Misenu proti srsti.

Další debatu na toto téma přerušil příchod správce vily, který oznámil, že se bude podávat večeře. Vydali se za ním, právě když slunce kleslo za obzor a nad poklidným Tyrhénským mořem se jasně rozzářila Večernice.

„Tiberius nemá překvapení rád," podotkl Caligula, když odnesli *gustatio*, „dokonce ani od člověka s dobrými zprávami nebo s dárkem." Usrkl vína, krátce se zasmál a pak stiskl ruku Vespasiánovi, který ležel vlevo na stejné pohovce. „Minulý měsíc vylezl po útesech rybář, že nese Tiberiovi největší parmici, jakou kdy viděl. Starého tak rozhodilo, že někdo doká-

zal bez ohlášení proniknout do jeho blízkosti, že rozkázal jednomu ze svých strážných, aby muži rozedřel tváře do krve šupinami té ryby."
Odmlčel se, zatímco něco upravoval na Drusilliných šatech. Ležela po Caligulově pravici zády k němu a povídala si s Corbulem, který byl celý nesvůj, že se musí o sousední pohovku dělit s až moc přátelskou Julií Livillou.

„V každém případě," pokračoval Caligula spokojený s provedenou úpravou, „rybář projevil odvahu a navzdory zjevné bolesti se pokusil o vtip." Začal se skoro hystericky pochechtávat a přitiskl se blíž k Drusille. „Řekl... řekl: ‚Díky bohům, že jsem nenabídl Caesarovi toho velkého kraba, kterého jsem ulovil." Caligula se rozesmál, zatímco se snažil zaujmout pohodlnou polohu na pohovce. Vespasián se k jeho smíchu připojil spolu s Clementem a Sabinem, kteří leželi na pohovce vlevo.

„Jenže pak...," promluvil znovu Caligula, když se ovládl, „jenže pak rozkázal Tiberius, aby přinesli kraba, a dal s ním rybáři třít obličej. Zůstalo mu na něm jenom maso." Caligula se znovu hystericky rozesmál. Pak náhle smích ukončilo škubnutí dolní poloviny jeho těla a slastné zasténání. Natáhl se po poháru s vínem. Zatímco pil, Vespasián se nadzvedl a pohlédl přes něj na Drusillu. Vzápětí znovu odvrátil zrak. Stolu měla vytaženou nad hýždě. Caligula do ní zjevně vnikl, ale soudě podle úhlu mezi jejich těly, nešlo o tradiční způsob. Drusilla pokračovala v hovoru s Corbulem, jako by se nic nedělo. Z Corbulova výrazu bylo však patrné, že moc dobře ví, co se odehrálo.

„Proto jsem se postaral, ovšem tak, abych ho nevyvedl z míry, že vás strýček Tiberius očekává," pokračoval Caligula, když přinesli další chod – dva velké podnosy s plody moře. Lehký slaný vánek pronikající dovnitř otevřeným oknem zlehka vzdouval tuniky otrokyň obcházejících stůl.

„Jak?" zeptal se Vespasián a vybral si raka.

„Žije tam jeden starý šarlatán, astrolog jménem Thrasyllus, který je náhodou otcem té rozkošné Ennii, s níž jsem se setkal u večeře v babiččině domě."

„Macronovy ženy?" ujistil se Sabinus.

„Nejspíš ano. Je pro něj ale příliš dobrá, mám sto chutí ji vyzkoušet sám. V každém případě tenhle Thrasyllus tráví většinu času tím, že

Tiberiovi namlouvá, že se dožije změn, které začnou, až se za tři roky znovu v Egyptě zrodí Fénix."

„Co je to Fénix?" zeptal se Corbulo, jenž se potřeboval odpoutat od ohavností, které se páchaly tak blízko něj.

„Je to pták, jehož životní cyklus trvá pět set let. Na konci shoří v plamenech a z popela se zrodí nový Fénix, který ohlašuje začátek nové éry. Tiberiovi se líbí, že bude žít nejméně další tři roky, proto Thrasyllovi naslouchá. Takže jsem ho přesvědčil, aby předpověděl, že mi přítel přinese důležité zprávy od babičky."

„Ale jak se dostaneme k Tiberiovi?"

„Každé ráno, když skončí s... no... cvičením, jdeme s Tiberiem do nedokončené části Villy Iovis, abychom sledovali postup prací – zvlášť se zajímá o vlys, který si nechává dělat ve své budoucí ložnici. Takže pokud vás v tom pokoji schovám přes noc, můžu ho varovat, že předpovězené zprávy od Antonie dorazily a že jsou podle mě tak důležité, že by si je měl poslechnout. Snad bude souhlasit s tím, že před něj můžete předstoupit."

„Hlavně aby nikde nebyly žádné parmice nebo krabi," podotkl Vespasián. Rozlomil raka a přejel prstem po ostré skořepině.

Caligula se rozesmál o něco bouřlivěji, než si poznámka zasluhovala, a přitiskl se k Drusille. „Krabi!" rozřehtal se a nabídl celou malou grilovanou chobotnici sestře, která se nemohla k talířům na stole natáhnout.

Vespasián si povšiml se značnou úlevou, že sourozenci se podle všeho spokojili s tím, že zůstali tajně spojení, a nevrtí se vedle něj. Corbulo na ně jen dál nevěřícně zíral a podle všeho nejen ztratil chuť k jídlu, ale rezignoval i před Julií Livillou, která mu teď přátelsky držela ruku na stehně.

„Moji muži, kteří na vás budou čekat v zátoce, vás dovedou až k obvodové zdi Villy Iovis," vysvětloval Clemens, aby se vrátil k tématu. „Já se k vám připojím hned, jakmile odvedu Caligulu do jeho pokojů, a pak vás doprovodím do Tiberiovy ložnice. Moji muži budou držet stráž u dveří, aby vás ráno neviděl žádný řemeslník. Po setkání s Tiberiem zůstanete v místnosti až do setmění a pak vás doprovodíme zpátky do zátoky. Tak byste měli uniknout pozornosti Seianových mužů."

Vespasián se Sabinem souhlasně přikývli.

„Pokud myslíš, že to vyjde, Clemente," řekl Sabinus, „tak nemám nic proti."

„Vyjde to," odvětil Clemens, ulomil si kus chleba a namočil ho do šťávy z mořských plodů, která zůstala na dně tácu před ním. „Problém bude Tiberiovo duševní rozpoložení."

„Ale Caligula říkal, že ho varoval – nebo ne?" Vespasián šťouchl do přítele, kterého právě plně pohltilo krmení Drusilly garnáty.

„Cože?" zeptal se Caligula a škádlil Drusillu garnátem.

„Říkal jsem: přece jsi varoval Tiberia, takže by měl být v dobré náladě, až nás přijme."

„Ale jistě, jistě," odvětil Caligula a odpoutal svoji pozornost od sestry. „Měl by, jenže v tom je právě ten háček. Poslední dobou, když je v dobrém rozmaru, si zvykl dávat lidi jen tak shazovat z vrcholku útesu. Výborně se tím baví. Už se z toho stala tak pravidelná zábava u lidí, které pozval jako hosty na ostrov, že dokonce dal dolů pod útes postavit oddíl námořníků vyzbrojených palicemi, aby dorazili ty nešťastníky, kteří pád náhodou přežijí. Vysvětlil mi, že nechce, aby jeho hosté pro jeho potěšení zbytečně trpěli. Proto spousta lidí, které pozve, raději spáchá sebevraždu, než aby jeho pozvání přijali."

Caligula krátce vypískl a vrátil se ke krmení Drusilly.

Vespasián ohromeně pohlédl na Sabina s Clementem a nešlo mu z hlavy, kolik z toho asi Antonia zjistila, než se rozhodla poslat je na Capri k tomu šílenci.

KAPITOLA XVII

„Opatrně s ním," zašeptal Vespasián dvěma vyděšeným lodníkům, kteří spouštěli napůl bezvědomého Rhoteka k Magnovi s Pallem, čekajícím ve člunu u zádi birémy.

„Máme ho," sykl Magnus ze tmy dole.

Lodníci poté spustili vaky a pak pomohli dolů Corbulovi se Sabinem, který právě zvládl další nával zvracení. Všichni byli neozbrojení, protože každý, s výjimkou pretoriánské stráže a imperátorova germánského tělesného strážce, kdo by se v Tiberiově přítomnosti objevil se zbraní, se dopouštěl hrdelního zločinu.

Caligula poplácal Vespasiána po rameni, když se připravoval sestoupit za nimi. „Další veselá taškařice, co, kamaráde?" Ve tmě zasvítily jeho bílé zuby. „A když to vyjde, otevře se mi tím cesta k titulu imperátora. Jen si představ, jakou zábavu si dopřejeme potom."

Od chvíle, kdy zjistil, jaké má Tiberius choutky, začal Vespasián uvažovat o tom, jak vlastně vypadá Caligulova definice zábavy. „Hlavně se postarej, aby Tiberius neměl chuť dát někoho shodit z útesu," odvětil a přehodil nohu přes obrubnici.

„Jistě. Možná přesvědčím mladého Vittelia, aby se k nám při procházce připojil. To Tiberia vždycky uklidní."

„Dělej, co chceš, hlavně aby měl rozum."

„Rozum? To je ale zvláštní slovo."

Vespasián se musel usmát. Poplácal Caligulu po paži, krátce kývl na Clementa a spustil se po laně do člunu.

„Už mám dost člunů na celý zbytek života," zničeně prohlásil Sabinus, když Vespasián usedl vedle kormidelního vesla. Corbulo odtlačil člun od birémy, Magnus s Pallem se chopili vesel a zamířili k pobřeží. Nad nimi se výhrůžně vypínaly útesy Capri ozařované stříbrným svitem měsíce. Vespasián ztěžka polkl a představoval si hrůzu Tiberiových hostů, kteří z nich byli bez zjevné příčiny shazováni.

Biréma zamířila k zářícímu majáku asi o kilometr dál po pobřeží, který označoval vjezd do přístavu, a brzy jim zmizela z dohledu.

Sabinus sebou náhle škubl a začal znovu zvracet. „To je hrůza," zasténal s hlavou nad hladinou.

„Žádná hrůza v porovnání s včerejší nocí," podotkl Corbulo. Ještě stále byl v šoku z mravů jejich hostitelů u večeře. Když začalo víno téct větším proudem, chování Caliguly a jeho sester (aspoň z Corbulova pohledu) přešlo od ohavné urážky všech, kdo vyrostli na augustovských etických normách, ve skandální porušování veškerých myslitelných římských mravních norem a etikety, kterými se řídí chování nejen u jídelního stolu, ale všude v císařství, na veřejnosti i v soukromí. Livillin obscénní útok husí nohou na jeho zadek pak byl poslední kapkou a on se dal na ústup, aniž někoho příliš urazil, s tím, že nejspíš snědl špatnou mušli. Vespasián, Sabinus a Clemens byli nuceni setrvat ještě o něco déle, ale nakonec se jim podařilo také prchnout poté, co zdvořile odmítli nabídky, aby se zapojili, když „svíjení", kterého se Vespasián obával, propuklo naplno. Tou dobou už začala Livilla obšťastňovat husí nohou Caligulu a všechny tři sourozence tak pohltil jejich zvláštní svět, že si s odchodem hostů nedělali těžkou hlavu.

Po pár stovkách záběrů spatřil Vespasián na břehu dva zářící světelné body a stočil člun k nim. Zanedlouho už trup člunu zaskřípěl na oblázcích a do lehce pleskajících vln vstoupili dva pretoriáni, aby jim pomohli vytáhnout plavidlo na břeh.

„Kavaleristé Fulvius a Rufinus z pretoriánské jízdy se hlásí na rozkaz dekuriona Clementa, pane," pronesl starší z nich a zasalutoval Sabinovi, když poněkud nejistě s pomocí druhého jezdce opouštěl člun.

Sabinus se na pevné zemi trochu zapotácel. „Děkuji."

Zakrátko už ukryli člun v zátoce, Rhoteka naložili Magnovi na záda (přirozeně za spousty Magnova naříkání ohledně knězovy osobní hygieny) a s vaky přehozenými přes ramena byli připraveni na cestu. Fulvius vykročil jako první po příkré, ale schůdné stezce, která se klikatila po útesu, jenž nebyl zdaleka tak strmý, jak se z dálky jevilo. Postupovali pomalu a opatrně, protože pochodně zhasili a museli se spoléhat na svit měsíce, ale nakonec se přece jen v pořádku dostali na vrchol.

Po okraji útesu pak mlčky zamířili na východ po měsícem ozářené neobdělávané půdě. Nalevo spatřil Vespasián na vlnící se vodě odrazy světel Pompejí, Herculanea, Neapole a Puteoli. Doplňovaly je slabší světelné body v místech, kde stály velkolepé pobřežní vily římské elity. Sem tam ve tmě mezi pevninou a ostrovem byly na moři patrné osamělé lucerny nočních rybářů. Zdola k nim doléhal zvuk vln tříštících se na rozeklaných balvanech u paty útesu. Od západu vál teplý vánek a přinášel vůni divokého tymiánu.

Téměř po půlhodině neúnavné chůze dorazili k vysoké kamenné zdi na východní špičce ostrova. K Vespasiánovu překvapení už tam na ně čekal Clemens v sedle koně.

„Nějaké problémy?" zeptal se a rozmotával lano.

„Žádné, pane," odpověděl Fulvius.

„Dobrá. Držte koně," vybídl je Clemens a zvedl se, aby si v sedle klekl. Opřel se o zeď, vstal a přehodil přes ni jeden konec lana. Potom se zachytil nahoře za zeď, vytáhl se na ni a zmizel na opačné straně.

„Je zajištěné," zavolal tiše o pár okamžiků později.

Až na krátkou prodlevu, kdy přepravovali přes zeď Rhoteka, se všichni snadno dostali na měsíčním svitem zalité pozemky Villy Iovis.

„Vždyť je to staveniště," zašeptal užasle Magnus, když Clemens odvazoval lano od kmene mohutného dubu ležícího na zemi. Všude kolem byly ve slabém světle vidět hromady cihel a otesaných kamenů. Mezi hromadami terakotových střešních tašek a proutěnými koši ležely části sloupů. Magnus zalovil v jednom z košů a vytáhl hrst drobných mramorových kostek.

„Vypadá to, že si Tiberius do svého paláce slastí naplánoval pár mozaik," poznamenal a nechal kamínky s lehkým chrastěním padat zpátky.

„Tudy," zašeptal Clemens a vedl je přikrčené mezi stavebními díly po svahu k mohutné mase nedokončené Villy Iovis vzdálené jen asi čtyři sta kroků. Podle několika světel v oknech na opačném konci budovy poznali, že se k ní blíží z nedokončené a neobydlené strany.

Když už k budově zbývalo jen sto kroků, stavební materiál prořídl a Clemens je u poslední hromady cihel zarazil. „Počkejte tady," zavelel. „Normálně stává nedaleko strážný. Odlákám ho."

Vstal a zamířil přímo k paláci.

„Stát!" ozvalo se volání, když došel do poloviny volného prostranství. „Řekni své jméno!"

Ze stínu vyšli dva pretoriáni v uniformách a běželi ke Clementovi, který zůstal stát bez hnutí.

„Dekurio Clemens, první ala pretoriánské jízdy," zavolal Clemens na blížící se stráže.

„Co tady děláš, pane? Nemáš právo pohybovat se tady v noci, musíš jít s námi."

„Hledal jsem vás. Měl jsem dojem, že jsem zahlédl na kopci nějaký pohyb," vysvětloval Clemens a ukázal směrem k Vespasiánovi a jeho druhům.

„Do Hádu! Zradil nás, ten mizera," sykl Magnus, když Clemens vykročil v čele stráží jejich směrem.

„To mi přijde vysoce nepravděpodobné," namítl klidným hlasem Pallas.

Fulvius a Rufinus tasili meče. Vespasiánovi automaticky sjela ruka k boku a teprve v tu chvíli si uvědomil, že jeho zbraň zůstala v Misenu.

„Nehýbejte se," řekl Fulvius. Vstal a namířil meč na Corbula. Rufinus se postavil nad Vespasiána a přitiskl mu špičku meče k zádům. „Sem, pane," zavolal na Clementa.

Vespasiánovi se udělalo zle. Neozbrojení a proti pěti pretoriánům neměli žádnou šanci. Určitě je teď zajmou. Na okamžik mu myslí bleskla představa, jak letí z útesu, a přísahal Clementovi pomstu, ať už v tomto životě nebo v příštím.

„Ale, ale, copak to tady máme?" protáhl Clemens a jeho úzký obličej se na něj ve tmě šklebil. Ti dva pretoriáni se postavili každý z jedné strany a tasili meče. „Řekl bych, že žrádlo pro ryby. Spoutejte je."

„Clemente, ty svině," odplivl si Sabinus. „Kolik ti Seianus zaplatil, abys udělal ze své sestry vdovu?"

Magnus se vrhl na Fulvia. Hlavou si to namířil proti pretoriánovu podbřišku. Po prudké ráně jílcem Fulviova meče do týla se však svalil v bezvědomí na zem. Rufinus kopnutím srazil Vespasiána k zemi, překročil ho a bleskovým pohybem vrazil meč do úst pretoriánovi po Clementově levici, zatímco Clemens ovinul pravou paži kolem hrdla druhému, levačkou ho popadl za hlavu a prudce s ní trhl do strany. Ozvalo se hlasité lupnutí, jak muži praskl vaz.

„Clemente, ty neřáde," zavrčel Sabinus, „já ti na to skočil."

„Omlouvám se," usmál se Clemens. „Nečekal jsem dva a oba najednou jsem sejmout nemohl. Potřeboval jsem pomoc, abych se jich zbavil. Odvedli by mě na strážnici a musel bych toho ráno spoustu vysvětlovat. Shodíme je dolů z útesu." Popadl jednu ochablou paži a začal muže táhnout za sebou. Sabinus zavrtěl hlavou a vykročil mu na pomoc.

Vespasián, stále ještě rozechvělý, pomohl Rufinovi odsmýkat druhou mrtvolu padesát kroků k vrcholku útesu.

„Jak jsi věděl, že máte zabít ty dva strážné?" zeptal se.

„Taky jsem si myslel, že vás podrazil," odpověděl Rufinus, „dokud nám nerozkázal, abychom vás spoutali, pak už jsem pochopil, co mám dělat."

„Jak?"

„Protože od chvíle, kdy po útesu vylezl ten rybář, platí Tiberiův rozkaz, že všichni vetřelci bez výjimky mají být na místě popraveni."

„No, doufejme, že u nás udělá zítra výjimku," podotkl Vespasián, když došli k okraji útesu.

„Nic takového jsem ještě nezažil," odpověděl Rufinus bez okolků.

Překulili pretoriána přes okraj útesu. Vespasián opatrně pohlédl dolů a krátce zahlédl, jak se mrtvola otáčí ve vzduchu, než zmizela v temnotě. Burácení vln tříštících se o patu útesu pohltilo jakýkoli zvuk, který mohl doprovázet dopad na kameny. Obrátil se a z mysli mu nešla představa, jak padá.

Po návratu ke svým druhům zjistil, že Magnus je stále v bezvědomí, a museli ho s Pallem nést. Sabinus a Corbulo popadli Rhoteka.

Chvátali přes volné prostranství před palácem a nedokončeným vstupem vešli do temných chodeb.

Clemens je překvapivě rychle provedl labyrintem chodeb ozařovaných slabým měsíčním svitem, který dovnitř pronikal otevřenými okny. Nakonec se zastavil před masivními dveřmi a rozevřel je. Vstoupili za ním dovnitř a ocitli se v prostorném sále. Jejich kroky se odrážely od vysokého stropu. Rhoteka shodili neobřadně na zem.

„Fulvius a Rufinus zůstanou na stráži, dokud Caligula nepřivede imperátora," vysvětloval Clemens. „Já přijdu taky a budu sdílet osud, který vám Tiberius určí."

„Děkujeme, Clemente," řekl Sabinus a stiskl švagrovi předloktí.

Clemens stisk s úsměvem opětoval. „Je tady spousta kbelíků od dělníků, do kterých můžete čůrat. Hodně štěstí." Obrátil se a vyklouzl ze dveří následován Fulviem a Rufinem.

Když Vespasián a Pallas uložili Magna na zem, zavrtěl se, otevřel oči a pak zasténal. „Do Hádu! A teď to máme. Dostali nás," poznamenal a třel si týl.

„Spíš nás dostali dovnitř," upřesnil Vespasián a pomáhal příteli na nohy.

„Cože? Já myslel, že nás zajali."

„No, měl ses držet při zemi a čekat, co bude, místo aby sis hned hrál na hrdinu a napadl nesprávného člověka."

„Chceš tím říct, že se Clemens nakonec přece jen zachoval správně a nejsme v žádném vězení?"

„Rozhlédni se." Vespasián mávl rukou po slabě osvětleném prostoru. „Jestli ti tohle připadá jako vězení, tak bys Tiberia pěkně naštval. Jsme v jeho nové ložnici."

S východem slunce místnost postupně naplnilo světlo, které dovnitř proudilo čtyřmi okny vysoko nade dveřmi, a Vespasián ji konečně uviděl v celé velikosti. Šlo o dokonalou kostku s mramorovým stropem ve výšce dvanáct metrů. Na zdi naproti dveřím byl nedokončený vlys, o který se Tiberius tolik zajímal. Zběžný pohled stačil, aby Vespasián pochopil proč: zobrazoval každou lidem známou tělesnou slast v řadě živých scén, v nichž vystupovali dospělí, děti a zvířata – a neponechával nic na divákově představivosti.

„Děláš si v duchu poznámky, bratře?“ zeptal se Sabinus, když si všiml, jak Vespasián s otevřenými ústy zírá na krutě zneužívanou mulu.

„Musím obdivovat tu věrnost,“ odpověděl a opět nereagoval na bratrovu narážku, „i když téma je poněkud obscénní.“

„Poněkud? Nikdy jsem nic takového neviděl,“ namítl Corbulo, „dokonce ani v...“ Zarazil se a zrudl.

„V nevěstincích na Vicus Patricius v Římě?“ doplnil za něj ochotně Magnus.

Corbulo se na Magna zamračil a pak raději začal vytahovat z vaku tógu.

„Mám tady chléb, solené vepřové a víno, páni,“ spustil Pallas. Překročil spoutaného a umlčeného Rhoteka, který v koutě začínal přicházet pomalu k sobě. „Měli bychom se najíst a potom se převléknout a připravit se na setkání s imperátorem.“

O hodinu později už posedávali na obrácených kbelících. Každý z nich se mlčky v myšlenkách zaobíral blížícím se setkáním. Zvenku k nim několikrát dolehly hlasy, jak Fulvius a Rufinus zabránili ve vstupu dělníkům, ale dveře zůstaly zavřené.

Náhle uslyšeli zvuk kroků blížících se rychle chodbou. Dveře se rozlétly a dovnitř vstoupil starý, ale pořád energický muž. Vespasián ho okamžitě poznal. Byl to nejmocnější a nejobávanější muž římského světa: Tiberius.

Všichni najednou vyskočili z kbelíků a sklonili hlavy. Z této polohy viděl Vespasián jen Tiberiovy neochlupené nohy, které trčely z čisté purpurové tuniky. Pokrývalo je nezvyklé množství křečových žil. Klikatily se kolem otevřených boláků a zaschlých strupů na lesklé napjaté kůži jeho holení. Obuté měl běžné vojenské sandály. Zrohovatělé nehty na nohou byly zažloutlé a polámané.

Tiberius kráčel k Vespasiánovi a zastavil se přímo před ním. Vespasiánovi se zrychlil tep a měl co dělat, aby se neroztřásl. Přistihl se, že uvažuje, proč si Tiberius nedává stříhat nehty.

„To je on, miláčku?“ oslovil Tiberius kohosi mezi dveřmi, kam Vespasián neviděl. Jeho hlas byl tichý a chraplavý. Zněl vzdáleně, jakoby z jiného světa.

„Ano, strýčku," uslyšel Caligulovu odpověď, „to je on. Je to můj přítel." Hlas měl přiškrcený, jak se snažil chovat nenuceně, ale přitom skrýval nervozitu pramenící z vědomí, že se chystá závažné rozhodnutí.

„Tvůj přítel, říkáš?"

„Ano, strýčku, můj přítel."

„Jmenuje se Vespasián, je to tak, miláčku?"

„Ano, strýčku: Vespasián."

„Podívej se na mě, Vespasiáne."

Vespasián zvedl hlavu. Velké, uslzené šedé oči ho tázavě pozorovaly, jako by se vladař marně snažil zaostřit na to, co má před sebou. Tiberiův obličej museli kdysi považovat za hezký, ale nespoutané pití v něm zanechalo stopy: pleť byla nateklá a rudá. Bílé vlasy měl vpředu a nad ušima krátce zastřižené, ale na krku mu splývaly v umaštěných pramenech. Z boltců se mu odlupovala zaschlá kůže. Na špičce nosu měl naběhlý pupínek.

Tiberius položil levou ruku Vespasiánovi na temeno hlavy a mohutně ji sevřel, až se Vespasiána zmocnila obava, že mu chce palcem a ukazováčkem prorazit lebku.

„Je pořád ještě dost mladý, takže bych mu mohl vrazit prsty do mozku, miláčku," podotkl Tiberius a nepřestával hledět tázavě, skoro zmateně Vespasiánovi do očí. Z jeho dechu byl zřetelně cítit zápach čerstvých lidských výkalů.

„Ano, strýčku. Ale to bych pak už neměl přítele." Caligulův hlas zněl teď naléhavěji.

Tlak na Vespasiánovu hlavu náhle zesílil.

„Ale já jsem tvůj přítel," zvolal náhle Tiberius.

„Ano, strýčku, to jsi. Jenže ty jsi můj přítel tady. Vespasián je můj přítel v Římě. Ty do Říma nejezdíš, tak potřebuju přítele, když tam odjedu."

Tiberius uvolnil stisk. Vespasián měl co dělat, aby odolal nutkání třít si bolavou hlavu.

„Ale co se stane, až se vrátím do Říma?" zeptal se Tiberius a nepřestával hledět na Vespasiána.

„V tom případě už nebudu v Římě dalšího přítele potřebovat, strýčku, a ty mu pak můžeš vrazit prsty do mozku."

„Takže v Římě," souhlasil Tiberius najednou zvesela, jako by se nějaká složitá záležitost vyřešila tím nejjednodušším a nejzjevnějším způsobem.

Vespasián vydechl úlevou, když Tiberius obrátil pozornost k ostatním členům skupinky. Cítil, že alespoň prozatím je v bezpečí. Caligula na něj tajně ode dveří kývl na potvrzení. Vedle Caliguly stál velmi hezký dospívající mladík. Vlasy mu zdobily květiny a lem a rukávy bílé tuniky měl pošité zlatem. Za ním, mezi Fulviem a Rufinem, stál nehybně Clemens s rukou na jílci meče. Tvář měl ještě sinalejší než jindy.

„A co tihle, miláčku? Co jsou zač?" Tiberius pomalu přejel pohledem po Sabinovi, Corbulovi, Magnovi a pak Pallovi. „Nejsou to žádní další rybáři, že ne?"

„Ale vůbec ne, strýčku, vždyť sem přece už rybáře nepouštíš," volil Caligula pečlivě slova. „Tito muži přišli s mým přítelem s důležitou zprávou, kterou předpověděl Thrasyllus. Jeden z nich má pro tebe dopis od Antonie."

„Takže jsou to vetřelci, přišli, aby rušili můj vnitřní klid?"

„Přišli právě proto, aby tvému vnitřnímu klidu pomohli, strýčku."

Tiberius chvíli zíral na Palla. Nikdo se nehýbal. „Tebe znám," pronesl a ukázal prstem na Řeka. „Ty jsi Antoniin správce. Jmenuješ se Pallas, že?"

„Jsem poctěn, že jsi mě poznal a znáš dokonce i moje jméno, principe," uklonil se Pallas. I přes napětí ve vzduchu stále zachovával navenek klid a vyrovnanost. Vespasián se navzdory rannímu chladu potil.

„Měla ti dát dopis. Předej mi ho."

Pallas sáhl do vaku. Tiberius uskočil. Pallas si uvědomil svoji chybu, rychle vytáhl ruku z vaku a obrátil ho dnem vzhůru, takže jeho obsah se s rachotem vysypal na podlahu. Bylo to poprvé, co Vespasián zaznamenal u uhlazeného Řeka rozechvění, a uvědomil si, že si ten pohled užívá.

Pallas popadl svitek a podal ho Tiberiovi. Imperátor si ho zblízka prohlížel a pak, očividně uklidněný tím, že mu svitek neublíží, ho uchopil.

„Moje paní posílá svůj pečetní prsten, principe," dodal Pallas a zvedl ruku, která se viditelně třásla, „na důkaz, že dopis je pravý."

Tiberius jen mávl rukou. „Ty jsi dostatečný důkaz," konstatoval, prohlížel si svitek a potěžkával ho v dlani. Hlas mu teď zněl méně vzdáleně, jako by mu existence dopisu od švagrové pomáhala uniknout z temného světa jeho hlavy, do kterého se očividně hluboko ponořil. Pohlédl na Sabina, jako by ho viděl poprvé. „A ty jsi?“ zeptal se s téměř upřímným zájmem.

„Titus Flavius Sabinus, principe,“ pospíšil si s odpovědí Sabinus.

„Á, ano, tribun u Deváté Hispánské,“ podotkl Tiberius bez váhání, „vyznamenal ses v Africe při potlačování Tacfarinova povstání. Dobrý voják, jak tvrdila hlášení.“

„Děkuji, principe,“ vyhrkl Sabinus, stejně jako všichni ostatní ohromený imperátorovou náhlou jasnou myslí.

„Všichni tady zůstanete pod Clementovým dohledem, než si ten list přečtu. Vitellius vám bude dělat společnost.“ Tiberius ukázal na hezkého mladíka. „Má jisté vlohy. Pojď, miláčku. Podíváme se, co tvoje babička potřebuje.“

Tiberius vyšel z místnosti. Caligula ho s nakrčeným čelem následoval. Jakmile dozněly imperátorovy kroky v chodbě, vyčerpaný Vespasián a jeho druhové klesli s úlevou na kbelíky.

Dlouhou chvíli jen mlčky seděli a uvažovali, jak blízko smrti se ocitli. Z myšlenek je vytrhlo hlasité zasténání z kouta místnosti. Rhotekés se zcela probral.

„Udělej s ním něco, prosím, Palle,“ pronesl podrážděně Vespasián. Nesnášel knězův hlas stejně jako všechno ostatní na něm.

„Obávám se, že ho prozatím musíme udržet při vědomí, pane,“ odvětil Pallas, který se mezitím znovu uklidnil. „Možná ho brzy čeká výslech.“

Přestože ta představa Vespasiána rozveselila, rostoucí hluk, který kněz působil, mu drásal už beztak napjaté nervy. „Do Hádu, ztichni!“ zařval zcela zbytečně.

„Přeješ si, abych tě uklidnil, Vespasiáne?“ zeptal se Vitellius. Přistoupil k němu a položil mu na rameno měkkou ruku.

„Cože?“ vykřikl Vespasián a zaraženě na mladíka pohlédl. „Ne!“ Vztekle Vitelliovu ruku odstrčil.

„Jsi nechutný. Copak nemáš žádný smysl pro čest, hochu?“ odplivl si Sabinus. „Jsi potomek Vitelliů, starého a vznešeného rodu. Jak se můžeš prodávat jako nějaká přístavní děvka?“

„Když to nebudu dělat, zemřu," odpověděl Vitellius prostě. „Viděls přece, jaký je."
„A tak radši žiješ v hanbě jako jeho milenec, než abys zemřel jako muž?"
„Mně to přijde přijatelnější. Na hanbě mi nesejde. Vzdal jsem se své cti i hrdosti, abych přežil, stejně jako to udělal můj otec, když mě dal Tiberiovi výměnou za svůj život. Takto se jednoho dne budu moct pomstít všem, kdo mě zneužívali, nebo jestli budou mrtví, tak jejich rodinám." Vitellius upřel na Sabina ledový pohled.
Sabinus ho počastoval stejným. „Nikdy bych nevzal do úst ptáka žádného muže, ani kdyby na tom závisel můj život, ty zvrhlíku."
„Doufám, že jednoho dne na tom bude záviset tvůj život. Potom uvidíme, co si zvolíš, Tite Flavie Sabine." Vitellius se obrátil a vyšel z místnosti.
„Děvko!" zavolal za ním Sabinus.
„Tohle místo dělá s lidmi divné věci," podotkl Magnus, když se dveře zabouchly.
„Není to místem," ozval se Pallas. Stál nad Rhotekem a v ruce držel nůž. Kněz se tím zklidnil. „To dělá moc. Absolutní moc vede u člověka, který ji má, k mravní zkaženosti, pokud má slabou vůli nebo pochybnou morálku."
„V tom případě ať nám pomáhají bohové, jestli se Caligula stane imperátorem," zavrtěl hlavou Corbulo. „Nemůžu uvěřit, že napomáhám tomu, aby tahle možnost nastala. Možná bychom se měli vrátit k republice, kde se o moc dělili dva muži vždy jen jeden rok."
„Na to už je příliš pozdě," uvažoval Vespasián. „Bohatství říše je soustředěno do příliš mála rukou. Dny, kdy vojáci z řad občanů bránili po boku souseda svá malá území, jsou dávno minulostí."
„Co to s tím má společného?" zeptal se nevrle Sabinus. „Každý muž v legiích je přece občan."
„Ano, jenže teď je to přesně naopak. Obyčejný legionář, místo aby bránil svoji půdu, na kterou se chce po letním tažení vrátit, bojuje za to, aby nějakou půdu po pětadvacetileté službě získal."
„A v čem je rozdíl? Vojsko je stále vojskem bez ohledu na to, jakou má řadový legionář motivaci."

„Už jsme ten rozdíl zažili během let občanské války od chvíle, kdy Gaius Marius zformoval profesionální vojsko, až do doby, kdy Augustus stvořil říši. Chceš, aby se ty dny znovu vrátili?"

„Ne, samozřejmě že ne," odvětil váhavě Sabinus. Neměl rád, když nad ním Vespasián v něčem vynikal, i když logika jeho uvažování byla správná. „Tak co navrhuješ, bratře, vzhledem k tomu, žes o tom evidentně už uvažoval?"

„Vlastně jsem o tom uvažoval dokonce hodně. Celou cestu po Via Appia z Říma."

„Tak nás tedy poučˇ."

„Podle mě máme jasnou volbu: buď císařství povládne pevnou rukou jeden muž. Nebo se říše rozpadne, protože legionáři v provinciích vyjádří svoji podporu kterémukoli generálovi, který bude mít pocit, že je ohrožena jeho důstojnost, výměnou za to, že jim poskytne tu nejlepší dostupnou půdu. Pokud k tomu dojde, buď se zcela zničíme navzájem v občanské válce a přemohou nás Parthové z východu a barbarské kmeny ze severu, nebo generálové budou proti sobě bojovat, dokud nedospějí do mrtvého bodu, a císařství se rozpadne na jednotlivé části, z nichž vzniklo – například Itálii, Ilýrii, Řecko, pak Galii a Hispánii, možná Afriku, Asii a Egypt a tak dále –, což se stalo vlastně i s Alexandrovou říší. Všem sice budou vládnout Římané, ale podobně jako Alexandrovi nástupci, budou vždy mezi sebou bojovat, dokud je někdo nepohltí podobně, jako jsme postupně my a Parthové pohltili ty nástupnické státy."

„Jak to že toho najednou z dějin tolik víš?" otázal se nevěřícně Sabinus.

„Protože v poslední době, bratře, místo abych trávil všechen volný čas na své milované mladé ženě, jsem čerpal vědomosti z rozsáhlých knihoven naší babičky a strýčka Gaia. Sice to asi nebylo tak vyčerpávající, ale rozhodně stejně podnětné."

Sabinus jen zamručel.

„Jenže co se stane, pokud muž, který má držet říši pohromadě, zešílí?" vložil se do debaty Corbulo. „Jak se zdá, přesně tohle postihlo Tiberia, a téměř jistě to postihne taky Caligulu, pokud po něm zdědí vládu."

„No, i o tom jsem uvažoval," odvětil Vespasián. „Pokud se smíříš s faktem, že císařství potřebuje císaře, musíš si položit otázku, jak ho zvolíš.

Přestože mám Caligulu rád, jeho chování včera v noci mě zklamalo a bylo nepřijatelné. Jeho zjevná neschopnost rozlišovat mezi vhodným chováním z něj dělá toho nejhoršího možného člověka, který by měl získat neomezenou moc – jenže na ni má zcela jistě nárok, protože pochází z císařské dynastie."

„Takže pryč s císařskou dynastií?" ušklíbl se Magnus.

„Pryč s myšlenkou, že nástupcem imperátora musí být někdo z jeho rodu," přikývl Corbulo.

„Ano. Podívej se, koho si může Tiberius vybrat ze svého rodu: Caligulu, Claudia nebo Tiberia Gemella. Kterého byste chtěli mít za pána?"

„Žádného," odpověděl unaveně Sabinus.

„Takže imperátor by si měl vybrat za svého nástupce toho nejlepšího muže v Římě a adoptovat ho za syna, a to kvůli Římu, ne kvůli loajalitě vůči svému rodu. Pak by taky navždy zmizela myšlenka císařského rodu – a dynastické boje, které v něm probíhají – a v případě správné volby by nám vládl muž, který absolutní moci nepodlehne."

„To všechno zní velmi pěkně, pane," podotkl Pallas, „jenže jak bys přesvědčil císařský rod, aby pustil svoji moc z rukou?"

„To je problém, to nevím," připustil Vespasián.

„Dojde k další válce," pronesl Corbulo zlověstně. „Řím nesnese příliš dlouho takového císaře jako Caligula."

„No, pokud k tomu dojde," zadoufal Vespasián, „ať už se nakonec objeví jakýkoli vítěz, udělal by dobře, kdyby se držel téhle myšlenky: odvrhni představu, že vytvoříš dynastii, a přijmi za svého syna a dědice toho nejschopnějšího muže."

„Jenže co se stane, pane," položil mu Pallas bystrou otázku, „pokud tím vůbec nejschopnějším mužem v Římě bude vlastní syn nového imperátora?"

Než mohl Vespasián odpovědět, dveře se otevřely a dovnitř vstoupil Clemens. „Imperátor vás žádá, abyste přišli do jeho pracovny," pronesl téměř omluvně. „Obávám se, že to znamená, že vaše přítomnost zde už nebude tajemstvím."

„Jaký důkaz má?" zamával Tiberius Antoniiným dopisem vzápětí poté, co je germánský tělesný strážce se zkoumavým výrazem vpustil do jeho prostorné pracovny. Caligula seděl se zavřenýma očima na parapetní lavici, nastavoval tvář slunci a zdánlivě se o nic nestaral.

Pallas se ujal slova, jakmile se dveře za nimi zavřely. „Principe, ten seznam je psán vlastnoručně Seianem."

Tiberius uchopil seznam, zblízka se na něj zadíval a pak ho odhodil zpátky na mramorovou desku. „To je sice pravda, ale je to jen seznam, žádný důkaz."

„Strýčku, kdyby byl každý na tom seznamu mrtev, kdo by pak byl imperátorem?" zeptal se klidně Caligula, aniž otevřel oči. „Nikdo z našeho rodu, to je jisté."

„Ale Seianus bude přece patřit do našeho rodu. Dal jsem mu svolení, aby se zasnoubil s Livillou, mojí snachou."

„Já vím, strýčku, a jistě jsi jednal správně," pronesl konejšivě Caligula, „ale možná trochu ukvapeně. Sám jsi mi přece říkal, že ses ho začal bát. Proto jsi ho poslal pryč a udělal z něj konzula."

„Ano, poslal, že?" Tiberius se zahleděl na velký pornografický obraz, který zdobil stěnu mezi jeho stolem a oknem, jako by se znovu vracel do stavu, ve kterém byl při prvním spatření Vespasiána. „Ale musím mít jistotu, musím mít jistotu. Stará se o moje bezpečí, moje opravdové bezpečí, a snímá mi z beder velkou část té obrovské tíže."

„Principe, smím promluvit?" zeptal se nervózně Sabinus.

Tiberius chvíli neodpovídal, ale pak obrátil své uslzené oči k Sabinovi. Najednou sebou trhl. „Titus Flavius Sabinus z Deváté Hispánské, dobrý voják. Ano, ano, mluv."

Sabinus vyprávěl císaři o tom, jak objevil rozpory v záznamech v mincovně, i o tom, jak truhly s denáry skončily v Thrákii.

Tiberius jako by ho ani neposlouchal, ale když Sabinus doklopýtal k nevýraznému konci svého příběhu, imperátor náhle znovu zpozorněl.

„A kdo viděl ty peníze v Thrákii?" otázal se a rozhlédl se po přítomných.

„Já, principe," ozval se Corbulo.

Tiberius vypadal okamžik ohromeně, jako by si předtím Corbula ani nevšiml. „Kdo jsi?" vyštěkl. „Kdys dorazil?"

„Gnaeus Domitius Corbulo, principe," odpověděl hrdě muž.

„V počátcích mé vlády jsi byl prétorem. Nikdy ses ale nestal konzulem," odpověděl Tiberius.

„To byl můj otec, principe," upřesnil Corbulo zjevně potěšený, že imperátor zná jeho jméno.

„Tak otec? Ty jsi syn? Nikdy jsem o tobě neslyšel," podotkl stroze Tiberius. „No, pověz, cos viděl."

Corbulo vylíčil, co se stalo, a zmínil se o Hasdrově a Rhotekově podílu, ale o Poppaeovi pomlčel, přesně jak byl požádán.

Když skončil, Tiberius na něj tupě zíral. „A cos dělal v Thrákii?"

„Byl jsem tribun v Poppaeově štábu."

Tiberius se tvářil lhostejně. „A kdo ještě to viděl?" zeptal se, jako by Corbulovo slovo nemělo žádnou cenu.

„Já, principe," ozval se Vespasián.

„Á, přítel mého miláčka," zabroukal Tiberius. „Miláčku, tvůj přítel tvrdí, že viděl truhlu s penězi, které předal Seianův osvobozenec tomu thráckému kmeni, aby vyvolal vzpouru proti mně."

„Tak to bys mu měl věřit, strýčku," pronesl Caligula, oči stále zavřené, „je to moc dobrý přítel."

„Ale já věřím, já věřím!" Tiberius byl teď skoro jako u vytržení. „Ano, vidím, že je to moc dobrý přítel."

„Přivedli jsme s sebou toho kněze, principe," poznamenal Vespasián, „abys ho mohl sám vyslechnout."

Tiberiova radost dosáhla vrcholu. „Ááá, bolest," zasténal jako v horečce. „Kde je? Přiveďte mi ho."

Rhotekovo zmrzačené tělo leželo připoutáno k masivnímu dřevěnému stolu uprostřed Tiberiovy pracovny. Právě podruhé omdlel, z jeho pravého chodidla zůstaly jen ohořelé doutnající kosti. Některé kůstky odpadly do přistaveného přenosného ohřívadla. V zakouřené místnosti to páchlo spáleným masem. Oblakem dýmu pronikl silný sluneční paprsek a dopadl na zkrouceného kněze.

Tiberius sám prováděl mučení, a jak si Vespasián všiml, nezvykle si vychutnával každé Rhotekovo zaječení a volání o smilování, jako by se uvolňoval při poslechu té nejkrásnější hudby. Ačkoli jim kněz řekl všechno, co věděl, už v okamžiku, kdy mu Tiberius strčil nohu nad ohřívadlo, imperátor neustával ve svém díle.

„Takže tento muž tvrdí, že pracoval pro Asinia," podotkl Tiberius. Byl už zase někde jinde, hleděl s hlubokým zájmem na Rhotekovu ohořelou nohu. Nadšeně se dotkl jedné ze zčernalých kostí, a když ucítil, že je pořád rozpálená, rychle ucukl prstem a strčil si ho do úst.

„Ano, principe," přitakal Pallas, „ale dokonale popsal Hasdra. To Hasdro mu řekl, že pracuje pro Asinia, aby chránil svého pána Seiana v případě, že dojde k něčemu..." Odmlčel se a mávl rukou směrem ke zbytku chodidla. „K něčemu takovému."

„To nejspíš dává smysl," souhlasil Tiberius, „ale jaký na tom všem měl tedy podíl Poppaeus?" Obrátil se ke Corbulovi. „Ty, to tys byl v Poppaeově štábu, neviděls ho někdy s Hasdrem?"

„Ne, principe," lhal Corbulo. Vespasián na něm viděl, jak silně ho to hněte.

„No, prozatím na něj zapomenu," pronesl Tiberius pro sebe a znovu si cucal spálený prst. „Ale jednoho dne, až už mi k ničemu nebude, mi zaplatí za to, že se dal vojáky oslovovat ‚imperátor'." Najednou se rozhlédl, protože si uvědomil, že vyslovil nahlas svou tajnou myšlenku. „Takže se zdá, že jsem měl přece jen pravdu," pokračoval zvesela. „Seianus je zrádce. Věděl jsem to, ale důkaz mi musela podat moje drahá, nejdražší švagrová a vy..." Rozpřáhl paže v objímajícím gestu. Přes tvář mu přelétl výraz hlubokého citu a Vespasiána napadlo, že se snad rozpláče. „Vy stateční, stateční, věrní muži... dobří muži... muži, kterým leží na srdci můj klid. Vy muži jste tolik riskovali, abyste mi ho přivezli. Vrátíte se do Říma a oznámíte Antonii, že začnu okamžitě jednat. Pojďte, všichni se teď společně projdeme."

Zahrady na obydlené straně Villy Iovis se rozkládaly na svahu, který ubíhal až k vrcholu útesu. Soukromí jim zajišťovala vysoká zeď, kryjící stavební práce.

Tiberius kráčel v jejich čele, doprovázen Clementem a jeho dvěma muži, po širokém schodišti lemovaném sochami nahých bohů a hrdinů k širokému mramorovému chodníku, jenž protínal zahrady a končil, jak

Vespasián rozpoznal, na okraji útesu vzdáleném asi dvě stě kroků. Na obou stranách už se probouzely křoviny a stromy povzbuzené jarním sluncem a zavlažovacím systémem, který pravidelně čerpal vodu trubkami přímo do záhonů.

Tentýž systém zajišťoval vodu pro spoustu fontán, které plnily zdobná jezírka umístěná na jednotlivých terasách pod sebou, takže voda přepadávala z jednoho jezírka do druhého. Jezírka obklopovaly malé realistické sochy, které k Vespasiánovu úžasu ožily, když se k nim imperátor přiblížil. Ukázalo se, že sochy jsou děti, dospívající mládež a trpaslíci. Všichni začali obscénně skotačit kolem okrajů jezírek, občas vskočili do vody, a buďto ve dvojicích, nebo ve skupinách začali souložit v mělké vodě.

„Moje rybky se probudily," vykřikl Tiberius a radostně na ně zamával. „Plavte a hrajte si, moje rybky. Připojím se k vám později. Půjdeš si se mnou hrát za mými rybkami, miláčku?"

„Ano, strýčku," přitakal Caligula s předstíraným nadšením, jak aspoň zadoufal Vespasián, „ale až poté, co budou můj přítel a jeho společníci pryč."

„A nechtějí se k nám třeba připojit?"

„Určitě by chtěli, strýčku, co taky může být zábavnějšího? Ale bohužel se musejí vrátit do Říma, jak jsi rozkázal."

„Ano, ano, Řím. Musejí jet zpátky do Říma," pronesl smutně Tiberius.

„A taky jsi říkal," pokračoval opatrně Caligula, „že jim sdělíš, jaké kroky podnikneš proti tomu ošklivému muži, strýčku, aby mohli varovat Antonii, která je tvojí přítelkyní, a ona byla připravena ti pomoci."

Tiberius se najednou zarazil a zamračil se na Caligulu, na kterém byl na okamžik patrný strach, ale rychle ho zamaskoval výrazem poklidné nevinnosti.

„To jsem neříkal, ty malý hade!" zaburácel Tiberius. „Snažíš se mě snad vyvést z vnitřního klidu?"

Caligula padl na jedno koleno. „Odpusť mi, principe," pronesl poníženě, „někdy jsem prostě tak šťastný, že všechno popletu."

Přestože byl sám vyděšený a nedokázal odtrhnout zrak od možné osudné situace před sebou, Vespasiánovi neuniklo, že rybky se znovu změnily v živé sochy. Všechny jako by zkameněly v pohybu v okamžiku, kdy se ozvalo zařvání jejich pána.

Tiberius hleděl na Caligulu. V obličeji měl vztek a zatínal a povoloval pěsti. Několikrát napřímil hlavu, až mu luplo v šíji, a pak se postupně uklidnil.

„Ano, ano, miláčku, já vím," povzdechl si nakonec. „Člověk se tak snadno poplete, když je šťastný." Natáhl ruku a pomohl Caligulovi vstát. Vespasián a jeho druhové, kteří zatajovali dech, najednou vydechli úlevou. Při tom zvuku se Tiberius obrátil a zahleděl se na ně, jako by dočista zapomněl, že tam jsou. Po okamžiku plném zděšení mu v očích blesklo poznání.

„Až dorazíte do Říma, sdělte Antonii, že příští měsíc se vzdám konzulství," pronesl vyrovnaně. „To donutí Seiana, aby učinil totéž, a jeho osoba tím pozbude ochrany. Napíšu do senátu, vylíčím jeho zradu a budu požadovat jeho zatčení a soud. Potom ho nahradím. Znám toho Macrona, kterého Antonia doporučovala ve svém listu. Je manželem Ennii, dcery mého dobrého přítele Thrasylla. Jistě bude pro tu práci vhodný a dokáže mi z beder sejmout část mého břemene. Je to dobrý muž."

„Je to dobrý muž, principe," přitakal Pallas a použil definici „dobroty", jakou Vespasián nikdy předtím neslyšel.

„A jeho manželka je krásná, strýčku," dodal Caligula. „Jednou jsem s ní večeřel v babiččině domě. Moc rád bych se s ní znovu setkal."

„Takže je to vyřešeno. Zařídím, aby mě zde navštívil. Může s sebou přivést svoji ženu, aby si mohla hrát s mým miláčkem. Pojďte se se mnou podívat teď dolů z útesů." Tiberius se obrátil a kráčel pomalu po chodníku.

Rybky pokračovaly ve hře.

Na konci chodníku stál osmahlý muž s šedými vousy v kožené čapce a dlouhém černém plášti pošitém astrologickými znameními a symboly.

„Thrasylle, příteli," zvolal Tiberius řecky, když se přiblížili k okraji útesu, „je příznivý čas na provádění změn? Musím to vědět, protože jednu změnu musím provést."

Thrasyllus se obrátil k imperátorovi. „Hvězdy praví, že jsi pánem změn, principe," odvětil melodramaticky rozechvělým hlasem. „Jsi zde, abys dohlédl na tu největší změnu ze všech: úsvit nového věku. Už teď se Fénix chystá letět do Egypta, země mého zrození, kde ho za tři roky pohltí plameny a znovu se zrodí z vlastního popela. Započne nový pětisetletý cyklus. Svět se změní a ty, principe, provedeš říši touto změnou díky své moudrosti a velikosti."

„Takže tři roky počkám," prohlásil zklamaně Tiberius.

Vespasián pohlédl polekaně na Caligulu v obavě, že astrolog svede Tiberia ze správné cesty.

„A co když nebude tak dlouhé čekání svědčit tvému vnitřnímu klidu, strýčku?" zeptal se jeho mladý přítel. Z hlasu mu přímo čišely starosti. „Myslím, že ctihodný Thrasyllus mluvil o velkých změnách, ne o té drobné, kterou plánuješ."

„Ale jistě, miláčku," přitakal Tiberius s úlevou. „Pokud to neprovedu teď, nedožiju se toho, jak ohnivý pták ožije. Thrasylle, nahlédni do svých knih."

Astrolog se uklonil. „Ráno pro tebe budu mít odpověď, principe," prohlásil teatrálně. Kradmo pohlédl na Caligulu, obrátil se a zamířil po stezce.

Tiberius se spokojeným výrazem usedl na kamennou lavičku s výhledem na úzký průliv mezi Capri a pevninou s majestátním Vesuvem. Caligula se posadil vedle něj a ostatní si nervózně stoupli za ně. Necítili se právě dobře, že jsou v Tiberiově přítomnosti tak blízko okraji útesu.

Bylo už po poledni a značně se oteplilo. Slunce se opíralo do Tyrhénského moře, jehož temně modrá vzdouvající se hladina se třpytila tisíci jisker. Nahoře skřehotali racci, kteří se proháněli po proudech svěžího mořského větru.

„Kéž bych uměl létat jako oni, miláčku," prohlásil Tiberius a obdivně hleděl na hbité ptáky. „Když tak kloužeš vzduchem, musíš prožívat klid."

Tohle nebyla právě konverzace, jakou Vespasián v tu chvíli potřeboval.

„Ano, strýčku, ale nikdy to nezjistíš," odvětil Caligula opatrně, jako by tenhle rozhovor vedl už mnohokrát a znal jeho závěr.

Tiberius se odmlčel a dál pozoroval racky. „Nenávidím omezení tohoto těla," pronesl náhle vášnivě. „Jsem pánem měnícího se světa, ale přitom jsem tak svázaný se zemí."

„Měli bychom si jít hrát za rybkami, strýčku," navrhl Caligula ve snaze změnit téma.

„Á, rybky, jistě, jistě, to bychom měli," odpověděl Tiberius a vstal. „Musíme se ale nejdříve rozloučit s tvým přítelem." Obrátil se k Vespasiánovi. „Běžte s mými díky a modlitbami," pronesl formálně. „Clemens vás doprovodí mým jménem do přístavu."

Sklonili hlavy a s úlevou se obrátili k odchodu.

„Stát!" zařval Tiberius. „Kdo je tohle?" Ukázal na Magna. „Toho jsem předtím neviděl. Musí to být nějaký vetřelec, možná dokonce další rybář. Clemente, ať ho tvoji muži shodí z útesu."

„Strýčku, to je Magnus, je to přítel mého přítele. Byl tady celou dobu s námi."

„Nemluvil jsem s ním, neznám ho. Clemente, splň rozkaz."

Caligula ostatním naznačil, aby mlčeli, zatímco Fulvius a Rufinus popadli Magna za paže a tlačili ho vpřed. Magnus pohlédl prosebně na Vespasiána, zatímco se jim snažil vzepřít. Vespasián a ostatní ohromeně sledovali, jak Magna vlečou na jistou smrt.

„Věděl jsem, že byl důvod, proč jsme sem přišli, miláčku," slastně pronesl Tiberius. „Tak rád se dívám na ten výraz hrůzy v očích muže, než proletí vzduchem."

„Ano, já vím, strýčku," odvětil Caligula, když se Magnus blížil k okraji, „ale ty je také rád slyšíš ječet. Tenhle je statečný, ten nebude ječet ani prosit."

„Máš pravdu, miláčku, nebude."

„Ale já znám jednoho, který bude."

„V tom případě shodíme dolů jeho."

„To je dobrý nápad, strýčku. Clemente, ať tvoji muži okamžitě přivedou toho kněze," rozkázal Caligula.

Clemens pochopil. „Fulvie, okamžitě přiveďte kněze."

Fulvius s Rufinem pustili Magna, který zůstal stát roztřesený na kraji útesu, a běželi zpátky k paláci.

„Rozloučím se se svým přítelem, zatímco budeme čekat, strýčku. Měl by jít a vzít s sebou všechny své společníky, aby co nejdříve předali tvoji zprávu Antonii."

„Ano, ano, miláčku," odpověděl Tiberius nepřítomně s myslí znovu obrácenou k rackům. „A pak si půjdeme hrát s rybkami."

„Skvělý nápad, strýčku." Caligula rychle táhl Magna od okraje útesu. „Sejdeme se tam, až budou pryč."

Caligula je vedl chvatně zpátky po chodníku kolem dovádějících „rybek". Z paláce k nim dolehly výkřiky.

„Clemente, odveď je hlavní branou, za světla by se nedostali nenápadně přes zeď," poručil Caligula. Mezitím z budovy vyšli Fulvius a Rufinus. Mezi sebou vedli Rhoteka, který poskakoval na zdravé noze.

„Děkuji, příteli," řekl Vespasián s hlubokou vděčností, „nechápu, jak tady dokážeš žít."

„Není to tak zlé," ušklíbl se Caligula. „S rybkami je zábava."

Když míjeli Rhoteka, Vespasián naposledy rychle pohlédl do jeho vzpurného lasiččího obličeje a cítil příval uspokojení.

„To byla čestná výměna," poznamenal ještě stále bledý Magnus. „Jeho za mě. To bych bral kterýkoli den."

„Mohl to být kdokoli z nás," podotkl Sabinus, zatímco stoupali do schodů.

„Nebo vy všichni," zdůraznil Caligula a zastavil se nahoře. „Už jsem to zažil. Palle, vyřiď babičce, že se budu snažit udržovat Tiberia zaměřeného na Seiana."

„Ano, pane Gaie," uklonil se Pallas.

„A s Thrasyllem si nedělejte starosti. Ten starý šarlatán prohlásí, že je vhodná doba na změny, jakmile mu sdělím, že jednou z nich bude to, že se z jeho zetě stane prefekt pretoriánů. A teď rychle běžte, než se rozhodne, že místo hraní s rybkami radši stráví zbytek dne shazováním lidí z útesu."

Vespasián stiskl Caligulovi ruku. Ve chvíli, kdy se obrátil, aby se vydal za Clementem, zaslechl zvuk, na který se těšil: zaječení, dlouhé a pronikavé, které postupně sláblo, až náhle ustalo.

ČÁST VI

ŘÍM, ŘÍJEN ROKU 31 PO KR.

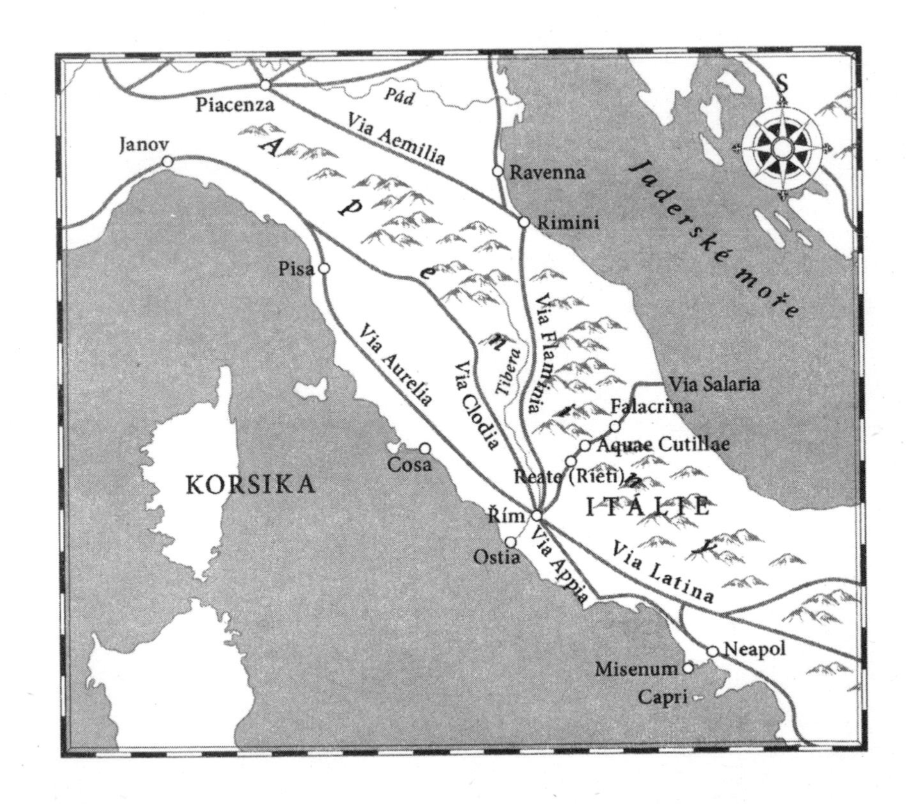

KAPITOLA XVIII

„V SENÁTU VLÁDNE NAPROSTÝ CHAOS," prohlásil Paetus a hodil po Vespasiánovi těžký vycpaný kožený míč. „Jeden den jim Tiberius pošle dopis, ve kterém chválí Seiana za věrnou službu, a hned den nato zasáhne v soudním procesu, který Seianus vede proti jednomu z mnoha svých nepřátel, a rozkáže, aby ho zastavili." Zasténal, když zachytil míč, a znovu ho tvrdě hodil po Vespasiánovi. „A nejen zastavili, ale také aby poskytli obžalovanému imunitu proti dalšímu stíhání."

„Ale přitom udělil Seianovi a jeho nejstaršímu synu Strabonovi kněžský úřad," podotkl Sabinus a zatnul svaly, zatímco ležel na zádech na dřevěné lavici a posiloval paže a hruď zvedáním dvou velkých kulatých olověných závaží nad hlavu.

„Ano," přitakal Vespasián a mrštil míčem proti Paetovu břichu takovou silou, že ho málem srazil na zem, „ale současně přiřkl prestižnější kněžský úřad Caligulovi."

„A podle poslední zprávy se Tiberius chystá udělit Seianovi tribunskou pravomoc," pokračoval Paetus a hodil míčem prudce proti Vespasiánově hlavě a ušklíbl se, když se jeho protivník svalil, „což by mu zajistilo nedotknutelnost i v případě, kdy by se vzdal konzulství." Přešel k Vespasiánovi a pomohl mu vstát. „Moje hra, myslím, kamaráde: dva ku jedné. Jdeme do lázně."

Popadli ručníky a přešli přes rozlehlé klenuté atrium Agrippových lázní, vybudovaných před padesáti lety Augustovou pravou rukou před hradbami města na Martově poli. Bylo tam plno mužů, mladých i starých. Cvičili, odpočívali, povídali si nebo si dali škrábat a masírovat těla, před zraky malovaných soch v životní velikosti, které spočívaly v půlkruhových nebo hranatých nikách v jeho klenutých prosklených stěnách.

Nejznámější z nich, vyprávěl Paetus Vespasiánovi při jejich první společné návštěvě, *Apoxyomenos* od Lyssipa ze Sikyonu – čtyři sta let staré zpodobnění nahého atleta s krásnými proporcemi, který si odstraňuje škrabátkem olej z pravé paže –, před deseti lety tak okouzlila Tiberia, že si dal sochu přemístit do své ložnice a místo ní nechal umístit do výklenku kopii. Následně zahanbeně vrátil originál poté, co ho k tomu donutili rozhněvaní demonstrující občané o pár dní později při návštěvě divadla skandováním „Vrať nám našeho *Apoxyomena*".

Hluk v atriu byl ohlušující, zesílený kruhovou konstrukcí a kopulí nahoře: vyčerpané hekání zápasníků povzbuzovaných nadšenými diváky. Smích nad vydařeným jadrným vtipem. Přehnané, ale dobromyslné bolestné vytí mužů, když je otroci zkušeně pinzetami zbavovali ochlupení v podpaží, na hrudi, nohou nebo v tříslech. Výkřiky prodavačů s jídlem a nápoji. Bušení a pleskání skupin masérů, kteří zpevňovali těla svých pánů: občanů Říma.

„Takže konečným výsledkem je to, že nikdo teď neví, jestli si má Seiana předcházet, nebo se mu vyhýbat," vysvětloval Paetus, když prošli vysokými dveřmi do tišší, mnohem klidnější čtvercové místnosti osvětlené slunečními paprsky proudícími okny vysoko na stěnách pokrytých freskami. Zde muži pospávali na pohovkách nebo podstupovali méně náročnou masáž poté, co prošli z teplého tepidaria přes horké caldarium následované ještě teplejším laconikem, a procedury zakončili ponořením do studených vod frigidaria.

„Možná právě tohle Tiberius chce: zmatek, aby Seiana izoloval, a přitom ho nevyprovokoval k povstání, protože ani on si není jistý, zda zůstává, nebo nezůstává imperátorovým oblíbencem," přemítal Vespasián a uvažoval, zda ten zmatený starý muž ještě je vůbec schopen takové strategie.

Dalšími dveřmi vyšli do teplého odpoledního říjnového slunce k velkému bazénu – osmdesát kroků dlouhému a čtyřicet širokému – obklopenému chodníkem se sloupořadím lemovaným kamennými lavičkami, kde posedávala a postávala spousta mužů, kteří jen tak klábosili a sdělovali si klepy. Na opačné straně bazénu, za sloupořadím, se vypínal Neptunův chrám, postavený Agrippou na znamení díků za skvělá vítězství na moři, nejprve proti Sextu Pompeiovi a potom u Aktia. Tuto skvostnou stavbu však převyšovala kopule sousední budovy: Agrippova Panteonu.

„Viděls ho, bratře," prohlásil pochybovačně Sabinus, „nebyl schopný dvou souvislých myšlenek po sobě. Přišel o ducha, když po něm pátral v nejtemnějších zákoutích své mysli."

Po velkém šplouchnutí, jako by do moře dopadla střela z balisty, když jakýsi zvlášť tlustý občan skočil do bazénu s pažemi ovinutými kolem kolen, je pokryly kapky chladné vody.

„Nemehlo!" zakřičel Paetus na ponořeného „pachatele". „Myslím, že by tady měli zvýšit vstupné. Třeba by s ním vzrostly taky normy chování." Vskočil do bazénu stejným způsobem, přímo vedle muže, který se právě vynořil, a zaplavil ho vodou právě ve chvíli, kdy se nadechoval, takže muž se rozkašlal. Vespasián a Sabinus skočili za Paetem a tlusťochovo neštěstí završili.

„No, ať už jde o plánovanou strategii," vytřásal si Paetus vodu z hustých hnědých vlasů, „nebo o důsledek Tiberiovy neschopnosti logicky uvažovat, nebo je to příjemná kombinace obojího, Seianus se třese a senát se děsí, protože senátoři nevědí, komu podlézat, aby zůstali naživu." Kličkoval mezi poskakujícím osazenstvem bazénu k protější straně a pokoušel se o prsa. Vespasián a Sabinus, stejně neschopní plavci jako on, ho následovali.

„A co ty?" zeptal se Vespasián Paeta, když se vyhoupli na okraj bazénu a nohy svěsili do osvěžující vody. „Komu podlézáš ty?"

„To právě je krásné na mém současném postavení," usmál se Paetus. „Jako jeden z městských kvestorů se věnuju pouze právním záležitostem města. Mám tak nízké postavení, že se nikdo nezajímá o to, co si myslím, pokud plním svoje povinnosti."

Vespasián se na Paeta také usmál. Spřátelili se během posledních pár měsíců, co pracovali společně – Vespasián jako triumvir capitalis plnil úkoly přímo pro městské kvestory – a odpoledne po práci pravidelně společně zašli do lázní. Od té doby, co se stal kvestorem a vstoupil do senátu, Paetus rád zásoboval Vespasiána všemi novinkami a klepy, na které narazil – a pak, po několika dnech, s velkým veselím potvrzoval pravdivost některých a naprostou nespolehlivost všech ostatních. Jejich hovory poskytly Vespasiánovi rozptýlení od hlodavého strachu, který ho nepřestával pronásledovat od návratu z Capri před sedmi měsíci. Přestože Antonia a Caligula tvrdili opak, neustále si dělal starosti, že je některý ze Seianových mužů poznal a čeká ho nakonec bolestný výslech. Od Antonie se také dozvěděl, při jedné z nepříliš častých a příjemných návštěv v jejím domě, že fakt, že Seianus ví o neznámém poselstvu u imperátora, ale nemá tušení, čeho se návštěva týkala, jen zvyšuje jeho neklid. Byla rovněž přesvědčena, že Tiberiova váhavost je zčásti úmyslná a že imperátor už brzy zasadí smrtící ránu.

Paetus se celou dobu ani jednou nezeptal Vespasiána, co se s ním dělo po odjezdu z Thrákie ani kam se v březnu na patnáct dnů vytratil. Vespasián usoudil, že to je proto, že jeho přítel podvědomě cítí, že v tomto ovzduší strachu a neklidu je bezpečnější, pokud toho o záměrech a plánech mocných ví co nejméně.

Poté, co absolvovali všechny procedury, kůže je pálila a nohy měli lehké. Vespasián, Sabinus a Paetus sestoupili po schodišti před Agrippovými lázněmi do elegantních zahrad, které je obklopovaly. Šlo o jednu z mála veřejných oáz klidu v jinak rušném a kypícím městě.

„Jak se daří tvé dcerce, Sabine?“ zeptal se Paetus, zatímco pomalu kráčeli v chladném vánku kolem malé svatyně zasvěcené bohu šťastných konců a dál zahradami a vdechovali vůni levandule. Sabinus jim po Flaviině narození v květnu dělal společnost stále častěji.

„Pořád kňourá,“ stěžoval si Sabinus. „Clementina uvažuje o tom, že jí vymění kojnou.“

„Ano, vzpomínám si, že jsme měli stejný problém u našeho Lucia,“ odpověděl soucitně Paetus. „Nikdy jsem nechápal, jak to ženy snášejí, ale aspoň se tím zabaví a za to je třeba být vděčný.“

„No, já to tedy snáším hodně těžko. Skoro se nevyspím. Clementina trvá na tom, že malá musí spát blízko u ní, a protože je náš dům tak malý, nemůžu ji přestěhovat do ložnice tak vzdálené, abych je neslyšel, pokud tedy nepůjde bydlet k otrokům, což rozhodně odmítla, a já mám příliš měkké srdce, než abych na tom trval.“

„Tak si sežeň větší dům," navrhl Paetus jako správný muž, kterému peníze nedělají starosti.

„Už mám ten největší, jaký si můžu v současnosti dovolit," zamračil se Sabinus. „A protože jsem opět neměl štěstí v kvestorských volbách, musím počkat do příštího roku, kdy už určitě budu zvolen a budu moci využít své postavení k navýšení financí."

„To jistě. Ale v současnosti jsi v bezvýchodné situaci, že? Pokud bys tedy neuvažoval o půjčce," zamyslel se Paetus. „Mně by nějakých sto tisíc pár let určitě nescházelo. Neúčtoval bych ti příliš vysoký úrok. Řekněme tak deset procent za celou dobu trvání půjčky."

„To by od tebe bylo velmi laskavé, Paete."

Vespasiána ten návrh šokoval. „Sabine, to nemůžeš!"

„Proč ne?"

„Třeba proto, že senátoři se nesmějí pouštět do bankovních činností, a já bych řekl, že účtování úroku z půjčky tohle pravidlo porušuje."

Paetus se rozřehtal. „Vespasiáne, příteli, nevím o žádném senátorovi, který by na to bral ohled od dob excesů Marka Crassa. Tomu téměř každý v senátu někdy dlužil a úroky, které si účtoval, byly nehorázné. A kromě toho, tohle bude jen soukromá dohoda mezi přáteli."

„A co se stane, když to nedokážeš splatit?"

„S tím si budu dělat starosti já," pronesl úsečně Sabinus. „Tvoje věc to není. Jak říká Paetus: je to soukromá dohoda. Pokud představa, že si vezmu půjčku, uráží tvé hamounské skrupule, tak dobře, nikdy si žádné peníze nepůjčuj. Já s tím problém nemám. Chci žít v pohodlí, a v tuto chvíli toho můžu dosáhnout tím, že využiji Paetovy laskavé nabídky, kterou s díky přijímám."

„Pohodlně žít, to prosím, ale v rámci svých možností. Jak budeš v noci schopen spát s vědomím, že někomu dlužíš takové peníze?"

„S tím si budu dělat hlavu, až neuslyším Flaviino kňourání."

Prošli mlčky Fontovou branou ve stínu Kapitolu a nad nimi se vypínal Junonin chrám na Arxu. Zde se s nimi Vespasián nevrle rozloučil a oni pokračovali dál k Paetovu domu na Eskvilinu, aby tam sepsali smlouvu.

Vespasián rychlou chůzí vyšel po Kvirinálu, aby vydýchal svůj hněv, a brzy dorazil do Gaiova domu. V atriu našel strýce, jak sedí u impluvia a cpe se sladkými zákusky.

„Á, tady jsi, drahý hochu," zaduněl Gaius a poprskal si drobečky klín. „Slyšels tu zprávu?"

„Ne, strýčku byl jsem v lázních."

„Tak to se divím, žes tam nic nezaslechl. Konečně k tomu došlo. Tiberius se úplně zbláznil." Gaius si ubrouskem otřel vlhké rty. „Požádal senát, aby se sešel zítra za svítání v Apollónově chrámu. Myslím, že budu předstírat, že jsem nemocný."

„Proč, strýčku?"

„Protože, drahý hochu, nechci, aby mě viděli, jak stojím v opozici proti návrhu, pro který nemůžu s klidným svědomím hlasovat. Povídá se, že Tiberius požádal senát o stvrzení tribunských pravomocí pro Seiana."

O hodinu později právě Vespasiána a Gaia zavolali k večeři, když se ozvalo klepání na vstupní dveře. Po krátkém vyhlédnutí špehýrkou je mladý vrátný otevřel. Do vestibulu vstoupil Pallas a k Vespasiánovu překvapení a radosti také Caenis.

„Palle, co tě sem přivádí zrovna k večeři?" prohlásil Gaius, jako vždy rád, že vidí Antoniina správce, ale současně mírně nervózní, protože to naznačovalo, že po něm bude něco obtížného požadovat. „A v takové krásné společnosti," dodal a vrhl vědoucí pohled na Vespasiána.

„Dobrý večer, páni," uklonil se Pallas, „jsme zde, jak jistě uhádnete, v záležitosti naší paní."

„V tom případě vše projednáme u večeře," odvětil Gaius, který se nechtěl dát příliš dlouho zdržovat od jídla.

„Hodí se to, pane?"

„Palle, příteli, víš stejně dobře jako já, že teď, když už je ti přes třicet, ti Antonia dříve nebo později udělí svobodu. Až k tomu dojde, staneš se značně vlivným mužem a pak to budu já, kdo bude poctěn tvou přítomností u mého stolu. Takže se mnou dnes povečeř jako můj přítel a zapomeňme na naše postavení."

„V tom případě, pane, by to pro mě byla pocta, na kterou nezapomenu," odpověděl Pallas upřímně.

„A Vespasián by jistě mohl udělat místo na své pohovce zase pro tebe, má drahá," usmál se Gaius na Caenidu.

Vespasiánovi bleskla hlavou představa Caliguly a jeho sester. Rychle ji zase zahnal.

„Děkuji, pane," odvětila sladce Caenis, „i když jsem si jistá, že to tam bude trošku těsné."

Místností se rozlehl Gaiův dunivý smích. „Výborně, má drahá, ale neměl by něco takového pronést spíš Vespasián?"

„Jenom jestli myslí na to, na co já."

Vespasián zrudl a zamilovaně na Caenidu pohlédl. Byla skutečně dokonalá.

„Takže příteli," zaduněl Gaius hlasem plným dobré nálady, když mu pěkný mladý otrok Aenor znovu dolil pohár, „co tedy ode mě Antonia žádá?"

Jídlo odnesli a na stůl položili ovoce a sladké víno. Vespasián se dosyta najedl a cítil, jak se ho zmocňuje příjemný pocit. Chlupy na paži se mu ježily, když se otíral o Caenidu ležící vedle něj. Nedokázal odolat a jemně ji pohladil po zádech. Usmála se na něj a vložila si do úst kuličku hroznového vína.

„Dvě věci, pane," odvětil Pallas a usrkl vína na rozdíl od svého hostitele, který je vyzunkl. „Zaprvé, zítra se sejde senát v Apollónově chrámu na Palatinu. Paní přirozeně očekává, že tam budeš." Pallas významně pohlédl na Gaiův poloprázdný pohár.

Gaius se na kalich lítostivě podíval a odložil ho. „Za úsvitu, ano, budu tam, když si to Antonia přeje, přestože jsem plánoval, že se omluvím kvůli nevolnosti."

„Skutečně si velmi přeje, abys tam byl. Také žádá Vespasiána, aby čekal před chrámem připraven konat svoji úřední funkci."

„Ale já mám být na foru," namítl Vespasián. „Zítra se mají konat tři procesy kvůli velezradě, možná mě tam čeká nepříjemná povinnost."

„Hned ráno budou zastaveny. Antonia tě chce u senátu. Caenis půjde s tebou."

„Proč?"

„Dočkej času. Ale vzhledem k tomu, že tě bude Caenis doprovázet, myslí si Antonia, že by pro ni bylo pohodlnější, kdyby zde strávila noc. Doufá, že to nebude příliš velký problém."

„Kdyby ano, mohla bych přespat tady na pohovce," pronesla Caenis nevinně.

Vespasián se na ni usmál a pohladil ji po krásných hustých vlasech.

„Dobrá," pokračoval Pallas a obrátil se zpátky ke Gaiovi. „Druhá věc, o kterou tě žádá, je, aby sis dělal poznámky."

„Poznámky? Může si přece kdykoli přečíst záznamy ze zasedání senátu a výsledky hlasování, ne?"

„Ji ale nezajímá, co se bude projednávat, to už ví. Jde jí o to, kde a jak dlouho budou senátoři sedět."

„To nechápu, Palle," namítl Gaius a usrkl zlehka vína.

Vespasiánovi se podařilo na chvíli odpoutat pozornost od Caenidy a soustředit se na Pallova slova.

„Nepochybně jsi slyšel řeči o tom, že Tiberius požádá senát, aby Seianovi stvrdil tribunské pravomoci?"

„Samozřejmě, povídá si o tom celý Řím. Proto jsem tam nechtěl jít."

„Což plně chápu. Avšak nejsou to jen řeči, jde o strategii, kterou vymyslel Caligula a přijali ji Tiberius a moje paní."

„Aby zjistili, kdo nemá podobné zábrany jako můj strýček?" Vespasián okamžitě pochopil „půvab" celého plánu.

„Ano, pane." Na Pallovi byl vidět úžas, že se Vespasián tak rychle zorientoval. „Zítra se všichni Seianovi známí stoupenci nadšeně zúčastní jednání v očekávání, že pro svého dobrodince odhlasují tribunské pravomoci a sklidí odměny, které jim za to slíbil. Ale tahle zvěst také současně nažene na jednání senátory, kteří byli ve své přímé podpoře o něco opatrnější. Když se budou domnívat, že muž, jehož tajně podporují, už má na dosah nejvyšší moc, budou se chtít zúčastnit, aby nepřišli o jeho náklonnost."

„A Antonia chce, abych zjistil, kdo bude sedět blízko něj?" zeptal se Gaius, který už začínal chápat celý plán.

„Ano, částečně, ale ve skutečnosti ji zajímá především to, *jak dlouho* u něj zůstanou sedět."

„Jak to myslíš?"

„K tomu se dostanu. Pro začátek chce seznam, a to co nejdříve, všech, kteří ho budou na začátku jednání obklopovat. Caenis s Vespasiánem budou v davu před chrámem. Jakmile ta jména zjistíš, vyjdeš ven a nadiktuješ jí je."

„Ale bude jich tam aspoň stovka, možná i víc," namítl Gaius.

„O jeho otevřené přívržence se nestarej, jejich jména už Antonia zná, zapamatuj si ty, kteří se s ním obvykle nespolčují. Jakmile Caenis sepíše ten seznam, otrok ho zanese Antonii."

„Proč ho chce tak rychle?" zeptal se Vespasián.

„Obávám se, že neznám podrobně úvahy své paní. Sděluje mi jen to, co musím znát." Pallas se znovu obrátil ke Gaiovi. „Co však vím, je to, že Tiberiův dopis, který se bude číst, začíná chválou na Seiana, ale postupně je stále kritičtější a moje paní očekává, že si lidé začnou od Seiana odsedat. Všimni si pořadí, v jakém k tomu dojde a ve kterém místě dopisu. Vespasián, jako triumvir capitalis, smí vstoupit do senátu, pokud ho nějaký člen povolá. Pravidelně pro něj posílej a diktuj mu ta jména. Jakmile Caenis seznam dokončí, vrátí se do Antoniina domu."

„Ale jak poznám, že už je ten seznam úplný?" zeptal se Gaius.

„Než předsedající konzul dočte imperátorův list, u Seiana už nikdo nezůstane," odpověděl Pallas s důvěrou.

„Neměl bych doprovodit Caenidu zpátky?" otázal se Vespasián.

„Ne, pane, ty zůstaneš před chrámem. Moje paní doufá, že budeš mít záhy plné ruce práce, protože je přesvědčena, že Tiberius zakončí dopis tím, že požádá senát, aby Seiana odsoudil na smrt."

„Takže Tiberiovo kličkování bylo jen zástěrkou, aby odhalil všechny Seianovy přívržence," uvažoval Vespasián, zatímco mu Caenis zalitá potem ležela v náručí. V jeho ložnici byla tma a je obklopovala sladká vůně sexu.

Caenis ho něžně políbila na šíji. „Ne tak docela. Moje paní se domnívá, že za tím byly hlavně jeho obavy, že pokud vystoupí proti Seianovi, jeho přívrženci by se mu mohli pomstít. Nadiktovala dopis Caligulovi do Misena – přímo na Capri mu listy psát nemůže, aby je nečetli Seianovi muži – a v něm mu sdělila, že jména všech jeho přívrženců jsou dobře známá. Caligula jí odpověděl, že Tiberius se obává, že je jich víc, kteří ještě nedali veřejně najevo svoji podporu, a navrhl tenhle plán na jejich vylákání. Mé paní se zdál důmyslný, a proto mu napsala, aby ho doporučil imperátorovi, který ho s radostí přijal, protože může dál dělat to, co dělá už od vašeho odchodu."

Vespasián se ve tmě usmál. „Myslíš měnit názor."

„Něco horšího. Dokonce dvakrát napsal Seianovi, že mu není dobře a je na umření, a žádá ho, aby se vrátil na Capri. Naštěstí má na něj podle všeho Caligula dost velký vliv a v obou případech ho přesvědčil tím, že mu připomněl Thrasyllovo proroctví, aby mu znovu napsal, že už je mu mnohem lépe a naopak se chystá k cestě do Říma, a že by měl Seianus zůstat a vyčkat na jeho příjezd."

„Zažil jsem, jak s ním Caligula jedná. Nemá to vůbec lehké, jedno neuvážené slovo a mohl by být mrtev."

„Ale v tom nejdůležitějším se mu daří: zabránit tomu, aby se Tiberius setkal se Seianem."

„A zítra to skončí."

„Ano, má lásko, tak či onak."

„Jak to myslíš? Zítra přece Tiberius požádá senát, aby odsoudil Seiana na smrt."

„Snad. Včera jsem pořizovala kopii posledního Caligulova dopisu do záznamů mé paní a v něm stálo, že se s ním Tiberius neradil, když psal svůj projev k senátu, ani neměl možnost do dopisu nahlédnout. Takže si nikdo nemůže být zcela jistý, co se vlastně zítra bude číst."

„Ale Pallas byl přesvědčený, že Antonia jeho obsah zná."

„Pallas ví jen to, co mu poví paní. Kromě mé paní už známe celou pravdu jen ty, Caligula a já."

Vespasián se posadil. „Bohové! Mohl přece snadno změnit názor, a co bude potom s Antonií a s námi všemi?"

„Měli bychom se vyspat, Vespasiáne. Zítra nás čeká dlouhý a nebezpečný den."

Vespasián ji políbil na rty a znovu ulehl na polštář. Zavřel oči, ale věděl, že spánek přijde jen stěží. Zítra je čeká krvavý den – tak či onak.

KAPITOLA XIX

NA NÍŽE POLOŽENÝCH MÍSTECH města podél břehů Tibery se stále převalovala jitřní mlha a halila ostrov naproti Martovu poli, když Vespasián, Caenis a Gaius stoupali ve svěží záři úsvitu na Palatin. Všude kolem nich se ubíraly se skládacími stoličkami v rukou skupiny senátorů stejným směrem, k Apollónovu chrámu na jižním úbočí kopce. Většinou měli veselou náladu, ale sem tam byly vidět hloučky méně nadšených mužů, kteří kráčeli se zasmušilými tvářemi a plni chmurných úvah o budoucnosti.

Jakmile se přiblížili k Apollónovu chrámu, davy zhoustly, protože i běžní obyvatelé Říma, které přilákaly zvěsti o Seianově povýšení, se shromáždili, aby byli svědky významných událostí toho dne. Gaiova senátorská tóga jim spolehlivě uvolnila cestu. Uctivý dav se rozestupoval, aby pustil senátory ke krásnému osmihrannému chrámu stojícímu na pódiu, který dal vybudovat Augustus na znamení díků svému božskému ochránci za svá vítězství.

Paetus je čekal u paty schodiště vedoucího k chrámovým dveřím a rychle je provedl kordonem centurie pretoriánů oděných v tógách. Gaius s Caenidou se vydali hledat místo pod sloupořadím, kde ji bude později schopen rychle najít.

„Proč nejsi na foru, Vespasiáne?“ zeptal se Paetus, zatímco stoupali do schodů.

„Byl jsem požádán, abych se dostavil sem,“ odvětil Vespasián. Kolem nich proudily do budovy skupiny senátorů.

Paetus na něj šibalsky pohlédl. „Ani se nemusím ptát kým. Takže se možná události nebudou ubírat tím směrem, jaký naznačují řeči, co?“

„Nejspíš ne, Paete. Opravdu nevím. Jsem v dost nepříjemné situaci, neboť jsem využíván jako nástroj pro účel, který mi není zcela jasný.“

„To je u nás nižších magistrátních úředníků obvyklé. Na pobyt v Římě není zrovna ten pravý den, co říkáš, kamaráde?“

V davu pod schody zazněl hlasitý jásot. Vespasián se obrátil a spatřil oba konzuly, před nimiž kráčelo vždy dvanáct liktorů se svazky prutů. Přicházeli ze dvou různých směrů, jako by soutěžili, kdo z nich dojde k chrámu jako první.

„No, to bude zábava,“ podotkl suše Paetus. „Oba konzulové se účastní jednání senátu společně poprvé od chvíle, co Memmius Regulus převzal jako vyšší konzul na začátku měsíce úřad od Fausta Sully. Jeho služebně nižší kolega Fulcinius Trio ho nesnáší, protože je imperátorův muž, ne Sei…“ Paetus se náhle zarazil a pohlédl na Vespasiána. „Aha. Už chápu,“ pronesl pomalu. „Tohle celé je naplánováno dopředu, že?“

„Ano, ale nikdo kromě Tiberia netuší, jaký bude výsledek.“

„No, Memmius Regulus si jím musí být hodně jistý. Dnes ráno zrušil tři procesy na foru kvůli velezradě, a přitom ke všem třem dal podnět Seianus.“ Obrátil se k odchodu. „Radši půjdu dovnitř před konzuly. Uvidíme se později už v jiném Římě, ať tak či onak.“

Vespasián se za ním díval a ta nejistá fráze mu zněla v uších stále dokola.

Regulus vyhrál závod o to, který z konzulů dorazí jako první, a vystoupil po schodech se vší důstojností náležející jeho úřadu následován, o několik kroků pozadu, zatrpkle se tvářícím Fulciniem Trionem. Když zašli do chrámu, vrátil se Gaius poté, co zanechal Caenidu mezi prvními dvěma mramorovými sloupy portiku, přímo napravo od hlavních dveří.

„Měl bych jít dovnitř, drahý hochu,“ řekl a z hlasu mu zaznívala nervozita. Ukázal k místu, kde stála Caenis. „A ty jdi zase za ní. Hodně štěstí.“

Vespasián nepotřeboval další pobídnutí, aby zmizel od vstupu. Právě ve chvíli, kdy se strýc obrátil k odchodu, rozlehl se v davu mocný jásot. Lidé se rozestoupili před Seianem, který obklopen velkou skupinou svých přívrženců kráčel přímo Vespasiánovým směrem.

Vespasián uskočil za sloup, kde už čekala Caenis s voskovou tabulkou a bronzovým rydlem v ruce, ale s ustaraným výrazem ve tváři.

„Jsi v pořádku, Caenido?“

„Nikde nevidím otroka, kterému mám předat první seznam," odvětila a pátravě si prohlížela dav.

„Hledej dál, určitě se objeví," chlácholil ji Vespasián. Seianova společnost zatím stoupala do schodů. Došli až nahoru a Seianus se zastavil.

„Přátelé," oslovil senátory kolem sebe, „běžte a zajistěte mi čestné místo. Já se zdržím ještě chvíli venku, než se všichni shromáždí uvnitř, a potom pro maximální účinek vstoupím jako poslední."

Jeho příznivci mu provolali slávu a poté začali vcházet dovnitř.

Vespasián vykoukl zpoza sloupu a zahlédl Seiana. Nevypadal jako muž, který očekává vysokou poctu. V jeho hranatém obličeji se zračilo napětí a mračil se. Neklidně si pohrával s rukama. Najednou se obrátil, jako by vycítil, že ho někdo poblíž pozoruje. Zahlédl Vespasiána, který rychle ustoupil za sloup.

„Ty tam, proč se schováváš?" zvolal a vykročil směrem k místu, kde stáli Vespasián a Caenis.

„Prefekte!" zazněl od paty schodiště hlas. Seianus se zarazil.

„Macrone, díky bohům," vykřikl s úlevou v hlase. „Došel vzkaz od imperátora? Už se mi neozval osm dnů. Nechci jít na jednání, pokud si nebudu naprosto jistý, že mi straní a že nejde o léčku."

„Došel, pane," odvětil Macro. Bral schody po dvou a za chůze vytáhl ze záhybu tógy zapečetěný svitek.

„Dej mi ho," rozkázal Seianus.

„Je určen senátu," prohlásil Macro, „pečeť smí na výslovné rozkazy imperátora rozlomit pouze vyšší konzul."

„Kdo ho doručil?"

„Já."

„Tys byl u imperátora?" zvolal Seianus nevěřícně. „Kdo tě pověřil?"

„Imperátor mě osobně povolal před dvěma dny na Capri. Viděl jsem ho včera ráno a cestoval jsem zpátky přes noc pomocí koní z našich stanic."

„Cože? Proč ty, a ne já?" zeptal se Seianus s tichou hrozbou v hlase.

„Protože, pane," odpověděl klidným tónem Macro, „imperátor měl dojem, že by bylo nevhodné, kdybys dopis senátu přinesl ty."

„Znáš jeho obsah, Macrone?"

„Ano, pane. Dovol, abych ti jako první blahopřál." Macro poplácal

Seiana po paži. „Stojí tam, v co jsme doufali: Tiberius žádá senát, aby odhlasoval to, co si zasluhuješ za služby, které jsi prokázal jemu i Římu.“

„Tribunské pravomoci! Učinil mě svým dědicem?“

„Imperátor řekl, že ti mám vyřídit, že tenhle dopis obsahuje téměř všechno, co si zasluhuješ.“

„Téměř všechno?“

„Téměř.“

„V tom případě se s tím prozatím spokojím,“ pronesl Seianus s úlevou v hlase. „Pojď, příteli, vejdeme společně.“

„Já pouze doručím dopis vyššímu konzulovi. Potom se vrátím do pretoriánského tábora, abych připravil muže na tvé uvítání.“

„Udělej to, příteli,“ prohlásil Seianus, když vstupoval do chrámu, „zjistíš, že nejsem nevděčný.“

Jakmile se objevil ve dveřích, rozlehl se potlesk.

Vespasián pohlédl s obavami na Caenidu. „Co si o tom myslíš?“

„Myslím, že musíme počkat, až budeme mít jistotu tak...“

„Či onak?“ přerušil ji a usmál se.

„Ano, lásko,“ přitakala a stiskla mu ruku.

„Vespasiáne, pane, pane!“ zavolal z davu známý hlas.

Vespasián se rozhlédl a spatřil u paty schodiště Magna se dvěma členy jeho bratrstva křižovatek, Sextem a Mariem. Rychle sešel za nimi a jako jeden z vigintiviri je provedl mezi pretoriány.

„Posílá nás Antonia, pane,“ oddechoval Magnus, když kráčeli do schodů, „něco ohledně zprávy, kterou jí máme doručit.“

„Přišli jste právě včas,“ podotkl Vespasián, protože spatřil, že z chrámu vyklouzl Gaius.

„Konzulové právě převzali záštitu a prohlásili den za příznivý pro jednání o Římu,“ oznámil Gaius, když přistoupil k Vespasiánovi „Uvnitř je to docela zajímavé. Se Seianem sedí šest nových tváří včetně tří bývalých prétorů a dvou bývalých konzulů, Aula Plautia a Silia Nervy. Zavolám tě dovnitř, až to začne být opravdu zajímavé.“

Spěchal oznámit jména Caenidě.

„Proč poslala Antonia vás?“ zeptal se Vespasián Magna.

„Říkala, že má strach, aby otroka někdo nezastavil, a taky, že se trocha svalů hodí. Nevím proč, ale má z něčeho strach – to ti povím."

„Tak ty už se vyznáš v jejích náladách, ty starý kozle?"

Magnus se zamračil. „Hlavně že se dobře bavíš," podotkl a převzal od Caenidy voskovou tabulku se zapsanými jmény. „Měli bychom jít, pane. Uvidíme se později na foru."

„Proč?"

„Nevím. Jenom vykonávám, co mi bylo řečeno, a Antonia mi právě tohle nařídila: abych šel na forum i se všemi bratry a počkal tam na tebe."

„No, vždycky je nejlepší poslechnout poslední rozkaz. Takže se sejdeme tam."

Vespasián se díval za odcházejícím Magnem a jeho společníky s rostoucím pocitem, že je jen nepatrnou figurkou ve velké a spletité hře, které jen velmi málo rozumí, a že by mohl být snadno obětován při provádění vítězného tahu.

Za sebou zaslechl kroky a obrátil se. Stanul tváří v tvář Macronovi.

„Co ty tady děláš?" zavrčel Macro se stěží skrývaným pohrdáním.

„Jsem zde v hodnosti triumvira capitalis a čekám na rozkazy senátu," odvětil Vespasián. Byl odhodlaný nedat se zastrašit.

Macro se zasmál. „Modli se k bohům, abys nakonec nedohlížel na vlastní popravu." Protáhl se kolem Vespasiána a stanul na vrcholu schodiště. Vytáhl z tógy další svitek a zamával jím ve vzduchu. „Muži z pretoriánské gardy, znáte mě, jsem tribun Naevius Sutorius Macro. Mám zde rozkaz od imperátora." Rozmáchlým gestem svitek rozvinul. „Žádá vás, abyste se vrátili zpět do tábora, kde vám přečtu jeho osobní vzkaz všem členům gardy, týkající se událostí tohoto dne. Avšak už teď vám mohu sdělit, že obsahuje příslib velkorysosti pro každého muže."

Členové gardy zajásali a zamávali volnými konci svých tóg ve vzduchu. Macro pokynul někomu za stále se rozrůstajícím davem diváků.

„Senát nezůstane nestřežen," pokračoval, zatímco si davem razila cestu další skupina mužů, „nemějte obavy. Nyní mě následujte." Sešel po schodišti a odváděl centurii pryč.

Když průčelí chrámu opustil poslední pretorián, jejich místo zaujal nový útvar. Senát nyní střežili vigilové.

*

Uplynula půlhodina. Slunce už stálo vysoko nad kopci na východě a vrhalo měkké světlo na střechy domů. Davu se začínal zmocňovat neklid, protože z chrámu nepronikly ven žádné zprávy o tom, co se tam odehrává. Několik opozdilých senátorů vešlo dovnitř, ale žádný prozatím nevyšel a dveře zůstávaly zpola zavřené.

Vespasián seděl s Caenidou na lavici ve stínu portiku. Slyšel hlas vyššího konzula Regula, který cosi četl, ale slova se nedala rozpoznat. Vespasián si začínal dělat starosti o důsledek dopisu. Pokud se Tiberius chystal Seiana zničit poté, co ho vychválí, dával si načas. Právě se rozhodl, že probere své starosti s Caenidou, když ze dveří vyšel jeden z veřejných otroků, které senátoři používali jako posly, a s úklonou k němu přistoupil.

„Senátor Gaius Pollo žádá, aby ses k němu okamžitě dostavil," pronesl se silným galským přízvukem.

Vespasiánovi se zrychlil tep. Vstal, stiskl Caenidino rameno a následoval otroka do budovy.

Chrám byl plný senátorů, kteří všichni seděli na svých nízkých skládacích stoličkách. Na opačném konci, pod sochou Apollóna, stál Regulus a četl ze svitku. Zatímco Vespasián kráčel za zadní řadou senátorů, slyšel konzula deklamovat vysokým jasným hlasem:

„... a dále, vážení senátoři, považuji to, že dovolil, aby mu byly přinášeny oběti na veřejnosti před mnoha jeho sochami, které nyní posévají město, za urážku svého postavení jako vašeho imperátora. Při řadě příležitostí jsem dal jasně najevo, že si nepřeji být uctíván, a dovolil jsem, aby mi bylo zasvěceno pouze několik chrámů, a pouze tehdy propůjčuji znamení přízně některé obci, která o tuto čest požádala, jestliže je považuji za zasloužené. Ale on by se dal uctívat celou říší, kdyby mohl."

Otrok vedl Vespasiána ke Gaiovu místu vlevo vzadu.

„Už to začalo, drahý hochu, podívej se," zašeptal Gaius a ukázal na druhou stranu místnosti.

Vespasián natahoval krk, aby viděl přes nahloučené hlavy senátorů před sebou. Po Regulově pravici seděl s netečným výrazem ve tváři Seianus. Zatímco se Vespasián díval, dva senátoři blízko Seiana vstali, popadli své stoličky a přešli na Gaiovu stranu. Ostatní kolem něj si šeptali a ve tvářích se jim zračil zmatek nebo strach.

„Pověz Caenidě: Aulus Plautius a Sextus Vistilius při ‚ale co jeho horší vlastnosti', a ti dva, Silius Nerva a Livius Gallus při ‚dal by se uctívat celou říší'. Běž a vezmi si s sebou otroka, ať se můžeš vrátit hned zpátky."

Caenis na něj čekala venku a on jí rychle sdělil jména. „Vypadá to, že už je to tady, Caenido," prohlásil vzrušeně, jakmile dopsala. „Jeho přívrženci se začínají tvářit schlíple."

„Pokud tomu tak je, můžeme za to poděkovat hlavně Caligulovi," odpověděla vážně, když se obrátil, aby znovu následoval otroka dovnitř.

„‚Co se týká jeho rozvodu s věrnou manželkou Apicatou před pěti lety...'" Když se Vespasián vracel ke Gaiovi, aby od něj vyslechl sedm dalších jmen, Regulus četl:

„... protože se domníval, že mu dovolím, aby se oženil s vdovou po mém milovaném synu Drusovi. Považoval jsem to za arogantní tah tehdy i dnes. Rozhodnutí ohledně toho, zda to bylo proto, že po ní upřímně touží, nebo proto, že má pocit, že se ke mně sňatkem s ní ještě víc připoutá, ponechám na vašem úsudku, vážení senátoři."

Poté, co se mu podařilo vybavit si všech sedm jmen a nadiktovat je Caenidě, se Vespasián vrátil potřetí. Regulus stále pokračoval:

„... a ve slabé chvíli, kterou mi přivodily opakující se návaly nevolnosti, jsem loni souhlasil s tímto svazkem. To, vážení senátoři, byla chyba, kterou nyní odčiním. V tuto chvíli formálně ruším zasnoubení Lucia Aelia Seiana se svou snachou Livillou."

V tu chvíli došlo k hromadnému přesunu od Seiana. Kvůli sklápění stoliček a přecházení senátorů byl Regulus nucen přerušit čtení ve chvíli, kdy Vespasián znovu dorazil ke Gaiovi.

„No, tím se to usnadní, drahý hochu," pošeptal mu Gaius, „všichni ostatní při ‚formálně ruším zasnoubení'. Můžeš klidně zůstat a sledovat, co se bude dít. V téhle atmosféře si tě nikdo nevšimne."

Seianus zůstal sedět zcela osamocený. Hlavu měl v dlaních, zatímco Regulus pokračoval ve čtení imperátorových slov:

„Doufám, že se shodneme, vážení senátoři, neboť vašeho názoru jsem si vždy vážil, že tento a řada dalších deliktů, které spáchal, včetně falešného svědectví proti mnoha z vašich řad, nemohou projít bez trestu. Proto bych vás chtěl požádat, vážení senátoři, abyste hlasovali, zda by měl, nebo neměl být..."

V tuto chvíli byl Regulus nucen znovu se odmlčet, protože jeho hlas zanikl ve výbuchu vzteklého řevu mířícího na Seiana od všech přítomných. Dokonce i ti senátoři, kteří až do poslední chvíle seděli blízko něj, se přidali, ať už ze strachu, nebo protože byli přesvědčeni, že jestliže ho teď vehementně zapřou, na jejich předchozí podporu odsouzenému muži se jaksi zapomene.

Prétoři, tribunové a kvestoři včetně Paeta Seiana obklopili, ale on neprojevil žádnou snahu prchnout, aby apeloval na dav venku. Jen zamyšleně seděl.

Hluk utichl a Regulus dokončil: „‚... zda by měl, nebo neměl být uvězněn.'"

Následovalo ohromené ticho. Vespasián se rozhlédl po senátorech, kteří byli stejně viditelně šokovaní jako on sám – Macro Seianovi nelhal, dopis žádal *téměř* o vše, co si zasluhoval.

Regulus smotal svitek. „Vážení senátoři, věřím, že všichni jako jeden muž chceme podpořit žádost našeho imperátora."

Následovala změť souhlasného volání. Dokonce i nižší konzul Fulcinius Trio zlehka přikyvoval, když předstoupil. „Vzhledem k tomu, že všichni, jak se zdá, souhlasíte," pronesl pečlivě, „jsem přesvědčen, že vyšší konzul potřebuje o váš názor požádat pouze jednoho z vás, protože půjde o názor vás všech."

„Staň se," přitakal Regulus, když se návrh setkal se souhlasem. „Lucie Aelie Seiane, přistup přede mě."

Seianus dál zamyšleně seděl, jako by neslyšel.

Regulus opakoval příkaz. Stále nic.

Když zavolal potřetí, Seianus náhle vzhlédl. „Já?“ zeptal se tónem muže, který je překvapen, že po tolika letech, co pouze on sám vydával rozkazy, je mu najednou nějaký také udělen. „To rozkazuješ *mně*?“

„Já, jménem celého shromáždění, ti rozkazuji.“

Seianus se rozhlédl a s pohrdavým úšklebkem předstoupil před Regula.

„Senátore Pollo,“ zavolal Regulus a Gaius málem spadl ze stoličky, „myslíš, že tento muž by měl být uvězněn?“

Gaius sebou trhl a potom váhavě vstal. „Ano, myslím, že by měl být uvězněn, konzule,“ pronesl pomalu a jasně.

„Pak se jedná o vůli tohoto shromáždění. Odveďte ho do Tulliana.“

„A kdo mě tam asi odvede?“ pomalu pronesl Seianus. „Přes moje pretoriány? Myslíš, že to dopustí? Rozsekají vás okamžitě na kusy jako ovce, kterými také jste.“

„Graecinie Lacone, jsou tvoji vigilové na svých místech?“ zeptal se Regulus.

Vysoký muž s několikadenním hustým černým strništěm na tváři přišel z opačného konce chrámu. „Jsou, konzule, a tribun Macro odvedl gardu zpátky do tábora.“

„Cože?“ zaburácel Seianus. Vrhl se vpřed, až ho museli nejméně čtyři muži zadržet. „Macro! Ten hnusný zrádce. Já ho dostanu, jen co zase imperátor přijde k sobě a propustí mě. Stejně jako dostanu tohle vaše shromáždění žvanilů.“

„Odveď ho, Lacone,“ poručil Regulus. „Konzule Trione, ty a já teď oslovíme společně lid.“

Vespasián sledoval, jak Seiana odvádějí z Apollónova chrámu. Velitel pretoriánů držel hlavu vztyčenou a setřásal ze sebe ruce svého vojenského doprovodu.

Vespasián a Gaius se protlačili přes valící se senátory dveřmi ven a předali Caenidě poslední „snadnou“ část seznamu.

„Měla bych se teď vrátit k paní, lásko,“ řekla, zatímco se Regulus a Trio postavili na vrcholek chrámových schodů připraveni oslovit zmatené diváky, kteří byli právě svědky toho, jak muže, který jim téměř celé minulé desetiletí vládl, odvádějí s hanbou pryč.

„Půjdu s tebou, protože moje služby zde podle všeho nejsou vyžadovány," navrhl s upřímnou lítostí Vespasián. Zklamalo ho, že Seianus unikl popravě.

„Já si poslechnu Regula a myslím, že pak taky půjdu." Gaius vypadal rozmrzele. „Jsem zvědavý, co teď Antonia udělá. Obejděte chrám zezadu – je tam další schodiště. Přes ten dav byste se teď nedostali."

Vespasián a Caenis se vydali kolem chrámu a v tu chvíli zaslechli Regulův hlas.

„Římský lide," prohlásil, „dnes váš imperátor a senát považovali na nutné ochránit vás před mužem, který se vám snažil příliš dlouho vládnout." Ozval se sporadický jásot. „Před mužem, který se v našem městě až příliš rozpínal." Tato slova doprovodil už hlasitější jásot. „Před mužem, který podobně jako Ikarus vzlétl příliš vysoko, ale teď ho spálilo slunce. Není snad správně, protože náš imperátor je pro nás jako slunce a vede nás životem, že tento muž, Seianus, byl sražen k zemi právě v chrámu slunečního boha Apollóna?"

Regulova poslední slova zanikla v dunivém jásotu, zatímco Vespasián a Caenis zamířili po zadním schodišti chrámu.

„Dostává je pěkně do varu," podotkl Vespasián, když se vydali k Antoniinu domu vzdálenému sotva dvě stě kroků.

„Musí," odvětila Caenis a snažila se s ním držet krok. „Seianus byl velmi štědrý při podpoře her. Zdaleka ne všichni lidé ho odmítají. Pokud by je Regulus nezískal na svoji stranu, mohli by se vzbouřit a pokusit se Seiana ho osvobodit."

Vespasián se při té představě zachvěl, ale uvědomil si, že Caenidin názor je zcela správný.

Dorazili ke dveřím Antoniina domu a zaklepali. Vrátný jen krátce vyhlédl špehýrkou a vzápětí už je vpustil dovnitř.

Antonia čekala v atriu s prvním seznamem v ruce. „Vespasiáne," z hlasu jí zaznívalo zklamání, „takže imperátor nepožadoval Seianovu smrt."

„Ne, paní, jen jeho uvěznění."

„Obávala jsem se, že na to nebude mít odvahu. Pořád se bojí, že by se

Seianovi přívrženci vzepřeli žádosti o jeho popravu a možná by dokonce podněcovali lid k otevřené vzpouře."

„Na konci na něj všichni nenávistně volali, paní."

„To je dobře, protože já mám v úmyslu využít jeho stoupence k tomu, abych přiměla senát udělat to, k čemu se imperátor neodhodlal. Právě kvůli tomu jsem si nechala sepsat tyto seznamy. Dej mi je, Caenido."

Caenis předala Antonii druhý seznam. Rychle přelétla jména zrakem a porovnala ho s prvním. „Á, bývalý konzul Aulus Plautius je náš člověk – objevil se jako poslední, ale první utekl. Nebude chtít, aby si toho imperátor všiml. Okamžitě mu napíšu a jsem si jistá, že aby si zajistil mé mlčení na tohle téma, s velkou radostí navrhne konzulům, aby uspořádali dnes odpoledne další jednání senátu, na němž bude stát v čele těch, kteří budou žádat Seianovu popravu. A podpoří ho v tom také jiní z jeho tábora, které strhne na svoji stranu."

Vespasián ohromeně zavrtěl hlavou. „No tedy, přinutit Seianovy přívržence, aby žádali jeho smrt! To je geniální, paní," podotkl obdivně.

„Ne, Vespasiáne, to je prostě politika. Hrozba vzpoury se eliminuje, pokud ho zatratí právě ti lidé, kteří doufali, že jeho povýšením získají. A teď běž na forum. Uvidíme, jestli se mi můj plán podaří. Možná tam, než den skončí, ještě budeš zapotřebí. Pojď, Caenido, nás čeká práce, musím také poslat vzkaz Macronovi."

Na Foru Romanu bylo plno lidí z každé společenské třídy. Nikdo toho dne nemyslel na práci, protože římští občané sledovali události a spekulovali, jaký bude konečný výsledek. V okolním davu zaznívaly rozporné názory, od rozumných (Seiana pošlou do vyhnanství, nebo ho propustí) po zcela výstřední (Tiberius má smrt na jazyku nebo se chystá abdikovat a bude obnovena republika, případně že se Tiberius vrací do Říma, aby Seiana vlastnoručně popravil).

Vespasiánovi se podařilo protlačit se až k budově senátu. Na jejích schodech našel Paeta a skupinu senátorů zabrané do hovoru s oběma konzuly.

„Nechal jsem kolem Tulliana umístit vigilskou stráž, konzule," hlásil právě Paetus. „Jaké jsou tvé rozkazy?"

„Budeme ho tam držet, dokud nebudeme schopni lépe rozpoznat imperátorovo přání," odvětil Regulus s nejistotou v hlase.

„Jeho přání přece už známe," vyštěkl jeho níže postavený kolega Trio. „Otázkou je, jak dlouho potrvá, než zasáhne pretoriánská garda. Pokud gardisté vpochodují do města, aby Seiana osvobodili, já jim rozhodně nebudu bránit. Naopak, povedu je k Tullianu a sám jim odemknu celu."

„V tom případě půjdeš proti senátu a římskému lidu," zakřičel na něj rozhněvaný Regulus.

„Na senát a římský lid kašlu. Moc drží v rukou pretoriáni a jejich velitel. Já chci radši stát na jejich straně než ležet na Schodech vzdechů." Ukázal na strmé schodiště vedoucí od fora až k vrcholu Kapitolu.

„Ale vždyť ses přece účastnil jednání, které ho odsoudilo," namítl šokovaný Regulus, „jak bys mohl se ctí konat proti tomuto rozhodnutí?"

„Možná jsem se zúčastnil jednání, ale nehlasoval jsem. Hlasoval pouze jeden člověk, vyšší konzule, a ty sis ho vybral, protože jsi, stejně jako všichni ostatní senátoři, věděl, že je to přívrženec Seianova zapřisáhlého nepřítele, paní Antonie. Díky tomu jsme si mohli my ostatní nechat své názory pro sebe až do doby, která bude příhodná k jejich vyslovení."

Někteří z okolních senátorů přitakávali.

Regulus zuřil, že ho takto převezli. „Ale byl to přece tvůj nápad a já na něj ve smírném duchu přistoupil, abych nenutil muže hlasovat proti člověku, kterého předtím podporovali."

Trio se pousmál a pokrčil rameny.

Vespasián pochopil, že v jednotném postupu z dnešního dopoledne se začínají objevovat trhliny. Lidé přehodnocovali svá stanoviska, protože jim docházelo, že záležitost ještě zdaleka není uzavřená a že jim Trio skutečně ponechal prostor k manévrování.

Po schodech ke skupince mířil s odfukováním Gaius. Jindy pečlivě natočené vlasy měl potem přilepené k hlavě.

„Konzule Regule," snažil se popadnout dech, „smím s tebou hovořit o samotě?"

„Samozřejmě." Regulus s evidentní úlevou poodešel od skupiny ke Gaiovi.

Senátoři se rozdělili do menších skupin.

Paetus přistoupil k Vespasiánovi. „Začíná se to trochu komplikovat, kamaráde. Pěkný zmatek, řekl bych," podotkl a celý zářil, jako by si nastalou situaci užíval.

„Myslím, že paní Antonia právě celou záležitost začala řešit," odvětil Vespasián. Davem se k budově senátu prodírala velká skupina senátorů.

Regulus přerušil hovor s Gaiem, kývl na to, co vyslechl, zatímco Aulus Plautius přivedl k patě schodiště nějakých třicet Seianových stoupenců.

Plautius napřímil svá rozložitá svalnatá ramena a zvedl hlavu. Žíly na tlustém krku mu naběhly. „Konzulové Regule a Trione," zvolal co nejhlasitěji, aby ho slyšel i okolní dav a ztišil se. Forum ztichlo, protože lidé si uvědomili, že se chystá další tah toho dne. Plautius vyčkal, až zavládlo naprosté ticho. „Žádám o okamžité zasedání senátu, abychom vyřešili neuspokojivou situaci, v níž jsme se ocitli."

„A já souhlasím," okamžitě se vítězoslavně přidal Trio. „Co soudíš ty, vyšší konzule. Den byl již dříve prohlášen za vhodný pro zasedání senátu, takže se z toho nevykroutíš."

Regulus pohlédl k obloze a ukázal na hejno hus letící ve tvaru písmene V k severozápadu nad chrámem Concordie na úpatí Kapitolu. „Prohlašuji, že jde o znamení bohů," zvolal.

„Nemůžeš zamítnout jednání kvůli hejnu ptáků," namítl vztekle Trio.

„Mohl bych, a docela snadno, nebylo by to ostatně poprvé, ale považuji to za dobré znamení. Zachránci Říma, kteří zatímco psi dál spali, probudili obránce Kapitolu, když se Galové plížili nocí, nám ukázali, že senát by měl zasednout v chrámu Concordie, bohyně harmonie. Svolejte senát. Tam, na posvátné půdě Concordie, tuto záležitost vyřešíme."

Dav zaburácel na souhlas s tímto vlasteneckým výkladem letu ptáků a rozestoupil se, aby uvolnil cestu pro dvacet čtyři liktorů, kteří provázeli oba konzuly k chrámu Concordie.

Vespasián dostihl Gaia v půli fora.

„Cos řekl Regulovi, strýčku?"

„Když jsem se vrátil do Antoniina domu, přišla zpráva od Plautia, že souhlasí s její žádostí a že přes třicet Seianových přívrženců, kteří se právě sešli v jeho domě, ji rovněž podpoří za podmínky, že se Antonia za ně přimluví u imperátora. Takže rozeslala zprávu všem senátorům, kteří se neobjevili na ranním zasedání, protože se nechtěli účastnit Seianova domnělého vítězství, a vyzvala je, aby se, až budou povoláni, dostavili do senátu. Mě pověřila, abych co nejrychleji přišel sem a zařídil, že Regulus nenajde záminku, aby další jednání zamítl."

„Například v podobě zlověstného hejna ptáků?"

Gaius se zasmál. „Ano. Mohl stejně tak oznámit, že husy jsou znamením, že Řím opouští štěstí a dnes by se už nemělo o ničem jednat. Podobných úskoků jsme byli svědky již dříve."

Došli k chrámu Concordie ve stínu překrásného klenutého průčelí Tabularia, kde se uchovávaly všechny městské záznamy. Gaius pokračoval dovnitř a Vespasián zůstal u dveří.

Celou půlhodinu pak přihlížel, jak se ze všech směrů scházejí na žádost konzulů senátoři, z nichž mnozí nebyli to ráno přítomni. Každý byl teď přesvědčen o tom, že jeho frakce zvítězí v rozpravě. Mezi posledními příchozími byli Corbulo a jeho otec, jehož podoba se synem byla nepopiratelná. Oba vypadali velmi nejistě.

„Vespasiáne, co se děje?" zeptal se Corbulo nervózně, jakmile jeho otec zašel do chrámu.

„No, kdybys byl při ranním jednání, věděl bys to," pohrával si s ním Vespasián.

„Nebylo nám dobře," odpověděl rozmrzele Corbulo. „Včera jsme snědli nějaké špatné mušle."

„Musíš si začít mušle odpírat. Očividně ti nesvědčí."

„No ano," koktal Corbulo, který si uvědomil, že stejnou výmluvu už jednou ve Vespasiánově přítomnosti použil. „Pověz, co se děje?"

„Když půjdeš dovnitř a budeš hlasovat pro návrh, všechno bude v pořádku," odpověděl záhadně Vespasián.

Corbulo si uvědomil, že se ponižuje tím, že se na senátorské záležitosti vyptává člověka, který mezi senátory nepatří. Odfrkl a zamířil dovnitř.

„Vážení senátoři," dolehl k Vespasiánovi Regulův hlas, „prosím o pozornost."

Hluk uvnitř chrámu okamžitě utichl. Dveře zůstaly otevřené. Vespasián se do nich postavil a sledoval jednání.

„Přestože byl dnešní den již prohlášen za příznivý," spustil Regulus, „provází nás nyní jiná bohyně, a měli bychom jí proto obětovat."

V řadách protichůdných frakcí senátorů se rozlehlo souhlasné i nesouhlasné mumlání. Trio okamžitě vstal, ale Regulus vzápětí pokračoval.

„Abychom měli jistotu, že nevznikne žádné podezření z hlediska špatného výkladu znamení, žádám nižšího konzula, aby provedl oběť."

Trio nabídku rád přijal. Přetáhl si přes hlavu cíp tógy a vykročil k oltáři. Protože je k chrámu Concordie přivedlo hejno hus, vybrali jako nejpříhodnější oběť husu. Trio rychle ptáka zabil, odříkal modlitby, potom ho rozřízl, aby prozkoumal játra. Vzápětí už hlásil, že jsou bez poskvrny a že bohyně harmonie pohlíží na jednání příznivě.

„Děkuji za snahu, konzule," pronesl Regulus beze stopy ironie, když se znovu ujal slova. „Podnět k tomuto zasedání dal senátor Plautius, proto ho žádám, aby promluvil jako první."

Regulus se usadil do svého kurulského křesla konzula a Plautius vstal.

„Vážení senátoři." Zvedl pravou ruku a dramatickým gestem máchl po celém prostoru, aby zahrnul všechny senátory. „Požádal jsem dnes, abychom znovu zasedli, protože podobně jako řada z vás mám pocit, že jsme si nesprávně vyložili přání našeho imperátora a vlastní nečinností jsme vytvořili velmi nepřehlednou a nebezpečnou situaci."

Ozvalo se souhlasné mumlání. Tohle žádná z frakcí nepopírala.

„Proto navrhuji, abychom pečlivěji rozebrali, co měl imperátor na mysli. Požádal nás, abychom hlasovali o tom, ‚zda by Seianus měl, nebo neměl být uvězněn'. Všichni jsme to brali tak, že imperátor žádá Seianovo uvěznění, je to tak?"

Obě frakce znovu přitakaly.

„Ale uvěznění občana nikdy nebylo považováno za státem uznávaný trest. Proto se ptám: žádal skutečně imperátor, abychom vyměřili trest, který neexistuje?"

Jeho kolegové se zamračili a zatvářili se zmateně.

„Podívejme se znovu na ta slova ‚zda by měl, nebo neměl'. Volbou této formulace se Tiberius podřídil senátu. Nechal rozhodnutí, co s tímto mužem podnikneme, na nás. Avšak, vážení senátoři, my jsme ho brali doslova. Nešlo pouze o volbu mezi Seianovým uvězněním, nebo neuvězněním. Ne, imperátor je někdy příliš rafinovaný a ani jeho věrný senát tuto rafinovanost nedokáže postihnout."

Senátoři opět sborově přitakali. Vespasián se v duchu usmál. Všímal si, jak přítomní hrají na podlézavou notu vědomi si toho, že si imperátor bude číst zápis ze zasedání.

„Možnost výběru, kterou nám dal náš milovaný imperátor, nebyla zdaleka tak omezená. Ve své moudrosti totiž ví, že nechat Seiana pod zámkem zde v Římě, by mohlo vést pouze ke zlé krvi, povstáním, a snad i k občanské válce. Nabízel nám nejen možnost volby mezi uvězněním, nebo svobodou. Šlo také o uvěznění, nebo ztrátu všech dříve odhlasovaných poct. Uvěznění, nebo domácí vězení, buď zde v Římě, nebo na některém z jeho mnoha venkovských sídel. Uvěznění, nebo odepření ohně a vody v okruhu pěti set kilometrů od Říma. Uvěznění, nebo vykázání na nějaký ostrov či do vzdáleného města." Odmlčel se, protože jeho publiku začínala svítat podstata toho, co navrhuje, a senátoři začali volat po svém preferovaném trestu nebo po osvobození. Plautius zvýšil svůj silný hlas a všechny je překřičel. „Nebo, vážení senátoři," pronesl, „*uvěznění, nebo smrt*. A já žádám smrt – ale ne smrt pro římského občana, kterou sám upřel tolika svým obětem. Ne, ať zahyne jako nepřítel Říma: uškrcením!"

Rozlehl se řev přítomných, ale Plautius se nezalekl. Zvedl paže do vzduchu a čekal, až se vřava utiší.

„Ale ať to nejsem jen já, kdo vyjádří svůj názor," pokračoval, jakmile hluk utichl natolik, že ho bylo znovu slyšet, „udělejme to řádným způsobem, ne jako dnes ráno, aby nevznikly žádné pochybnosti o vůli senátu. Každý senátor by měl promluvit a vyjádřit názor, a poté by mělo dojít k úplnému hlasování. Pokud souhlasíš, vyšší konzule, požádám tě, abys teď dal slovo mému kolegovi Siliu Nervovi, protože to je jeho právo bývalého konzula."

Plautius se posadil a slova se znovu ujal Regulus.

„Konzule Trione, souhlasíš, abychom zahájili úplnou rozpravu na toto téma?"

Trio nemohl nic namítat, protože trval na zasedání a sám vykonal oběť. Šokován tou nečekanou dezercí ze svého vlastního tábora vstal a souhlasně zamumlal.

„Dobrá tedy. Předávám slovo bývalému konzulovi Siliu Nervovi.“

Předstoupil kulatý muž ve středních letech. „Vážení senátoři, já také žádám smrt uškrcením, a rovněž *damnatio memoriae*. Ať je jeho jméno vymazáno ze všech památek a dějin,“ pronesl stručně a zamířil zpátky ke své stoličce.

Přítomní zalapali po dechu, protože si uvědomili, že jde o útok ze zálohy a že Seianus je nyní bez šance na odklad vykonání trestu. Vespasián sledoval s rostoucím pocitem úcty k Antoniině politické rafinovanosti, jak Regulus volá každého senátora v pořadí podle váženosti, počínaje bývalými konzuly, aby promluvili. Až na několik výjimek, kdy senátoři stručně, ale marně žádali buď o smrt stětím, nebo o jeden z neškodnějších trestů, všichni požadovali smrt uškrcením.

Než promluvil nejnižší z více než čtyř set přítomných senátorů, slunce už začalo klesat a nastal čas, aby předsedající konzulové debatu shrnuli.

Slova se ujal Regulus. „Vážení senátoři, nyní už zbývá jen, aby promluvili oba konzulové, než dám hlasovat. Předávám slovo konzulu Trionovi.“

Trio pomalu vstal a beze spěchu přešel do středu chrámu. Měl výraz poraženého, ale nezlomeného muže, který je odhodlán zvolit jedinou cestu, jež mu zbývá.

„Vážení senátoři, během staletí jsme byli mnohokrát svědky toho, jak některý z mužů z toho, či onoho důvodu překročil své pravomoci.“ Mluvil tiše a nevýrazně. Ozvaly se vzteklé výkřiky senátorů, kteří okamžitě pochopili, že se Trio chystá mařit jednání. „Coriolanus, Gaius Marius, Sulla, Tarquinius Superbus, Appius Claudius...“

Pokračoval neúnavně ve výčtu a Vespasián se podobně jako senátoři začal obávat, že bude mluvit až do západu slunce, kdy dojde k přerušení debaty a žádné hlasování se nebude konat.

„Je načase zvážit, jaký muž je Seianus,“ pokračoval Trio poté, co vyjmenoval ambiciózní historické postavy a byl nucen zvýšit hlas, aby překřičel sílící povyk rozhněvaných kolegů. „Je to muž, který...“ Do obličeje ho zasáhla stolička a rozrazila mu pravou tvář. Napřímil se. Krev mu stékala na tógu. Otevřel ústa, aby znovu promluvil. Než ze sebe dokázal vypravit další slovo, klesl pod neustávající salvou brutálně vrhaných židlí a byl nucen se odplazit za své kurulské křeslo.

„Děkuji za tvůj názor, konzule," promluvil Regulus a kývl na svého zakrváceného a potlučeného kolegu, jako by se nic nestalo. „Já také žádám smrt. Přítomní se nyní rozdělí, Ti, kteří hlasují pro, si stoupnou napravo ode mě. Ti, co jsou proti – doleva. Hlasujeme pro tento návrh: že toto zasedání odsuzuje Lucia Aelia Seiana k smrti uškrcením a že jeho jméno bude vymazáno."

Nastal zmatek, jak se senátoři všichni o překot snažili nezůstat jako poslední vlevo. Za několik okamžiků už jediným, kdo nestál po Regulově pravici, byl Trio, který se stále choulil za svým křeslem. Opatrně vystrčil hlavou a rozhlédl se. Spatřil, že je zcela poražen.

„Prohlašuji," zvolal Regulus, „že rozhodnutí zní…" Zarazil se v půli věty s otevřenými ústy a zíral dveřmi kolem Vespasiána na forum.

Vespasián se rychle obrátil. Padesát kroků od něj, nádherná v zářivých bílých tógách, se s lehkostí ubírala zpanikařeným davem přímo k chrámu Concordie kohorta pretoriánské gardy.

KAPITOLA XX

„JÁ A CHLAPCI JSME TADY DOLE, PANE," ozval se z davu Magnův hlas. Vespasián se obrátil k příteli pod schody na straně chrámu. Obklopovali ho členové jeho bratrstva křižovatky, všichni vyzbrojeni palicemi a holemi. Za nimi se po úbočí Kapitolu zvedaly Schody vzdechů. „Myslím, že je čas na večeři, jestli mi rozumíš."

Vespasián se zarazil a pohlédl s obavami směrem k centrálním schodům. Přední řada první centurie kohorty po nich právě začínala vystupovat. Vedl ji Macro. Co když Macro nedokázal přesvědčit gardu, aby souhlasila s jeho velením, a proto raději přešel na stranu nepřátel, aby si tak zachránil život? Vespasián nevěděl, ale usoudil, že bude ve větším bezpečí, pokud zůstane obklopen Magnem a jeho bratry. Dal se na ústup.

„Triumvire capitalis!" zaburácel Macronův hlas. „Pojď sem, nebo rozkážu svým mužům, aby tě zabili."

Vespasián si uvědomil, že nemá šanci na útěk, a proto poslechl. Macro mu sevřel mohutnou rukou rameno a vstrčil ho do chrámu.

Senátoři uvnitř stáli jako opaření. Pretoriáni vpochodovali dovnitř a na rozkaz se zastavili.

„Co to má znamenat, tribune?" vyštěkl Regulus, když k němu Macro přistoupil. Vespasiána nechal stát vedle přední řady centurie.

„Už jste hlasovali, konzule?" zavrčel Macro.

„Ano."

„A s jakým výsledkem?"

„Právě jsem se ho chystal vyhlásit, když jste mě tak neuctivě vyrušili."

„V tom případě navrhuji, abys ho vyhlásil teď, konzule."

Senátoři ucouvli v obavě, že právě učinili špatné rozhodnutí. Trio se s vítězoslavným výrazem zvedl zpoza svého křesla.

Regulus polkl. „Rozhodnutí tohoto zasedání zní: toto zasedání odsuzuje Lucia Aelia Seiana k smrti uškrcením a jeho jméno bude vymazáno." Odmlčel se a nervózně pohlédl na Macrona. „A já prohlašuji tento návrh za přijatý," dodal tiše.

V chrámu zavládlo ticho, protože senátoři čekali na Macronovu reakci. Nikdo se nepohnul.

Macro pomalu třikrát zatleskal. „Blahopřeji vám, vážení senátoři, protože jste pro tentokrát učinili správné rozhodnutí."

Senátoři vydechli úlevou.

Trio se zatvářil sklesle.

„Jsem rád, že si to myslíš, tribune," pronesl Regulus.

„Od této chvíle mě budeš oslovovat prefekte, konzule. Mám od imperátora dekret, kterým mě jmenuje prefektem pretoriánské gardy." Zvedl do výše dva svitky. „Zde je také imperátorova žádost, aby stejný trest, který jste odhlasovali pro Seiana, platil rovněž pro tohoto muže. Přiveď ho, centurione."

Pretoriánský centurio vyvlekl ze středu centurie mladého muže. Ruce měl spoutané. Hlavu držel vzpřímenou a v obličeji se silnými lícními kostmi měl tvrdý a pohrdavý výraz.

„Kdo je to, prefekte?" zeptal se Regulus.

„Je to Seianův nejstarší syn, Strabo. Dvě mladší děti imperátor ušetřil."

„Jak zní obvinění?"

„Že je to syn zrádce."

„Nemůžeme ho odsoudit jen kvůli rodinným poutům. To by nás vrátilo zpátky k excesům občanských válek."

„Vykonáte, co si přeje imperátor, pokud chcete, aby se tato záležitost uzavřela, konzule. Pokud ne, dohlédnu na to, aby imperátor přesně pochopil, proč byla Strabona nucena popravit garda, a ne stát."

„Nemáme tedy na výběr," pronesl Regulus a vstal. „Žádám tento senát, aby hlasoval takto: že Strabo, nejstarší Seianův syn, by měl sdílet otcův osud. Ti, kteří jsou pro, se postaví napravo ode mě, ti, kteří jsou proti – nalevo."

Senátoři zůstali, kde byli. Jen Trio přešel, protože si uvědomil, že by mohl získat zpět aspoň část imperátorovy přízně, pokud se připojí ke zbytku senátu po Regulově pravici.

„Prohlašuji tento návrh za přijatý," pronesl zkormouceně Regulus.

K Vespasiánovu překvapení pretoriánská centurie zajásala. Jásot se šířil v řadách gardistů ven ke zbytku kohorty.

„Předvolejte jednoho z triumviri capitales," zvolal Regulus do rostoucího zmatku, když se zpráva o rozhodnutí senátu šířila od pretoriánů k rozsáhlému davu na foru.

„Jednoho jsem našel, jak se potlouká venku," informoval ho Macro. „Vespasiáne, přistup."

Vespasián se připojil k Macronovi před Regulem. „Jsem Titus Flavius Vespasianus, konzule, jeden z triumviri capitales."

„Pověřuji tě vykonáním vůle římského senátu, triumvire," pronesl úředně Regulus. „Odveď tohoto muže do Tulliana a dohlédni na okamžité vykonání rozsudku smrti uškrcením na něm i na jeho otci Luciu Aeliu Seianovi. Mrtvoly ať jsou vystaveny na Schodech vzdechů."

Vespasián vyvedl Strabona pod dohledem dvou pretoriánů dveřmi chrámu a po schodišti vlevo. Hluk venku byl nepředstavitelný. Velký dav začal vztekle kácet spoustu Seianových soch, rozmístěných na foru a v okolním prostoru. Propukly šarvátky a začala téct krev, když se občané obrátili proti mužům, kteří podle nich patřili do rozsáhlé sítě Seianových informátorů a poskoků.

Magnus a jeho bratři chránili Vespasiána před davem, zatímco mířili přes Schody vzdechů k Tullianu přímo na druhé straně. Vstup střežili vigilové.

„Strabone! Strabone, můj synu," zazněl nedaleko ženský nářek, „co ti to dělají?"

Vespasián se obrátil a spatřil jakousi ženu. Měla zoufalý výraz a po tvářích jí stékaly slzy. Vzpínala ruce k jeho zajatci.

„Nechte ji projít," rozkázal Vespasián Magnovi, protože mu došlo, že to musí být bývalá Seianova žena Apicata. „Měla by mít možnost se rozloučit," dodal a pohlédl přísně na oba pretoriány.

Apicata spěchala k synovi a vrhla se mu kolem krku.

„Nemůžeme nic dělat, matko," řekl Strabo, který jí kvůli spoutaným rukám nemohl objetí oplatit. „Je po všem. Otec se nestane imperátorem a já také ne."

„Ale proč tě odsoudili? Nic jsi přece nespáchal," zavyla Apicata.

„Spáchal jsem toho dost, matko, věř mi. A kromě toho, být na Tiberiově místě, udělal bych totéž. Máš pořád ještě Capitona a malou Junillu. Drž je v bezpečí a dostaň je z Říma."

„Musíme jít." Vespasián odtrhl Apicatiny paže od jejího syna.

„Buď s bohy, matko. Zemřu dobře a bez nářku." Strabo ji políbil na čelo. „Nezapomeň na mě."

„Nezapomenu, synu," zavolala za nimi Apicata, „a přísahám, že Tiberiovi povím, že stejně jako já jsem přišla o syna, byl o syna připraven také on."

Vespasián odemkl nízké dveře do Tulliana a pokynul Strabonovi, aby vstoupil. Strabo se zarazil. Naposledy pohlédl na jasnou modrou oblohu a nadechl se čerstvého vzduchu. Pak sklonil hlavu a prošel dveřmi dovnitř. Rozdíl mezi teplotou venku a uvnitř byl značný a Vespasián se zachvěl jako vždy, když do vězení vstupoval.

Místnost byla nízká, malá a bez oken. Uprostřed byly dřevěné padací dveře. Kolem stolku na protější straně seděli tři žalářníci a ve světle jediné olejové lampy hráli kostky. Vstali, když za sebou pretoriáni zavřeli dveře. Magnus a jeho bratři zůstali venku s vigily.

„Další do cely, Vespasiáne?" zeptal se nejstarší žalářník. Počastoval Vespasiána bezzubým úsměvem a otřel si ruce o zamaštěnou tuniku. Vespasiánovi se nad očividným potěšením, s nímž vykonával svoji práci, zvedal žaludek.

„Ne, Spurie," odvětil. „Máte ho okamžitě popravit spolu s jeho otcem." Ukázal k padacím dveřím.

„Takže Seianův syn? No teda, rodinná sešlost, to je mi novinka."

Spuriovi dva druhové se zahihňali.

„Stětí, nebo provaz?" zeptal se Spurius a prohlížel si Strabonův krk, jako by šlo o obětního berana. Strabo zůstal vzpřímeně stát a odmítal vzít na vědomí odporného tvora před sebou.

„Provaz," skoro zakřičel Vespasián, jak se snažil udržet vášně na uzdě. „Tak se do toho pusťte."

„To je dobře, nemusí se toho tolik uklízet, co, chlapci? Jen trocha sraček a chcánků. Najděte garoty a já přivedu starouše."

Spurius zvedl padací dveře a shodil dolů lano připevněné k železnému háku ve stropě. „Pojď nahoru, pane," zavolal s hranou zdvořilostí.

Lano se okamžitě napjalo a o okamžik později už z otvoru vylezl Seianus oblečený jen v bederní roušce. Navzdory slámě, která mu trčela ze zpoceného těla a silných stehen, šířil kolem sebe auru důstojnosti a moci a Vespasián se musel přemáhat, aby neucouvl. Z tmavých očí, které vězeň upíral na žalářníka, čišela zášť.

„Imperátor a senát tedy konečně dostali rozum, ty špinavý červe," zavrčel a přistrčil obličej těsně ke Spuriovu. „Nezapomenu na tvoji pohostinnost."

„Bojím se, že opravdu ne, otče," promluvil Strabo.

Seianus se prudce obrátil a spatřil syna, spoutaného, mezi dvěma pretoriány. Jeho povýšenost se na okamžik vytratila, neboť mu svitlo, co ho čeká. Pak kývl hlavou a pousmál se. „Á! Rozumím. Takže je konec, že?" Pohlédl na pretoriány. „Kolik zaplatil Tiberius gardě za to, že mě zradila?"

Žádný z pretoriánů neodpověděl. Jen hleděli přímo před sebe.

„Stydíte se přiznat, že?" jízlivě se ušklíbl Seianus. „Nechte mě hádat: dvacet zlatých aureů každému."

Gardisté mlčeli.

„Tak třicet?"

Oba muži se zatvářili nejistě.

Seianus nevěřícně vytřeštil oči. „Méně než dvacet? Vy laciné děvky!"

„Bylo to deset, otče," sdělil mu Strabo, „chlubili se mi tím, když mě vedli do senátu."

„Chlubili! Chlubili se ubohými deseti aurei. Dvě stě padesát denárů!" Seianus se rozesmál. „Imperátor si koupil svou říši zpátky za méně než roční žold jednoho člena pretoriánské gardy. To je ale obchod – za tuhle cenu si už za chvíli bude moct dovolit stát se imperátorem skoro každý." Odplivl si na nohy gardistů. „Skončeme to." Pohlédl na Vespasiána, najednou se zamračil a ukázal na něj. „Tebe znám. Dnes ráno ses schovával za sloup v Apollónově chrámu. Pokud patříš k triumviri capitales, cos dělal před místem, kde zasedali senátoři, kteří mi měli udělit tribunské pravomoci?"

„Rozkázali mi to," pohlédl Vespasián Seianovi zpříma do očí.

„Kdo? Macro?"

„Ne, Antonia," odvětil Vespasián, protože neviděl důvod, proč by měl Seianovi tajit, kdo se zasloužil o jeho pád.

Seianus se pousmál. „Ta mrcha? Takže to byla ona, ne Macro."

Vespasián přikývl a nesklopil zrak.

Seianovi blesklo v očích poznání. „My dva už jsme se setkali, že?"

„Máš pravdu."

„Na zdi Livillina domu, před pěti lety. Tys patřil ke skupince, která osvobodila Antoniinu tajemnici, že?"

„Ano."

„To bylo tehdy odvážné."

Vespasián se dál díval Seianovi do očí a tvářil se netečně k pokloně.

Seianus si ho ještě chvíli mlčky prohlížel. Nikdo další v místnosti se nepohnul, protože si všichni uvědomovali sílu pohledů, které si oba muži vyměňovali. Vespasián se napřímil. Všechen strach ho náhle opustil.

„Něco v tobě je, mladý muži," pronesl nakonec Seianus, „něco, co mám v sobě i já: železná vůle. Antonia to musí vidět také, protože tě i po pěti letech stále využívá, abys za ni dělal špinavou práci. Normálně lidi odkopne po pár měsících. Musí si myslet, že máš budoucnost. Včera Antoniin šampion, dnes římský popravčí, ale co ti chystá zítřek? Jak se jmenuješ?"

„Titus Flavius Vespasianus."

„Nuže, mladý synu rodu Flaviů, dám ti radu. Dobře si ji zapamatuj, je to poslední, kterou někomu dávám. Jsem zde z jednoho jediného důvodu: nechopil jsem se moci, když jsem ji měl na dosah. Dokud jsem byl konzulem, měl jsem se vzepřít. Garda byla moje, senát, z velké většiny, byl můj, a lid by byl také můj – jenže jsem váhal. Proč jsem váhal, když jsem se tak dlouho za tou mocí hnal? Proč? Když jsem se celé roky snažil, jak ti jistě Antonia sdělila, stát se buď Tiberiovým dědicem, nebo regentem jeho dědice, tím, že si vezmu Livillu a zbavím se soků, když už Tiberius mohl volit jen mezi Claudiem, Tiberiem Gemellem nebo mnou?"

„A co Caligula?“

Seianus se ušklíbl. „Ten jedovatý malý škorpion? Proč si myslíš, že jsem přesvědčil Tiberia, aby ho povolal na Capri? Předpokládal jsem, že ho ten šílený stařec dá do měsíce shodit z útesu. Mýlil jsem se, jakkoli k tomu pořád ještě může dojít. Ale kdyby se to stalo, nikdo by mě nemohl obvinit z jeho smrti. Stejně jako mě nikdo nemůže obvinit ze smrti žádného z ostatních potenciálních dědiců. Lidé mohou mít podezření, ale žádný důkaz neexistuje. Kdyby existoval, byl bych už dávno mrtev. Dával jsem si bedlivý pozor, abych nebyl považován za vraha svých soků, protože jsem se nechtěl chopit moci. Chtěl jsem, aby mi byla dána. Mylně jsem se domníval, že kdybych se vlády zmocnil, někdo by přišel a zase by mě o ni připravil. Ale kdybych ji obdržel legitimně, mohl bych si ji udržet a předat svému synovi.“ Pohlédl hrdě na Strabona. Pak ho objal kolem krku, přitáhl si jeho hlavu a políbil ho na rty.

„Takže jak zní tvá rada, Seiane?“ pobídl ho Vespasián.

„Rada? Ano,“ pronesl pomalu Seianus a pohladil syna po tváři, „moje rada zní, že pokud budeš mít moc na dosah, neváhej, musíš se jí okamžitě chopit. Nikdo ti ji nedá, takže pokud ji nepopadneš, když můžeš, ten, kdo to udělá, zničí tebe a tvoji rodinu kvůli tomu, že ses dostat tak blízko k tomu, co oni teď tak žárlivě střeží.“

„Proč mi to říkáš?“

Seianus se na něj pousmál a zavrtěl hlavou. „A teď s tím skoncuj. Pojď, Strabone, můj synu, překročíme řeku společně.“

„Rád tak učiním po tvém boku, otče.“

Seianus vzal Strabona za ruku a pak si klekli na podlahu. Sklonil hlavu a napjal krk, ale jeho syn ji dál držel zpříma.

„Není to meč, otče.“

„Ne, je to provaz,“ poznamenal Spurius a přistoupil k nim s jedním ze svých druhů. Každý z nich držel v rukou garotu.

„Lucie Aelie Seiane a Lucie Aelie Strabone,“ prohlásil Vespasián, „senát vás oba odsoudil k smrti uškrcením. Chcete ještě něco říct?“

„Já už jsem své řekl,“ odpověděl Seianus, když jemu a jeho synovi položili na krk smyčku.

Strabo zavrtěl hlavou.

„Spurie, konej svoji povinnost," rozkázal Vespasián.

Žalářníci vložili do smyček v týle obětí krátkou dubovou tyčku a potom na ni navinuli provaz, až se napjal a začal se mužům zakusovat do kůže.

Spurius pohlédl na svého druha a kývl. Pomalu a systematicky začali otáčet tyčkami. Garota se s každým otočením utahovala. Seianus a Strabo se ruku v ruce poddali pomalé smrti. Nejprve jim začaly oči lézt z důlků a z hrdel jim vycházel přiškrcený bublavý zvuk. Potom jim vylezly jazyky a nepřirozeně se zkroutily daleko od slintajících úst. Nad koleny se objevila kaluž moči. Obličeje jim skoro zfialověly. Zvrátili hlavy, pohledy upřené do stropu a zuby vyceněné. Ale stále si pevně tiskli ruce, až jim klouby zbělaly. Bublavý zvuk ustal a vzduch naplnil zápach čerstvé stolice. Jejich obličeje se celé zkřivily v bezmezné agónii, ruce konečně povolily, pak jim hlavy klesly na stranu a těla ochabla, přidržovaná jen zakrvácenými garotami, pevně zaříznutými v jejich hrdlech. Popravčí pustili tyčky a mrtvoly klesly do kaluže vlastních výkalů.

Vespasián pohlédl dolů na muže, který byl jen krok od toho, aby vyrval moc juliánsko-klaudiánské dynastii. V hlavě mu zněl jejich rozhovor. Proč mu to všechno vyprávěl? Jak by se mohl on někdy ocitnout v postavení, v němž by se mohl chopit moci? Potom se mu bez vyzvání vkradl do mysli poslední verš poselství z Amfiaráa: „Aby nazítří získal od Čtvrtého západ." Byl snad on tím, kdo by ho měl získat? Zavrtěl hlavou a odtrhl zrak od muže, který ve snaze získat západ selhal. „Vyhoďte jejich mrtvoly na schody, Spurie." Obrátil se a vyšel ze dveří.

Venku měli vigilové spolu s Magnem a jeho druhy plné ruce práce, aby zadrželi dav v dostatečné vzdálenosti od dveří vězení. Vespasián a oba pretoriáni se připojili k ochrannému kordonu a pomohli mu zatlačit útočící dav tak daleko, že Spurius a jeho dva kolegové mohli neobřadně vyvléct z Tulliana mrtvoly Seiana a Strabona, vyhodit je na Schody vzdechů a vzápětí se dát na spěšný ústup do svého truchlivého panství.

Při pohledu na neživá těla Seiana a Strabona římští občané radostně zaburáceli a hnali se k nim. Každý dychtil být první, kdo mrtvoly znesvětí. Vstup do Tulliana se uvolnil.

„Myslím, že teď už je opravdu čas na večeři, pane," znovu navrhl Magnus.

„A já myslím, že máš pravdu, Magne," odpověděl Vespasián a rozběhl se pryč.

Dostali se do relativního bezpečí schodů vedoucích k budově senátu a ohlédli se zpátky k foru. V nastalém chaosu obrátily elementy v rozrůstajícím se davu pozornost ke kohortě pretoriánů vedené Macronem, která se snažila dostat z fora do tábora. Do řad gardistů začaly dopadat kusy rozbitých soch, klacky, kameny a další improvizované střely a srazily k zemi několik pretoriánů. Dav si vybíjel vztek na mužích, kteří tak dlouho udržovali Seiana u moci.

Macro mocným hlasem vydal rozkaz. Kohorta se zastavila a vytáhla zpod tóg meče. Macro znovu zařval a gardisté se obrátili zády k sobě a čelem k davu na obou stranách.

Pak vyrazili.

Bez známky slitování nad svými spoluobčany zabili ty nejbližší a překročili jejich mrtvoly, aby se dostali k dalším v davu. Nenávistné vytí záhy přešlo ve výkřiky hrůzy a bolesti. Dav se obrátil a prchal všemi směry, zatímco pronásledující pretoriáni bez milosti zabíjeli ty, kteří nebyli dostatečně rychlí, aby unikli před čepelemi jejich zbraní.

Senátoři, kteří v sobě našli odvahu a vyšli ven, bezmocně přihlíželi ze schodiště chrámu Concordie pokračujícímu krveprolití, které se pomalu přelévalo z Fora Romana na Forum Boarium a do okolních ulic.

Vespasián se podíval ke Schodům vzdechů, nyní opuštěným kromě dvou pomlácených mrtvol a ženy, Apicaty. V zuřivém truchlení si rvala vlasy a oblečení.

Zpoza domu vestálek na opačném konci fora se ozval mohutný řev a zvuk tisíců klapajících sandálů. Vespasián odtrhl zrak od Apicaty. Rychlý pohled na zdroj hluku stačil, aby se obrátil na útěk.

„Teď už je ale opravdu nejvyšší čas jít," zvolal Magnus a on i členové jeho bratrstva uháněli za Vespasiánem dolů ze schodů směrem ke Kvirinálu.

Za nimi proudil na forum zbytek pretoriánské gardy. Vojáci se hnali městem, aby se pomstili římským občanům a znovu sjednali pořádek.

KAPITOLA XXI

„JAK TO VYPADÁ S DOMEM?" zeptal se Vespasián Sabina, když si odpoledne sedli k vychlazenému vínu a medovým koláčkům v Gaiově atriové zahradě.

„Už brzy bychom se měli nastěhovat," odpověděl Sabinus. „Vlastně čím dřív, tím lépe, protože Clementina je zase těhotná."

„Blahopřeju."

„Děkuju, bratře. Chci, aby se co nejdříve usadila. Víš, jak jsou ženy nervózní, když se stěhují."

„Ano, jistě," lhal Vespasián.

„Ale čekal jsem, až se trochu utiší situace. Když dnes konečně znovu zasedne senát, mělo by se do značné míry vrátit právo a řád."

„V to pevně doufám," odpověděl Vespasián a uvažoval o násilí, které v poslední době zachvátilo město.

Dva dny a dvě noci dovolil Macro svým mužům, aby drancovali Řím, než je povolal zpět do tábora před městskými hradbami a zanechal občany chudší a vyděšené, ale bez pochyb o tom, kdo je ve městě skutečným vládcem.

Trvalo půl tuctu dalších dnů, než se život vrátil k normálu, přestože stále docházelo ke sporadickým výbuchům násilí zaměřeného především proti Seianovým přívržencům, ať už reálným nebo domnělým. Po několika dalších dnech se senát konečně znovu sešel, protože většina senátorů uprchla během pretoriánské okupace města z Říma do bezpečí svých venkovských statků.

„Dostal ses na seznam perspektivních kvestorů pro příští rok?" změnil

Vespasián téma. Na Sabinův nový dům se vyptával jen ze zdvořilosti, protože stále hluboce nesouhlasil se způsobem, jakým ho jeho bratr financuje.

„Ano," zachmuřil se Sabinus, „jenže tentokrát na něm je uchazeč snad z každého patricijského rodu. Plebejci jako my nemají šanci. Mám ošklivý pocit, že ani tentokrát neuspěju."

Jejich hovor přerušil Gaius. Vtrhl do zahrady doprovázen Aenorem, který se mu pokoušel sundat tógu.

„Někdy mám dojem, že moji kolegové senátoři jsou banda nemyslících ovcí," zahřímal. „Aenore, přines mi pohár."

Germánský mladík spěchal pryč. Gaius ztěžka dosedl na lavičku vedle Sabina a sáhl po medovém koláčku.

Bratři počkali, až strýček sní chutné sousto a napije se neředěného vína.

„Ti tupci právě debatovali, zda odsoudit Macrona za to, že nechal gardu řádit ve městě," prudce postavil napůl vypitý pohár na stůl, až obsah vystříkl, „a vtom se zvedne Aulus Plautius a prohlásí, že místo abychom odsuzovali Macrona, měli bychom ho velebit za to, že za tak krátkou dobu dokázal znovu nastolit pořádek. Prý krátká doba, to zrovna! Dva dny jsme tady trčeli zabarikádovaní, zatímco v ulicích nastala spoušť a vraždění." Obrátil do sebe zbytek vína a nastavil pohár, aby mu Aenor dolil. Sáhl po dalším koláčku. „A tak navrhl, abychom Macronovi odhlasovali hodnost bývalého prétora, ačkoli není členem senátu, a všichni zajásali, že je to vynikající nápad. Senát pak návrh jednohlasně přijal."

„Jednohlasně, strýčku?" zeptal se Vespasián. Gaius si ukousl pořádné sousto koláčku. „Copak tys nehlasoval proti, když ti to teď tak leží v žaludku?"

„Samozřejmě ne," podrážděně vyprskl Gaius, až drobty vylétly po celém stole. „Nechtěl jsem být jediný člověk, který bude proti – to by asi nebylo právě moudré!"

„Jestli takhle uvažují všichni, není divu, že senát hlasuje pro skandální návrhy."

„No, to dnes nebyl zdaleka ten nejskandálnější návrh. Obávám se, že nastupuje msta a v čele stojí Aulus Plautius, aby od sebe odvrátil pozornost. Dnes dal odsoudit tři nejbližší Seianovy příznivce v senátu ke svržení z Tarpejské skály, a jako by to nestačilo, dal je tam okamžitě vyvléct a osobně je shodil dolů. Obávám se, že v několika příštích dnech budeš mít plné ruce práce, drahý hochu."

O pět dnů později stál Vespasián v teplém dopoledním slunci na schodech budovy senátu a čekal na nejnovější senátní výnos ohledně neustávajícího pronásledování Seianových stoupenců. On a ostatní triumviri capitales měli skutečně plné ruce práce, jak Gaius předvídal. V posledních pár dnech dohlíželi na půl tuctu stětí, čtyři uškrcení a na svržení dalšího nešťastného senátora z Tarpejské skály. Více než tuctu dalších senátorů se podařilo spáchat sebevraždu, než se jich zmocnili popravčí, a tak zabránili alespoň zabavení svého majetku. Žádný se však nedočkal řádného soudu na foru. Jejich popravu posvětil příkaz senátu buď na písemnou žádost imperátora, nebo na základě návrhu, který přítomným přednesl Aulus Plautius.

To ráno přečetl Regulus další dlouhý dopis od Tiberia. Vespasián se ani nesnažil poslouchat mezi otevřenými dveřmi senátu, protože už ho znudily časté invektivy proti Seianovým příznivcům, které Tiberius používal při svých kázáních senátu.

Hluk z probíhající debaty, který vycházel ze dveří, ustal a Vespasián pochopil, že se senátoři dělí na tábory, aby hlasovali. V duchu se té představě usmál. Během posledních debat senátoři nikdy dva tábory nevytvořili, vždy jednohlasně zvolili smrt. Následovala chvíle ticha a pak slyšel, jak Regulus prohlašuje návrh za přijatý. Následovaly bouřlivé ovace.

Vespasián se připravil konat svoji povinnost a uvažoval, kterého bezmocného senátora Paetus vyvede tentokrát a jakou formu popravy mu senátoři odsouhlasili. K jeho šoku a ohromení vyšel Paetus ven s Gaiem.

„Ty přece ne, strýčku!" zvolal a rozběhl se jim po schodech v ústrety. Copak by mohl dohlížet na popravu vlastního strýce?

„Cože?" Gaius se zatvářil zmateně. „Ach tak! Ne, drahý hochu, já ne," zasmál se. „Tiberius se právě zmocnil zatím největší kořisti – Livilly."

„Livilly? Jak?"

„Imperátor dokázal to, co si většina lidí dávno myslela. Že Livilla otrávila svého manžela, Tiberiova syna Drusa, aby si uvolnila cestu ke sňatku se Seianem. Podařilo se najít jejího lékaře a jednoho z Drusových osobních otroků, kteří jsou dnes oba osvobození, a mučením z nich vynutit přiznání. Mě senát pověřil, abych informoval paní Antonii o rozsudku pro její dceru. Nemůžu říct, že se na ten rozhovor těším."

„Mám dohlížet na popravu ženy?" zeptal se Vespasián, kterému se ta představa vůbec nezamlouvala, navzdory Livillině krvelačné pověsti.

„Ne, ne, kamaráde, senát zatím nevynesl rozsudek smrti," informoval ho vesele Paetus. „My dva ji máme jen zatknout. Z úcty k Antonii Tiberius požádal, aby dceru předali matce. Považoval za správné, aby matka ženy, která mu zavraždila syna, sama rozhodla o vhodném trestu. Já osobně si myslím, že byl příliš shovívavý. Která matka by nařídila popravu vlastního dítěte?"

Čtyři centurie městské kohorty obklopily Livillinu rezidenci na Palatinu, aby jí zabránily v útěku, přestože, jak Vespasián věděl, zpráva o rozhodnutí senátu se jí ještě nedonesla. S Paetem vystoupili po velkém schodišti vedoucím k hlavním dveřím, doprovázeni centurionem městské kohorty. Za nimi zaujala postavení centurie, která hlídala průčelí domu. Paetus zatáhl za řetěz a uvnitř se rozezněl zvon.

Špehýrka se odsunula.

„Kvestor Publius Junius Caesennius Paetus přichází na žádost imperátora a senátu za paní Livillou," pronesl pomalu a jasně.

Špehýrka se zasunula, ale dveře zůstaly zavřené.

„Zdá se, že paní po nás příliš netouží," podotkl Paetus po pár okamžicích. „Nemám jí to ani moc za zlé. Centurione, vyrazte dveře."

„Rozkaz, pane!"

Na centurionův povel přispěchali čtyři muži s malým beranidlem. Po půl tuctu silných nárazů se dveře rozlétly. Vespasián a Paetus prošli v doprovodu centuriona vestibulem do přepychového atria. Vespasián v životě neviděl tolik zlatých a stříbrných ozdob. Vázy, sošky, svícny a mísy nejrůznějších velikostí byly rozmístěny na nízkých naleštěných mramorových stolcích se zdobenými nohami, rovněž ze zlata nebo stříbra. Prostor rozdělovala křesla a pohovky s temně rudým a zlatým čalouněním, které bylo odrazem barev fresek, jež zdobily stěny a zachycovaly krvavé války Titánů v dobách před příchodem lidí. Strop ve čtyřech rozích impluvia podpíraly čtyři mohutné sloupy z černého mramoru s šedými žilkami. Uprostřed stála velká bronzová socha Saturna kastrujícího srpem svého otce Caela.

„Jak se opovažujete vniknout do mého domu?" zazněl výhružně tichý ženský hlas.

Vespasián a Paetus se obrátili a spatřili krásnou štíhlou ženu kolem pětačtyřicítky. Zamračená stála v jedněch z mnoha dveří vedoucích z atria. Byla to beze všech pochyb Antoniina dcera, s pěknými lícními kostmi a povýšeným výrazem. Ale zatímco Antoniiny oči byly jasné a široké, její byly temné a kruté. Vrásky, které vedly od jejích koutků úst, se stáčely dolů od věčného mračení, ne nahoru od úsměvu. Ústa měla drobná a rty plné, podobně jako matka, ale byly zkřivené v jízlivém úšklebku, který jako by trvale ulpěl na její slonovinové tváři.

„Jsme zde, abychom tě doprovodili do domu tvé matky," odvětil Paetus a přistoupil k ní.

„Na čí rozkaz a z jakého důvodu?" Z hlasu, který v tu chvíli ještě víc ztišila, jí teď zaznívala obezřetnost.

„Na rozkaz imperátora a senátu. Máš jít okamžitě s námi."

„Nic takového neudělám, dokud mi neřeknete, z jakého důvodu."

„Byla jsi shledána vinnou z vraždy svého manžela Drusa a budeš předána paní Antonii, aby rozhodla o tvém osudu," odvětil Paetus a zastavil se těsně před ní.

Upírala na něj divoký pohled. „Jsem tedy mrtvá."

„Ne nutně. Tiberius projevil milosrdenství v tom, že rozhodnutí o tvém osudu přenechal na Antonii." Paetus položil jí ruku na rameno. „Pojď se mnou, paní." Livillina pravá pěst vystřelila od boku a vrazila Paetovi do hrudi. Žena se obrátila a dala se na útěk. Paetus zůstal nehybně stát s rukou stále nataženou. Vespasián se okamžitě vrhl vpřed, a protože Livillu omezovala v pohybu její stola, několika skoky ji dostihl a popadl ji za vlasy. Livilla zaječela jako harpyje a svíjela se jako babylonská děvka, jak se snažila vytrhnout z jeho sevření. Dlouhými nehty mu švihala po obličeji a ostrými zuby se mu zakousla do paže. Za jeho zády vběhli dovnitř muži z městské kohorty a zastavili členy domácnosti, kteří spěchali své paní na pomoc. Během zápasu se Vespasián pomalu obrátil dokola a teď viděl přes rameno Paeta. Jeho přítel klesl na kolena. Tunika a tóga mu zrudly krví a nevěřícně zíral na zlatý jílec dýky, která mu vězela v hrudi.

Vespasián se zvířecím řevem ještě více sevřel Livilliny vlasy a rozpřáhl se pravou pěstí. Livilla padla na kolena a v očích se jí objevila hrůza. Vespasián ji za vlasy vytáhl na nohy, upřel na ni rozzuřený pohled a plivl jí do obličeje. S nenávistným zavrčením jí vší silou udeřil pěstí do plných rtů. Kolem se rozstříkla krev a potřísnila jí obličej i šaty, protože jí rána na několika místech rozrazila rty a rozdrtila přední zuby. Pustil ji. Žena se s vytím svalila na podlahu. Pak ji divoce kopl do břicha v naději, že je snad těhotná. Překročil ji ve chvíli, kdy se Paetus pomalu zhroutil na záda.

Vespasián poklekl a vzal přítelovu hlavu do dlaní. Pleť měl popelavou a mrtvolně bledou.

Paetus na něj upřel zakalující se zrak. „To je nepořádek, co, kamaráde?" zašeptal. „Postarej se za mě o malého Lucia, ano?"

„Ano, příteli," ujistil ho Vespasián a oči se mu zalily slzami. „Odpusť."

„Moje hloupost, myslel jsem, že je to jen žena." Vydechl naposledy a pohled mu strnul. Vespasián mu položil hlavu na zem a zatlačil mu oči.

„Postav několik mužů, ať hlídají jeho mrtvolu, dokud si pro ni nedojde jeho manželka, centurione," rozkázal. „Potom mě následuj a tuhle děvku vezmi s sebou."

Vespasián vyšel do teplého slunce a sestoupil po schodišti. Za ním kráčela nikým nepodpíraná sténající Livilla, zakrvácená a s nateklou tváří, doprovázená centurionem a čtyřmi jeho muži. Vespasián upíral pohled přímo před sebe ve snaze ovládnout se. Netoužil po ničem jiném než rozdrásat Livillino hrdlo vlastními zuby. Jak k ní mohl být Tiberius tak milosrdný?

„Livillo!" ozvalo se z protější strany ulice ženské zaječení.

Za kordonem městské kohorty stála Apicata, v ruce držela dlouhý nůž s tenkou čepelí. Šaty měla na cáry a tváře a paže jí pokrývaly čerstvé hluboké škrábance. Za nehty měla krev.

„Livillo, ty Gorgonin spratku, podívej se na mě!"

Livilla vzhlédla a zamžourala nateklýma očima.

„To já jsem ti to udělala, Livillo," zaječela vítězoslavně Apicata. „Já to byla. Já jsem napsala Tiberiovi. Vylíčila jsem mu, jak jsi získala jed od svého lékaře Eudema a jak ho Drusovi podal jeho osobní otrok. Oba to pak na mučidlech přiznali." Hystericky se zachechtala a zamávala proti Liville dýkou. „Připravilas mě o manžela a zavinilas smrt mého syna a teď mi vzali i obě moje zbývající děti, ale mně je to jedno, Livillo, mně je to jedno, protože jsem tě dostala – skončilas, Livillo, skončilas! A tohle si o tobě myslím."

Zvedla nůž nad hlavu, oběma rukama sevřela jílec a s dalším vysokým zaječením si vrazila čepel pod dolní žebro. Škubla sebou a klesla na kolena. Zvedla k Liville tvář. Z koutků úst a nosu jí prýštila krev.

„Tohle tě čeká!" zavyla. Pak si s výrazem maniakálního soustředění zatlačila čepel nahoru do srdce a bez hlesu zemřela.

Gaius na Vespasiána čekal v Antoniině atriu a vypadal rozrušeně.

„Kde je Paetus?" zeptal se, jakmile mladík vstoupil do dveří.

Vespasián neodpověděl. Jeden pohled na jeho výraz a rozbitý obličej Livilly stačil, aby Gaius pochopil.

„Rozumím," zamumlal. „Je mi to moc líto, drahý hochu."

Vespasián kývl. Livillu, která se v tu chvíli viditelně třásla, zatím vedli kolem něj. Vespasián na ni nenávistně pohlédl. „Zasluhuje smrt, strýčku, ale bude jen vypovězena na nějaký ostrov. Žádná matka nenařídí smrt vlastního dítěte."

„Tohle je nepřirozený den," pronesl Gaius téměř omluvně. „Musím se vrátit do senátu. Obávám se, že ty za mnou budeš muset přijít hned, jakmile předáš Livillu Antonii."

„Jak si přeješ, strýčku," odvětil Vespasián otupěle. „Co se teď bude dít?"

„Je to dost nepříjemné, ale nevidím žádnou možnost, jak se tomu dá vyhnout," zavrtěl Gaius hlavou a odešel.

„Přiveďte ji sem." Mezi sloupy na opačném konci atria se objevil Pallas. „Paní Antonia čeká."

„Děkuji, centurione." Vespasián přistoupil a uchopil Livillu pod paží. „Teď už ji zvládnu sám. Počkejte na mě venku."

Vespasián kráčel s Livillou domem za Pallem až ke dveřím, které vedly do Antoniina soukromého vězení, kde předtím držela Rhoteka a Secunda. Pallas je otevřel a sestupoval po vlhkých kamenných schodech.

Livilla se začala vzpouzet, když ucítila pach strachu a zoufalství, který stoupal z nehostinné zatuchlé chodby dole. „Kam mě to vedete?" zaskřehotala a snažila se vykroutit z Vespasiánova pevného stisku.

„Za tvojí matkou, děvko," zavrčel a přinutil ji projít dveřmi.

Antonia na ně čekala v nízké chodbě před celou, kterou předtím obýval Rhotekés.

„To, že věci zašly takhle daleko," zavrtěla hlavou a upřela na dceru chladný výhrůžný pohled, „mi působí větší žal, než vůbec dokážeš pochopit, Livillo."

„Matko, matko, prosím," vykřikla Livilla. Vytrhla se Vespasiánovi a rozběhla se k Antonii. Padla před ní na kolena a objala jí nohy. „Prosím, matko, odpusť mi."

Antonia uštědřila dceři silný políček na rozbitou tvář. „Odpustit tobě? Tobě, která jsi zabila vlastního manžela? Tobě, která, kdybych nezasáhla, bys mučila Caenidu, jež je mi dcerou, jakou jsem vždy chtěla mít? Tobě, která jsi byla připravená přihlížet, jak umírá tvůj vlastní syn, jen abys dosáhla svého cíle? Ty mě žádáš o odpuštění?"

„Snažně tě prosím, maminko."

„Neodvažuj se působit na moje city, ty mrcho!" zařvala Antonia a vytrhla se z Livillina objetí. „Mezi námi dvěma nezůstala žádná láska, ani už nikdy nebude." Prudce otevřela dveře cely. „Vlez dovnitř."

Livilla poslechla a s fňukáním vstoupila do páchnoucí cely. Antonia za ní zavřela dveře a zamkla je. Klíč hodila Pallovi.

„Nech si ho, Palle. Nedávej mi ho, ani kdybych tě o to prosila. Vespasián je svědkem mého rozkazu," poručila. Přitáhla si před dveře stoličku a posadila se na ni.

„Co chceš dělat, paní?" zeptal se Vespasián.

Antonia složila ruce do klína. „To, co musím. Imperátor přišel kvůli mé dceři o jediného syna. Livilla byla připravena jen nečinně sedět a přihlížet, jak její vlastní syn umírá na následky otravy. Proto, abych to skončila, udělám totéž. Nos mi sem jednou denně jídlo a vodu, Palle. Budu tady sedět a čekat, dokud moje dcera nezemře."

Po těch slovech se z cely ozvalo dlouhé pronikavé zaječení a na dveře zabušily pěsti.

Vespasián postoupil o krok. „Ale, domino, zabít vlastní dítě, to je proti vše..." Ucítil, jak mu Pallas přitiskl dlaň na ústa a stáhl ho zpátky. Vespasián se k němu obrátil a poprvé spatřil v Řekově jindy netečném obličeji emoce: hněv.

„Stane se, jak poroučíš, paní," vyslovil Pallas zřetelně a nepřestával se dívat Vespasiánovi do očí. Obrátil se a táhl Vespasiána po schodech nahoru. Když se blížili k vrcholu schodiště, Vespasián se ohlédl. Antonia seděla, ruce sepjaté v klíně, nevšímavá k dceřiným výkřikům za svými zády a upírala zrak na začouzenou zeď.

Pallas doprovodil Vespasiána zpátky domem, jehož chodbami se s ozvěnou nesl Livillin jekot.

„Vespasiáne," rozběhla se k němu Caenis, když se vrátili do atria, „co se děje?"

Sevřel ji v náruči a zabořil tvář do jejích vlasů. „Ukázka síly vůle tvé paní. Vynesla rozsudek smrti nad vlastní dcerou a teď se sama ujala i role kata." Pustil Caenidu a opakovaně bodal prstem do vzduchu směrem, odkud se nesl v tu chvíli už hysterický jekot. „Může ji nenávidět, jak chce," zařval na Palla, „ale copak jí tohle může udělat?"

„Musí, pane," odvětil Pallas. Jeho tvář byla opět zosobněním neutrality. „Ví, že jinak Tiberius kvůli obnovení své cti pomstí svého syna daleko horším způsobem. Claudius, Caligula i Gemellus zemřou a jejich smrtí zbaví moji paní moci."

„Pokud se v Římě takto platí za udržení moci, tak se chci vrátit zpátky na statek."

Caenis na něj pohlédla a pomalu zavrtěla hlavou. Výkřiky neustávaly. „Ne, moje lásko, zůstaň tady a uč se z její síly. Pallas má pravdu: nemůže si dovolit tlačit Tiberia do pozice, ve které by byl nucen kvůli zachování vlastní cti vyvraždit zbytek rodu."

„Proč ne? Caligula je můj přítel a já mu nic zlého nepřeju, ale viděl jsem, jaký je, a vím, že z něj bude ten nejhorší myslitelný imperátor. Bylo by v zájmu vyššího dobra, kdyby si Tiberius mohl vybrat za svého nástupce jiného vhodného muže.“

„Opravdu myslíš, že to udělá? Nebo si prostě vybere někoho ještě mnohem horšího, aby se na něj vzpomínalo, v porovnání s jeho nástupcem, jako na lepšího? Nějakého *skutečného* tyrana?“

Vespasián si vybavil toho nevyrovnaného starce na Capri a nemusel dlouho váhat s odpovědí. „Vybral by si tyrana a bavil by se tím, protože...“ Zarazil se a po tváři mu bleskl výraz pochopení. Uvolnil se. „Takže si raději zvolíme někoho jako Caligula, třebaže je to zhýralec a ničema, protože ho Antonia pořád bude do určité míry schopna ovládat.“

„Přesně to si myslím, pane, a proto jsem ti taky nedovolil, aby ses pokoušel rozmluvit jí její rozhodnutí.“ Pallas zvedl klíč k Livillině cele. „Nevrátím ho zpátky paní, dokud nesplní svoji povinnost vůči Římu. Je to takhle lepší pro nás pro všechny.“

Vespasián hleděl na klíč. Ohromilo ho zjištění, že tím, že ho Pallovi dala, se Antonia přiznala, že nemůže věřit tomu, že její mateřské city nepřevládnou nad smyslem pro povinnost. „Ona to nechce udělat, že ne?“

„Samozřejmě že ne. Copak ty bys chtěl?“

„A jiná možnost není?“

„Ne. Ledaže by vzala nůž a vrazila ho dceři do krku. Jenže to by nemohla – kdo by to taky dokázal? Proto musí snášet křik své dcery, dokud Livilla nezemře pomalou smrtí. Ze svého pohledu se tím sama trestá za vraždu vlastního dítěte, ale je ochotna ten trest přijmout, aby splnila svoji povinnost vůči Římu.“

Vespasián se ohlédl ve směru křiku. „Ano, myslím, že to chápu... a musím jí za to zatleskat. Platí skutečně vysokou daň, ale nejspíš je to nutné, aby splnila svoji povinnost.“

Pallas pokrčil rameny. „Má na to sílu a koneckonců to není nic, co by si nemohla dovolit.“

„A za něco takového musí být asi vděčná.“ Ohlédl se zpátky po Caenidě a povzdechl si. „A teď bych i já měl v sobě najít sílu a jít konat svoji povinnost.“

Caenis ho pohladila po tváři. „Najdeš sílu, lásko. Tak či onak.“ Usmála se.

Poodstoupil a zahleděl se na ni. Toužil jen vnořit se hluboko do ní a očistit se od starostí a hrůz dne, ale věděl, že ještě není po všem. „Palle," řekl tiše, „byl bys tak hodný a dal Caenidu doprovodit do domu mého strýce – myslím, že v několika příštích dnech nebude tvoje paní její služby požadovat."

„Osobně na to dohlédnu, pane."

„Uvidíme se později, lásko." Vespasián vzal dívku za bradu a něžně ji políbil na rty.

„Kam jdeš?"

„K budově senátu – vykonat nějakou, alespoň podle strýčka, velmi nepříjemnou povinnost. Nevím, co to je, ale bude mi to připadat jako nic ve srovnání s tím, co právě dělá Antonia."

Ještě jednou dívku vášnivě políbil a pak odešel obrněn Antoniinou nesobeckou rozhodností. V hlavě mu přitom stále zněly ozvěnou Livilliny výkřiky a z mysli nedokázal vypudit obraz své mecenášky, jak sedí ve sklepení a pokojně čeká na dceřinu smrt.

Senát byl vzhůru nohama, když Vespasián nahlédl otevřenými dveřmi dovnitř. Senátoři sedící v řadách zády k němu na svých skládacích stoličkách se hlasitě přeli a vpředu před oběma konzuly stály dvě děti: hoch asi čtrnáctiletý a děvčátko, kterému nebylo víc než sedm.

„A já se vás ptám, vážení senátoři," hulákal ze všech sil konzul Trio, „jak můžeme vynést takový rozsudek nad dvěma dětmi, které se zjevně žádného zločinu nedopustily?"

Usedl na svoji kurulskou židli a z chaotických řad senátorů vstal Aulus Plautius.

„Vážení senátoři, prosím o vaši pozornost," zvolal a pak se odmlčel, dokud vřava neutichla. „Sice se fakticky žádného zločinu nedopustily," řekl a pohlédl spatra na obě vyděšené děti, „ale vinny jsou. Když jsme hlasovali pro Seianovu smrt, rovněž jsme hlasovali pro *damnatio memoriae*, vymazání jeho jména z historie, jako by nikdy neexistoval. K čemu je potom senát, vážení senátoři, když nedokáže jednat v souladu s vlastní vůlí? Naší vůlí je, aby jméno Seianus bylo vymazáno, a oni...," namířil na děti prst, „... nesou jeho jméno. Takže konejte svoji povinnost a odsuďte je." Posadil se s teatrálním mávnutím tógou v naprostém tichu, v němž se senátoři snažili v duchu popřít jeho logiku. Nikdo to nedokázal.

Po krátké pauze začalo být zřejmé, že nikdo další už promluvit nechce. Regulus pomalu vstal.

„Návrh k hlasování zní: Seianovy děti Capito a Junilla budou popraveny stejným způsobem jako jejich otec na základě dříve přijatého damnatio memoriae. Senátoři, hlasujte."

Vespasiánovi se zastavilo srdce, když velká část senátorů přešla napravo od Regula.

„Budiž," pronesl uštvaně Regulus. „Prohlašuji návrh za přijatý. Povolejte triumvira capitalis."

Vespasián vešel do sálu s pocitem, že má nohy z olova, a zastavil se těsně za dětmi.

„Slyšels rozsudek?" zeptal se ho Regulus.

„Ano, konzule."

„Tak tedy konej svoji povinnost."

Vespasián se v duchu obrnil. Řím, jak se zdálo, si toho dne žádal příliš mnoho od každého člověka. Položil ruce dětem na ramena. Hoch na něj upřel ledový nenávistný pohled a ruku mu odstrčil.

„Kam jdeme, Capitone?" zeptala se Junilla bratra.

„Za otcem," odvětil Capito a vzal ji za ruku.

„Ale on je mrtvý."

Capito přikývl.

„Co znamená poprava?"

Capito jí stiskl ruku a vedl ji klidně, s hlavou vztyčenou, k otevřeným dveřím.

Vespasián je následoval. Senát mlčel, když procházeli jeho řadami.

Zatímco sestupovali ze schodů na forum, dostihl Vespasiána Gaius.

„Je mi líto, že to potkalo právě tebe, drahý hochu," zamumlal.

„Proč to Aulus Plautius udělal? Copak už nezašel i tak hodně daleko?"

„Tentokrát to nebyl Plautius, bohužel."

„Tak kdo podal návrh, strýčku?"

„Já."

„Ty? Ale proč?"

„Z Antoniina rozkazu," odvětil očividně nervózní Gaius. „Rozkázala unést děti ze msty za to, že Apicata napsala Tiberiovi. Věděla, že Livilla bude muset zemřít, Tiberius nic menšího nečeká, a ačkoli Antonia svoji dceru nenávidí, nemůže kvůli své cti nechat celou věc jen tak projít. Proto mi nařídila, abych u senátu žádal smrt pro Apicatiny děti. Snažil jsem se odmítnout, ale vyhrožovala mi."

„Čím?" zeptal se Vespasián. Čím mohla Antonia dokázat zapůsobit na Gaia, že ho přinutila něco takového udělat?

Gaius pohlédl synovci zpříma do očí. „Smrtí," odpověděl prostě a zamířil pryč.

Vespasián pomalu zavrtěl hlavou, zatímco se díval za strýcem. Přemýšlel, jestli by Antonia opravdu Gaia připravila o život, kdyby její rozkaz odmítl vyplnit. Potom si vzpomněl, s jakou rozhodností se posadila a čekala na smrt své dcery. Znal odpověď a chápal taky proč: co pro ni znamenal Gaiův život v porovnání s tím, co byla sama nucena udělat pro čest a povinnost?

Vespasián se obrátil a zamířil za oběma dětmi. Kráčely ruku v ruce, doprovázeny centurionem z městské kohorty a jeho muži, přes forum na smrt, která je čekala v Tullianu.

Cestou si vybavil svoji babičku, usrkávající víno z drahocenného poháru, a její slova: „Radím ti, aby ses držel dál od politiky, které nerozumíš, a aby ses držel dál od mocných, protože zpravidla mají jen jediný cíl, a tím je větší moc. Snaží se využívat lidi z naší třídy jako nástroje, kterých se mohou snadno zbavit." Uvědomoval si realitu varování: Gaius byl takovým snadno nahraditelným nástrojem, a on by se jím mohl jednoho dne stát také.

Centurio zabušil na dveře Tulliana. Po chvilce otevřel Spurius.

„Ale, ale, copak to tady máme?" zavrčel. Zahleděl se na Capitona a Junillu a olízl si rty.

„Vykonáš svoji práci důstojně a budeš zticha, Spurie," sykl Vespasián, „jinak se při všech bozích postarám, abys byl další obětí téhle čistky ty."

Spurius se na něj podíval ohromený nenávistí v mladíkově hlase a při pohledu do Vespasiánových očí, v nichž se zračila nezdolná vůle, pomalu přikývl. Ustoupil ode dveří a nechal Capitona, který vedl mladší sestru, vstoupit.

„Co je to za místo?" zeptala se dívenka bratra a rozhlédla se po studené temné místnosti.

„Tady to skončí, Junillo," odpověděl Capito tiše. „Buď statečná."

„Meč, nebo provaz?" zeptal se Spurius šeptem Vespasiána.

„Provaz," odpověděl, ačkoli mu slova vázla v hrdle. „A ať je to rychlé."

Jeden ze Spuriových druhů spěchal najít dvě garoty. Spurius nařídil dětem, aby poklekly. Na šíje jim položili smyčky. Junilla začala tiše plakat, protože pochopila, co se děje.

„Počkat," zarazil se náhle Spurius, „tomu děvčeti to nemůžeme udělat."

„Proč ne?" vyštěkl Vespasián. Třásl se napětím. „Je to vůle senátu."

„Ona je… Vždyť víš…," koktal Spurius ve snaze být diskrétní. „A my přece nemůžeme… To je proti bohům."

Vespasián zavřel oči a zakryl si rukama tvář.

„Tak skoncujte s tím hochem," rozkázal.

Junilla otupělá hrůzou se dívala, jak žalářník do smyčky za bratrovým krkem vsunul dřevěný kolík a točil, dokud nebyla smyčka napjatá. Spurius se ohlédl po Vespasiánovi a ten váhavě přikývl.

Obličej děvčátka ztuhl v němém výkřiku, když smyčka vymačkávala z jejího bratra život a jeho obličej a tělo se zkřivily v agónii. Skryla tvář do dlaní a neovladatelně se roztřásla.

Capitonovo mrtvé tělo kleslo s cáknutím do jezírka moči, které je obklopovalo, a vzlykající Junilla se na ně vrhla.

„Co s ní tedy uděláme?" zeptal se Spurius.

Vespasián cítil slabost a bylo mu na zvracení. Myslel na Caenidu a toužil ležet v její náruči.

Obrátil se a zamířil ke dveřím. „Senát rozhodl, že musí zemřít," prohlásil. „Když nemůžete popravit pannu, tak zařiďte, aby jí nebyla."

Vyšel do slunce a zabouchl dveře Tulliana ve chvíli, kdy Junilla dlouze vykřikla v hrůze.

AUTOROVA POZNÁMKA

Tento historický román čerpá hlavně ze spisů Suetonia, Tacita a Cassia Diona.

Getové byli Thrákové, kteří prosluli svým jezdeckým uměním a používáním jízdních lučištníků – i tím, že nosili kalhoty! Nevím, možná dlužím jejich stínům omluvu za své nepříliš lichotivé hypotézy týkající se jejich osobní hygieny, ale dost o tom pochybuji. Původně žili na obou březích dolního toku Dunaje, ale následné invaze, zejména Keltů ve třetím století a Římanů v prvním, je vytlačily na severní břeh, odkud podnikali čas od času nájezdy na Moesii. Hodně se diskutuje o tom, zda se nejednalo o kmen známý jako Dákové, který se o století později stal mocným nepřítelem Říma, nebo jestli tvořili původně samostatný kmen a Dákové je nakonec asimilovali. Obrys getské pevnosti v Sagadavě ze čtvrtého století před Kr. a sousedního římského tábora je nejlépe vidět, alespoň v době tisku této knihy, na *Wikimapia.org 44.2414329N, 27.8540111E*.

To, že Římané používali jako veslaře otroky, je omyl, který se neustále traduje zásluhou častých repríz skvělého filmu *Ben Hur*. Rozhodl jsem se kvůli zápletce stejný zvyk s otroky použít u Thráků, ale nebyl jsem schopen nikde zjistit, zda tomu tak bylo ve skutečnosti. Pokud se nakonec ukáže, že se z mé strany jednalo o velkou historickou blamáž, omlouvám se thráckému loďstvu – pokud tedy dosud existuje.

Ruiny Amfiaráova chrámu a okolní svatyně a divadlo stále existují. Oblíbeným způsobem, jak získat Hrdinovu radu, bylo prospat se po vykonání oběti uvnitř chrámu. Rhaska jsem poslal spát ven, aby měli Vespasián a Sabinus při rozhovoru s kněžími soukromí.

Clemens byl příslušníkem pretoriánské gardy a šlo o vzdáleného příbuzného Flaviů – přes jejich babičku Tertullu. Sabinus si skutečně vzal jeho sestru Clementinu přibližně v době příběhu, ale pravděpodobně ne za popsaných okolností.

V *Židovských starožitnostech* se Josephus Flavius zmiňuje o tom, že Pallas vystupoval jako Antoniin posel a doručil Tiberiovi důkazy o Seianově zradě (nepochybně sepsané Caenidou). Podle Tacita je vyzradil Antonii Satrius Secundus, ale podobně jako Flavius neuvádí, o jaké důkazy se jednalo. Seneca v díle *Marcii* uvádí, že Secundus byl Seianovým klientem, ale já jsem se rozhodl ho spojit také s Macronem – a jeho ženu Albucillu, která byla vyhlášená svými početnými románky, poslat do lože k Seianovi a Liville. Tímto způsobem mohla pro Antonii opatřit požadované důkazy. To, zda Caligula pomáhal Pallovi vyhnout se pozornosti Seianových mužů, kteří hlídali imperátora, není známo. Ale ví se, že byl tou dobou na Capri a že měl rozhodně podíl na Seianově pádu. Vespasián, Sabinus a Corbulo v Pallově doprovodu jsou pochopitelně pouze fikcí.

O Tiberiově zálibě ve shazování lidí z útesů a celkové sexuální zvrhlosti se píše ve více pramenech. Suetonius se zmiňuje o oddílu námořníků, který měl na úpatí útesu dobíjet ty, co přežili pád. Také se zmiňuje o „rybkách" nebo „střevlích", jak se objevují v překladu Roberta Gravese. Na mě však jako nejmrazivější informace zapůsobila historka u Suetonia, že Tiberius měl v levé ruce „takovou sílu, že dokázal prstem prorazit zdravé, čerstvě utržené jablko nebo lebku chlapce či mladíka." Mohu jen předpokládat, že se v tomto umění musel pravidelně cvičit, aby se na ně vzpomínalo jako na oblíbený kousek při večírcích.

O Caligulově incestním chování k sestrám se zmiňuje Suetonius, který pokračuje, že Caligula měl ve zvyku ležet na banketech tak, že si svoji ženu uložil na pohovku nad sebe, to znamená za svá záda, a své sestry „všechny postupně pod sebe". Těžko říct, nakolik se na Caligulovi za staletí podepsaly bulvární pomluvy, jak velmi zajímavě dokládá jeden jeho nedávný německý životopis. Já jsem se však rozhodl použít ze zjevných důvodů pestřejší verzi osudů tohoto fascinujícího císaře.

Události kolem Seianova pádu jsem převzal především z líčení Cassia

Diona, protože Tacitovo svědectví se téměř celé ztratilo a Suetonius je jen málo konkrétní. Kvůli tempu vyprávění jsem události poněkud zhustil: Strabona nepopravili spolu s otcem, ale až o několik dnů později. A obě mladší děti byly popraveny za několik měsíců, nikoli dnů. Cassius Dio i Tacitus se zmiňují o znásilnění Junilly před popravou. Apicata opravdu dosáhla pomsty za smrt dětí, než spáchala sebevraždu, tím, že odhalila Livillu jako Drusovu vražedkyni. To, zda Antonia umořila Livillu hladem, není jisté. Cassius Dio pouze uvádí, že se to povídá. To, že Aulus Plautius byl příznivcem Seiana a poté se obrátil proti němu, je pouze má fikce. Chtěl jsem ho uvést do příběhu, než se s ním setkáme jako s generálem, který bude velet invazi do Británie. Ale řada senátorů se tak jako on chovala ve snaze zachránit si život.

Příznivá zpráva je ta, že podle Suetonia skutečně Vespasiánův otec Titus skončil jako helvétský bankéř a podobně jako jeho současní kolegové si nepochybně vedl dobře. Bankovní zájmy Tita Pomponia Attika u Helvétů po jejich porážce Caesarem jsou historicky doloženy. To, že Pomponius Labeo byl jeho vnuk, je fikce, ale připadalo mi to jako dobrý způsob, jak dostat Tita do historicky správného postavení.

Data týkající se Vespasiánovy kariéry jsem opět čerpal z vynikajícího životopisu *Vespasián* od Barbary Levickové. Opravdu se stal jedním z vigintiviri přibližně v té době, kdy si odsloužil celé čtyři roky v Thrákii, ale to, jestli patřil k triumviri capitales se neví. Barbara Levicková zdůrazňuje, že kdyby byl zapojen do ohavných poprav Seianových mladších dětí, jistě by toho propagandisticky využili jeho nepřátelé v roce čtyř císařů a dále během jeho vlády, což se nestalo. Tato možnost však přesto existuje a já ji zvolil místo toho, abych ho poslal k „silnicím“, což by bylo logičtější, vezmeme-li v úvahu jeho budoucí kariéru. Pochybuji ale, že závěr knihy v souvislosti se silnicemi by byl příliš zajímavý.

Mockrát děkuji svému agentu Ianu Drurymu v Sheil Land Associates, bez něhož bych i dnes pořád stál v rozbahněných polích v ledovém chladu nebo v dusných filmových ateliérech na vrcholu léta ve snaze dokončit další záběr, abychom přešli k novému a tak dále a tak dále. Děkuji také Gaie Banksové a Virginii Acrioneové z oddělení zahraničních práv a Lucy Fawcettové z oddělení filmu a televize.

Nic Cheetham, můj nakladatel, mi připravil velmi vzrušující rok a můj vděk zaslouží nejen on, ale celý skvělý tým v Corvus: Mathilda Imlahová, Laura Palmerová, Becci Sharpeová, Nicole Muirová a Rina Gillová, abych jmenoval aspoň některé z nich. Blahopřeji Rině k narození Amahry Grace McQuinnové.

A znovu opakuji, že mi bylo potěšením pracovat s redaktorkou Richendou Toddovou. Mé díky za to, že byla při své práci ostrá, logická a skutečně dobrá. (Promiň, Richendo, myslím tím tvoje hodně otevřené vyjadřování, ne chování!)

A konečně, děkuji tobě, Anjo, za tvou lásku a podporu, zatímco jsem měnil směr svého života a znovu nad ním získával aspoň částečnou vládu. A samozřejmě za to, že každý večer posloucháš, co napíšu.

Vespasiánův příběh bude pokračovat v románu nazvaném *Falešný římský bůh.*

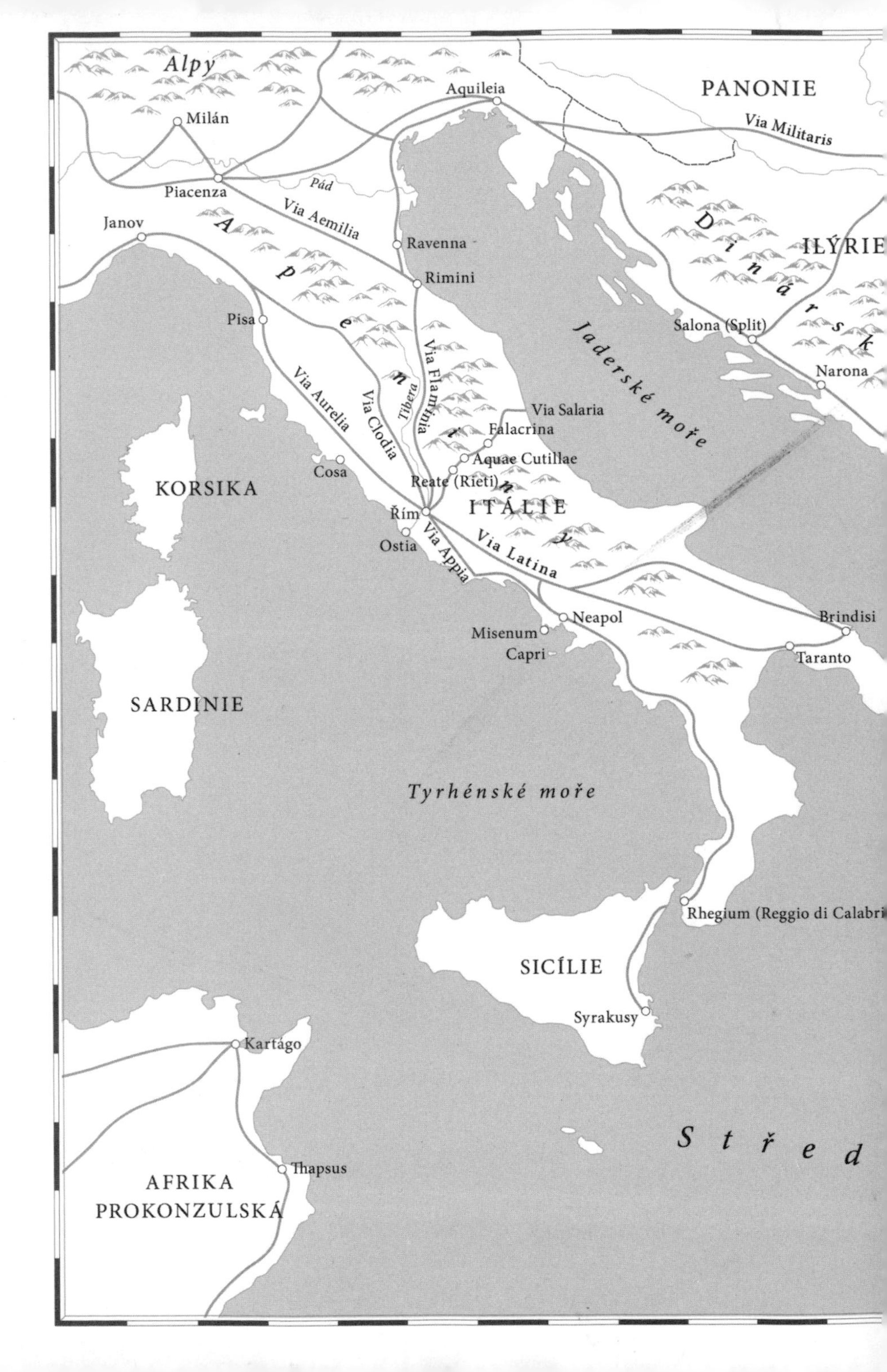
Alpy
PANONIE
Aquileia
Milán
Via Militaris
Piacenza
Pád
Via Aemilia
Janov
Apeniny
Ravenna
Dinárské
ILÝRIE
Rimini
Pisa
Salona (Split)
Jaderské moře
Narona
Via Flaminia
Via Aurelia
Via Clodia
Tibera
Via Salaria
Falacrina
Aquae Cutillae
Cosa
Reate (Rieti)
KORSIKA
ITÁLIE
Řím
Ostia
Via Appia
Via Latina
Neapol
Brindisi
Misenum
Capri
Taranto
SARDINIE
Tyrhénské moře
Rhegium (Reggio di Calabri
SICÍLIE
Syrakusy
Kartágo
Střed
Thapsus
AFRIKA
PROKONZULSKÁ